BIBLIOTHEEK

D0364661

Het familiekapitaal

Van Robert Goddard zijn verschenen:

Bloedband ^e

Verzwegen bestaan

Verjaard bedrog

Moorddadig verleden*

Een schuldig huis*

Het familiekapitaal

* als POEMA POCKET verschenen

^e verkrijgbaar als e-book

Robert Goddard

Het familie-
kapitaal

Uitgeverij Luitingh

Uitgeverij Luitingh en Drukkerij Koninklijke Wöhrmann BV
vinden het belangrijk om op milieuvriendelijke en duurzame wijze
met natuurlijke bronnen om te gaan.

BIBLIOTHEE‹•BREDA
Centrale Bibliotheek
Molenstraat 6
4811 GS Breda

© 2010 Robert en Vaunda Goddard
All rights reserved
© 2010 Nederlandse vertaling
Luitingh ~ Sijthoff B.V., Amsterdam
Alle rechten voorbehouden
Oorspronkelijke titel: *Blood Count*
Vertaling: Joost de Wit
Omslagontwerp: Julie Bergen, Riverside Studio / DPS
Omslagbeeld: Michael Trevillion / Trevillion Images

ISBN 978 90 245 7721 7
NUR 332

www.boekenwereld.com
www.uitgeverijluitingh.nl
www.watleesjij.nu

1

'DE VAKANTIE BEGINT HIER,' MOMPELDE EDWARD HAMMOND binnensmonds. Hij nam een slokje van zijn mineraalwater met prik, staarde wat om zich heen in de clublounge en keek door de grote ramen naar buiten, waar de vliegtuigen bij de verbindingsslurven stonden of over de startbaan taxieden. Heathrow bood op een grauwe middag in februari een weinig inspirerende aanblik, maar Hammond zag in gedachten al uit naar de skihellingen in Oostenrijk, waar de omstandigheden volgens de krant optimaal waren: in Obergurgl niets minder dan poedersneeuw van de beste soort.

Peter en Julie waren al in Oostenrijk, en halverwege een veertiendaagse vakantie. Hammond had gisteravond nog met Julie gesproken en hoorde toen pas dat een vriendin die Sophie heette zich bij hen had gevoegd. Dit leek verdacht veel op een plan om hem te koppelen; het was niet voor het eerst dat Julie probeerde een vrouw voor hem te vinden in de dertien jaar die waren verstreken sinds de dood van Kate. Misschien gebeurde er wel iets tussen Sophie en hem, misschien ook niet, maar een huwelijk lag wat hem betrof zeker niet in het verschiet.

Hij wist natuurlijk dat hij er beter uitzag dan de meeste mannen van tweeënvijftig, deed daar dan ook het nodige voor (zoals regelmatig twintig baantjes trekken in het zwembad) om zo te blijven, en had het bewijs van zijn aantrekkingskracht op vrouwen ruimschoots geleverd gekregen. Door zijn financiële status en plaats in de maatschappij vormde hij een aantrekkelijke partij, maar daar wilde hij het dan ook maar bij laten. Het huwelijk met Kate en de manier waarop dat was beëindigd hadden hem kopschuw gemaakt voor relaties op de lange termijn. Hun dochter Alice, die nu halverwege haar eerste jaar op de universiteit was, had hem herhaaldelijk gezegd dat ze hem niet in de weg zou staan. 'Ik wil alleen maar dat je gelukkig bent, pap.' En dat was wat hij altijd beweerde en meestentijds ook zelf geloofde dat hij was: gelukkig – tot op zekere hoogte.

De gemoedstoestand van de mens, had een bevriende psychiater hem eens gezegd, wordt bepaald door het evenwicht dat hij heeft kunnen vinden tussen de dingen die hij wil onthouden en die welke hij liever vergeet; tussen wat hij aankan, en wat niet. Een grondregel volgens welke Hammond had getracht te leven.

Een van de dingen waarnaar hij in de krant had gezocht, behalve de situatie in de skigebieden in de Alpen, was een naam waarvan hij wist dat die op een gegeven moment de koppen zou halen. Maar hij had die naam niet gevonden. Het proces dat naar hij aannam gewoon doorliep in Den Haag leverde op dit moment blijkbaar niets op wat de aandacht van de media trok. Daar was hij, zo vlak voor het begin van zijn welverdiende vakantie, dan ook oprecht dankbaar voor.

Maar zijn dankbaarheid zou niet lang duren. Die was voorbij, hoewel hij dat in eerste instantie nog niet besefte, op het moment dat iemand vlak naast hem zei: 'Dokter Hammond?'

Hij keek op en zag een lange, welgevormde, opvallend knappe vrouw voor zich staan. Ze had een olijfkleurige huid en donker haar, en droeg strak zittende zwarte kleren, waarbij glinsterende sieraden en een royaal decolleté om zijn aandacht streden. Een glimlach zou deze presentatie misschien hebben afgerond, als dat al de bedoeling zou zijn geweest, maar ze glimlachte niet. Integendeel. Ze maakte de indruk dat glimlachen het laatste was wat ze zou gaan doen.

'Mag ik even?' Er klonk een vleugje van een accent door in het Engels van haar zachte, hese stem – Spaans, vermoedde hij in eerste instantie.

'Jazeker. Kennen wij…?' Ze kwam op de lege stoel naast hem zitten en zette haar tas naast haar voeten op de grond. Het ijs tinkelde in haar glas en de ringen aan haar oorbellen klingelden unisono mee. 'Kennen wij elkaar?' Als zij ooit een patiënt van hem was geweest, had hij zich dat vast wel herinnerd. Maar zij kwam hem niet bekend voor.

'Ik heb u wel eens eerder gezien.' Ze nam een slokje van haar drankje

– dat naar cognac rook – en zette toen het glas neer op het tafeltje tussen hen in. 'Maar we hebben elkaar nooit gesproken. Tot nu dan.' Ze sprak een beetje gejaagd, viel hem op. Ze was zenuwachtig, hoewel hij geen idee had waarom.

'Waar heeft u me... eerder gezien?'

'In Belgrado.' Ze schraapte haar keel. 'Dertien jaar geleden.'

'O, ja?' Hij hoopte dat hij luchtig en onbezorgd op haar overkwam, maar had eerlijk gezegd de voorkeur gegeven aan elke andere stad en ieder ander tijdstip. Zijn reis naar Belgrado in het voorjaar van 1996 was niet bepaald iets waaraan hij graag herinnerd wilde worden. De man die hij daar was gaan behandelen, werd nu berecht in Den Haag. En voor wat die had gedaan kon Hammond in geen enkel opzicht verantwoordelijk worden gehouden. En toch... 'Ik herinner me die tijd eigenlijk niet zo goed meer,' zei hij, en hij glimlachte vluchtig.

'Mijn naam is Ingrid Hurtado-Gazi, dokter Hammond,' zei ze kalm. 'Ik ben de dochter van Dragan Gazi.'

Het gebeurde hem niet vaak dat hij niet wist wat hij moest zeggen. Een van zijn sterke punten was de vlotte en geruststellende manier waarmee hij zijn patiënten bij een consult in zijn spreekkamer op hun gemak wist te stellen. Maar die vaardigheid liet hem nu in de steek. Hij stond met zijn mond vol tanden. Maar hij wist ook dat zwijgen geen optie was. 'Juist, ja. Oké. Natuurlijk. Wel...'

'Toen ik u zag binnenlopen, kon ik mijn geluk haast niet op...'

'Geluk?'

'Ik heb een probleem. Een groot probleem. Niet alleen ik, maar mijn familie, bedoel ik eigenlijk. We hebben hulp nodig. Van iemand... op wie we kunnen vertrouwen.'

'Is uw vader ziek?' Het zou Hammond niet verbazen als dat het geval zou blijken te zijn, hoewel daarover in de verslagen over zijn arrestatie vorig jaar niet was gerept.

'Nee, zijn gezondheid is in orde. Hij zit op een ellendige plek... maar hij mankeert niets.'

'Maar wat is dan...'

'Loop even met me mee naar het raam.' Ze knikte die kant op, en keek toen veelbetekenend naar de groepjes mensen links en rechts om hen heen. De plek waarop ze doelde hield eventuele luistervinken op veilige afstand. En het was overduidelijk dat ze ervan uitging dat Hammond dat op prijs zou stellen.

'Oké.'

Ze stonden op en liepen naar het raam. Hun schimmige spiegelbeelden zweefden tussen hen en de vlakke grijze lucht, waarin traag een vliegtuig opsteeg. Maar de gedachten van Hammond waren in het geheel niet traag. Hij probeerde koortsachtig te bedenken hoe hij zich kon losmaken van deze situatie, die hem nu al niet lekker zat en waarvan hij wel aanvoelde dat die er niet beter op zou worden. Hij had indertijd nooit naar Belgrado moeten gaan. Hij was er toen wel uitzonderlijk goed voor beloond, maar had nu geen idee meer waar al dat geld was gebleven. Zijn uitgangspunt was altijd dat het niet uitmaakte wie een patiënt eigenlijk was, maar hij had daar nooit echt in geloofd. Neem nou zo iemand als Gazi, bijvoorbeeld.

'Waar gaat de reis naartoe?' vroeg hij, in een poging de sfeer zo lang mogelijk luchtig te houden.

'Madrid. Ik heb daar tantes en ooms. Die wil ik graag bezoeken, voor ik weer naar huis ga.'

'En waar is dat?'

'Buenos Aires. *Papá* trouwde mijn moeder toen hij in Argentinië woonde. Misschien heeft hij u wel verteld over zijn tijd daar.'

'Nee, dat heeft hij niet.' Evenmin als over zijn vervolgingen, deportaties, opsluitingen, onteigeningen en uitroeiingen die later zouden leiden tot zijn dagvaarding voor het Internationaal Oorlogstribunaal voor het voormalige Joegoslavië (ICTY, het International Criminal Tribunal for the format Yugoslavia). Hij had niets gezegd. En Hammond had niets gevraagd.

'En wat zijn uw plannen, dokter Hammond?'

'Skiën in Oostenrijk.'

Ze viel stil en keek van hem weg door het raam naar buiten. Daarna keek ze hem weer aan. 'Dat is dan heel vervelend.'

'Wat?'

'Dat we elkaar hier tegen het lijf moesten lopen. Goed voor mij. Niet zo goed voor u.'

'Wat?' Hij vroeg zich af of hij haar verkeerd had verstaan. Maar hij wist dat dat niet zo was. En hij begon te betwijfelen of hun ontmoeting hier wel zo'n toeval was.

'U moet iets voor me doen. Voor mijn vader. Voor mijn familie.'

'Ik denk niet dat ik u kan helpen.'

'Ik heb u nog niet gezegd waar het om gaat.'

'Nee. Maar u ziet dat ik op het punt sta met vakantie te gaan.'

'Nee, dokter. U moet hier blijven. In Engeland.'

'Wat?'

'Ik vind het écht heel vervelend.'

Hammond keek haar nu recht in de ogen. 'Ik kan u werkelijk niet helpen.'

'Wilt u me dan alstublieft de kans geven even uit te leggen wat ik graag wil dat u doet?' Ze raakte zijn arm aan. 'Het duurt niet lang. U hoeft alleen maar te luisteren. Alstublieft.'

Haar zachte, smekende toon en de eerste tekenen van een opkomende nieuwsgierigheid waren hem te sterk. Hij zou naar haar luisteren. En haar daarna afwijzen. 'Goed dan. Zeg het maar.'

'Zoals u weet is mijn vader een rijk man,' zei ze. Ze hield zich nog meer in en leunde naar hem toe, tot ze zo ongeveer in zijn oor kon fluisteren. 'Maar zijn geld is verstopt. Dat moet ook wel. De Servische regering – en andere mensen – willen het van hem stelen. Hij vindt dat het ons – zijn familie – toekomt. Het wordt beheerd door een man die vroeger voor hem werkte. Die wij de Boekhouder noemen. En die hier woont. In Londen. Hij kan ervoor zorgen dat het geld bij ons terechtkomt.'

'Nou, vraag hem dan dat te doen.'

'Dat deden we ook. Maar hij reageert niet op onze boodschappen. En ik weet niet waarom.'

'Zoek hem op.'

'Dat gaat niet. Ik word overal gevolgd. Als ze erachter komen wie de Boekhouder is, zijn we alles kwijt.'

'U wordt gevólgd?' Hammond keek achter zich. Niemand in de lounge leek ook maar in de verste verte in hen geïnteresseerd. Was de vrouw paranoïde?

'Echt waar, dokter Hammond. Hier ben ik veilig, in deze ruimte, maar ze zaten me op de hielen tot bij de incheckbalie, en in Madrid staat er zeker iemand me op te wachten.'

'Meent u dat nou echt?'

'Als het niet waar was, hoefde ik u niet te vragen om voor mij contact op te nemen met de Boekhouder.'

Nu waren ze dan toch bij de kern van de zaak beland. Ze wilde dat hij als haar koerier optrad om de hand te kunnen leggen op het geld van haar vader, dat hij zonder enige twijfel zelf voor een belangrijk deel had gestolen. Het was erger dan Hammond al had gevreesd. En hij peinsde er niet over om hieraan mee te doen. Hij schudde zijn hoofd. 'Sorry, hoor, maar…'

'Als u weigert, zal mijn vader tijdens zijn proces dingen over u zeggen die u niet graag gezegd zou willen hebben.'

Haar parfum was zoet en rook naar gardenia's. Leek het vermengd met een vleugje bederf, en dood, of verbeeldde hij zich dat nu? Hij wist het eigenlijk niet. 'Uw vader zegt maar wat hij wil. Ik heb mezelf niets te verwijten.'

'Hij heeft het me verteld, dokter Hammond.' Haar gezicht was een en al ernst. 'Ik weet ervan.'

'Wat weet u wáárvan?'

'Dat een deel van uw honorarium voor de behandeling van mijn vader bestond uit de moord op uw vrouw.'

Hammonds eerste reactie op deze bizarre mededeling van Ingrid Hurtado-Gazi was alsof hij zich buiten zijn lichaam bevond, zij het dat de verschuiving plaatsvond in tijd in plaats van in ruimte. Hij kon zich niet meer herinneren wanneer iemand voor het laatst over de oorzaak van Kates dood had gesproken. Moord in al zijn brute realiteit riep een terughoudendheid op die na verloop van tijd alleen maar toenam. Maar nu voerden die paar woorden van Ingrid hem in gedachten terug naar de eerste maanden van 1996 en alle chaos en woede en tragiek die die met zich hadden meegebracht.

De roes van zijn eerste jaren met Kate had, hoe vreemd dat ook klinkt, eigenlijk een waarschuwing voor hem moeten zijn. Voor Kate was het leven één groot spel; mallotig, irritant, mooi, opwindend, scherpzinnig, hartstochtelijk en energiek als ze was. Het huwelijk en het moederschap dwongen haar, ondanks haar toewijding voor Alice, voortdurend haar grenzen te verkennen. Haar verhouding met Alan Kendall was in bepaalde opzichten dan ook een voorspelbare reactie. Die maakte haar leven, zoals ze ruiterlijk toegaf, 'voller en meer de moeite waard'. Maar omdat bedrog niet in haar aard lag wilde ze scheiden en met een schone lei beginnen.

Hammond verliet hun huis in Wimbledon, betrok een flat in Fulham en ging niet helemaal van ganser harte zelf ook een verhouding aan. De schermutselingen over de scheiding werden steeds bitterder. Alle gesprekken verzandden in gesteggel over geld. Zijn leven had een uiterst treurige wending genomen – en ook de vooruitzichten beloofden weinig goeds.

Toen benaderde Svetozar Miljanovic, een Servische leverspecialist die

Hammond een paar jaar eerder op een conferentie had leren kennen, hem met een lucratief voorstel. Dragan Gazi, een machtig man in het regime van Milosevic, moest dringend een levertransplantatie ondergaan. En de algemene consensus was dat Hammond en zijn team van het St. George daarvoor het geschiktste waren. Het Vredesakkoord van Dayton had tot opheffing van de internationale sancties tegen Servië geleid. Er waren geen officiële obstakels die hen ervan weerhielden naar Belgrado te gaan om Gazi te behandelen. En Hammond kon zo ongeveer zijn eigen honorarium vaststellen. Het ging om geld waarvan hij gevoeglijk kon aannemen dat hij dat buiten de onderhandelingen met Kates echtscheidingsadvocaat kon houden. Hij ging akkoord.

Hij nam een anesthesist, een perfusionist en een operatiezuster mee naar Belgrado. Ze bleven tien dagen. De transplantatie zelf verliep goed. Ze waren allemaal te druk – en te goed betaald – om stil te staan bij de oorlog in Bosnië en Gazi's rol daarin. Hammond kon niet ontkennen dat hij het heel enerverend vond dat men hem vroeg vanwege zijn reputatie als levensreddend specialist en dat hij die vervolgens in de praktijk en met succes had kunnen bewijzen. De efficiency en precisie waarmee hij en zijn team hadden gewerkt hadden bijna iets militaristisch gehad.

Een week na zijn terugkeer in Londen werd Kate vermoord op het parkeerterrein van een supermarkt. De politie kwam niet verder dan dat het vermoedelijk een uit de hand gelopen beroving was geweest, of anders een zinloze daad van de een of andere gek. Ze gingen wel Hammonds gangen na op het tijdstip van haar dood, maar lieten zich er verder niet over uit of hij daar volgens hen bij betrokken kon zijn geweest. Hij was radeloos van verdriet en besefte toen pas dat hij altijd van haar was blijven houden. Maar hij hield zich groot, vooral vanwege Alice. Na verloop van tijd gaf hij de hoop op dat de politie er ooit nog in zou slagen Kates moordenaar te pakken.

Miljanovic hield hem op gezette tijden op de hoogte van Gazi's herstel. Dat verliep goed. Van Gazi zelf hoorde hij nooit iets.

Tot nu dan, indirect, via de zachte stem van zijn dochter, die met een sombere uitdrukking op haar gezicht in het loodgrijze daglicht naar Hammond staarde, in afwachting van zijn antwoord.

'Dit… is… volslagen onzin.' De woorden kwamen stotterend naar buiten.

Ingrid schudde haar hoofd. 'Niet volgens mijn vader.'

'Hij had niets te maken met de dood van mijn vrouw. Daar was… geen enkele afspraak over.'

'Hij zegt van wel.'

'Dat is dan een leugen.'

'Maar uw vrouw is wel dood. En de moordenaar is nooit gevonden. Waarom zou mijn vader daarover schuld bekennen, als hij niet schuldig is?'

Inderdaad, ja. Waarom? Dat was een vraag waarop alleen maar duistere en verontrustende antwoorden bestonden.

'Ik geloof mijn vader, dokter Hammond. En andere mensen zullen dat ook doen, denk ik. U heeft collega's, vrienden, familie. Hoe zouden die hierop reageren? U kunt het ontkennen, natuurlijk. Maar zal men u geloven?'

En Alice? Grote genade. Zou die zich gaan afvragen of haar vader zich misschien door de onaangename verwikkelingen van een bittere echtscheiding gedwongen had gevoeld haar moeder te laten vermoorden? Zouden de zorg en liefde die hij in haar opvoeding had gestoken opwegen tegen de twijfels die bij haar zouden kunnen postvatten?

'Misschien is er te weinig bewijs voor de politie om iets te kunnen doen. Maar er is in elk geval genoeg voor verdenking. En meer is er niet nodig om een man in uw positie onderuit te halen.'

Die kans was inderdaad afschuwelijk groot. Er waren altijd mensen die in een leugen wilden geloven, zeker in zo'n slinkse als deze. En hoe groot was die leugen eigenlijk? Had Gazi misschien wel degelijk de moord op Kate op zijn geweten, omdat hij daar om de een of andere bizarre reden zelf baat bij had? Had hij voorzien dat hij Hammond in zijn greep moest houden? Omdat er een dag kon komen waarop hij zijn dokter zou moeten dwingen om naar zijn pijpen te dansen?

'Als u me helpt, houdt mijn vader zijn mond. Neem contact op met de Boekhouder. Zorg ervoor dat het geld wordt vrijgegeven. Dat is alles wat ik van u vraag. Het is niet moeilijk, en vergt weinig inspanning. Het zou dom zijn als u weigerde.'

Niet moeilijk? Weinig inspanning? Zal best. Of misschien ook niet. Hammond kreeg een gevoel of hij in drijfzand was gestapt. Als hij bleef staan, zou hij zinken. Maar als hij doorliep, raakte hij nog verder verstrikt.

'En, dokter Hammond?'

2

SVETOZAR MILJANOVIC WAS EEN KLEINE, LEVENDIGE MAN, MET het postuur van een jockey en met een glimlach die op afroep klaarstond om zijn gelaatstrekken te verzachten. Alleen op onbewaakte ogenblikken kregen de melancholie en de vermoeidheid de overhand. Maar die waren slechts zichtbaar voor iemand die wist hoe je ze herkennen moest.

Edward Hammond was zo iemand. Het hoorde bij zijn diagnostische werkwijze. De meeste ziektes waren, zoals zijn vader de huisarts altijd zei, al herkenbaar voor een patiënt ook maar één symptoom had genoemd. Duidelijk aanwezig, in het gezicht, de handen, de houding. Je moest alleen weten waar je op moest letten.

Wat Hammond zag in zijn tafelgenoot in het Sheraton, die late avond in februari in 1996, was wanhoop, goed weggestopt, maar lang niet goed genoeg. Hij begreep wel dat Miljanovic de afgelopen jaren onder weinig benijdenswaardige omstandigheden had geleefd en gewerkt. Dat kon ook moeilijk anders, gegeven het isolement van Servië binnen de wereld als gevolg van diens rol in het bloedige conflict in Bosnië, om nog maar niet te spreken van de enorme inflatie en het gangsterdom die synoniemen waren geworden voor het land. Miljanovics opgewekte opmerking dat 'sinds Dayton alles beter was geworden' was zonder enige twijfel juist. Maar dat betekende nog niet dat het goed was.

'Het spijt me dat ik je niet heb kunnen helpen je artikel over hep C gepubliceerd te krijgen, Svetozar,' zei Hammond, toen duidelijk werd dat

Miljanovic niet voornemens was het onderwerp zelf aan te snijden. Het stuk betrof een verhelderend onderzoek naar de buitensporige verbreiding van hepatitis C in het voormalige Joegoslavië als gevolg van drugsgebruik en transfusies met geïnfecteerd bloed. Het verdiende zeker te worden gepubliceerd, maar geen blad had de controverse aangedurfd om een stuk van een Servische auteur op te nemen. 'Maar nu alle sancties zijn opgeheven kan je het opnieuw aanbieden.'

'Ik zie wel.' Uit Miljanovic' toon bleek wel dat hij dringender zaken aan zijn hoofd had. 'Als ik wat beter in mijn tijd zit.'

'Druk?'

'O, ja. Alcoholisme. Drugsverslaving. En het hepatitis C-probleem. Het is allemaal erger geworden na de narigheden die we hebben gehad. Mijn landgenoten hebben niet zo goed op hun lever gepast, Edward. Waardoor ik het erg druk heb, ja. En jij? Alles goed?'

'Beroepshalve kan het niet beter.'

'En persoonlijk?'

Hammond zuchtte. 'Ik ben onlangs gescheiden van mijn vrouw.'

Miljanovic trok een lelijk gezicht. 'Ah, wat ellendig. Wat spijt me dat. Je hebt een dochter, is het niet?'

'Ja. Voor Alice is het een ramp. Die is er ondersteboven van.'

'Hoe oud is ze?'

'Zeven.'

Weer een lelijk gezicht. 'Een kind van zeven heeft een moeder en een vader nodig – samen.'

Hammond glimlachte treurig. 'Zeg dat maar tegen mijn vrouw.'

'Is er... iemand anders?'

'Ik vrees van wel. Kate heeft me ingeruild voor een sportiever model.'

Miljanovic leek even net zo gebukt te gaan onder Hammonds narigheden als hijzelf. 'Ik leef met je mee, Edward. Dit soort dingen zou een mens bespaard moeten blijven. Door dit nieuws... vraag ik me af of ik je eigenlijk nog wel... mag lastigvallen met mijn voorstel.'

'Alles wat me kan afleiden van de knoeiboel die mijn leven op het ogenblik is, is het aanhoren waard, Svetozar. Kom maar op met je voorstel.'

'Prima.' Miljanovic dempte zijn stem nu wat en leunde over de tafel naar voren. 'Ik heb een heel belangrijke patiënt die een andere lever moet hebben. Wat wij hier in Belgrado niet kunnen doen. Bijna al onze goede mensen zijn het land uit. Ik heb een goed team, maar ik weet niet of ik alle complicaties van de procedure wel aankan. En dacht daarom aan jou.

Jouw reputatie is… zo goed als maar mogelijk is. Jij en jouw team kunnen dit wél, Edward. Dat weet ik.'

'In Belgrado?'

'Mijn patiënt kan niet reizen. Hij is bang te worden gedagvaard in Den Haag.'

'Wat heeft hij gedaan?'

Miljanovic haalde zijn schouders op. 'Slechte dingen, neem ik aan. Ik weet het niet precies. Hij leidde een soort vrijwilligersleger in Bosnië. En… hij heeft connecties in de onderwereld. Hij heeft overal heel veel connecties. Ik zal je niets voorspiegelen. Het is geen prettige man. Maar hij is machtig, en hij is ziek, en ik moet hem behandelen. Ik heb, om eerlijk te zijn, geen keus.' Zou dit, vroeg Hammond zich af, de oorzaak zijn van de wanhoop die hij eerder bij hem had geconstateerd? Voor Miljanovic' eigen heil zou de eventuele dood van deze patiënt op geen enkele manier met hem in verband gebracht mogen worden, maar de mogelijkheid van die dood was evident, ongeacht wie zijn dokter was. 'Ik kan je ook nog zeggen dat hij zeer goed bij kas is. Hij is bereid voor deze operatie… een kwart miljoen pond te betalen.'

Dat bedrag was hoger dan Hammond had verwacht. Tien dagen of zo in Belgrado, voor het leeuwendeel van een kwart miljoen pond. Zoiets sloeg je niet zo makkelijk af. Hij moest er eens even uit. Nou was dit niet bepaald een schoolvoorbeeld van een vakantie, maar het voerde hem in elk geval weg van Kate, haar inhalige advocaat, en de veel te perfecte enge man op wie ze volgens haar zeggen zo verliefd was. Misschien zou het zelfs mogelijk blijken het geld geheel en al buiten het bereik van die advocaat te houden, iets waar Miljanovic blijkbaar al rekening mee had gehouden.

'Dit bedrag kan op elke manier worden uitbetaald die jij aangeeft.'

'Werkelijk?'

'Wat vind je ervan Edward? Ik zou het een eer vinden om met je te mogen werken.'

'Ik heb veel meer informatie nodig, voor ik kan besluiten.'

'Natuurlijk. Natuurlijk.'

'De patiënt, hoe heet die?'

'Dragan Gazi.'

'Nou, mij zegt dat niets.'

Miljanovic glimlachte. 'Mooi zo.'

Edward dacht terug aan die eerste keer dat hij Gazi's naam had gehoord, toen hij dertien jaar later een ander, grauwer, goedkoper restaurant binnenliep: Squisito, een lusteloze trattoria halverwege Bayswater Road en Paddington Station. De banale inrichting en saaie clientèle leken bij uitstek geschikt om Hammonds verlangen naar het voedsel, de wijn en het vertier met Peter, Julie en Sophie die hij nu misliep in Oostenrijk extra aan te wakkeren.

Had hij dat aanbod van Miljanovic nou maar afgeslagen. Maar hij kende zichzelf goed genoeg om te weten dat hij dat nooit zou hebben gedaan, natuurlijk. Zijn ego was gestreeld toen hij was uitgenodigd om naar Belgrado te komen om de mensen daar te laten zien hoe dingen moesten worden gedaan. En zo goed was hij nog nooit eerder betaald, en ook daarna niet. Maar hij ontkwam er toch niet aan er even bij stil te staan hoeveel verstandiger het zou zijn geweest als hij het aanbod van Miljanovic wel had afgewezen.

Hammond was een man van formaat en aanzien. Mensen respecteerden en waardeerden hem. De wereld waarin hij zich bewoog was ingericht naar zijn wensen en inzichten. Te moeten dansen naar de pijpen van anderen was geheel en al in strijd met het beeld dat hij van zichzelf had. De rancune die in hem broeide was van het soort dat hij niet meer had gevoeld sinds Kate hem had verteld dat hun huwelijk voorbij was. Het feit dat hij geen grip had op de gang van zaken frustreerde hem nu net zo erg als toen, en was bijna onverdraaglijk. Dit soort dingen konden en mochten hem niet overkomen. Maar het gebeurde toch.

Onder het ultimatum van Ingrid kwam hij niet uit. Gazi's beschuldigingen zouden Hammonds leven grondig overhoophalen. De media kregen precies waar ze op uit waren en er bleven, ongeacht het aantal vrienden en collega's dat hij zou kunnen overtuigen van Gazi's ongelijk, altijd wel een paar mensen over die hun vraagtekens zouden blijven plaatsen. En als Alice er daar een van was, waren de gevolgen niet meer te overzien. Hij kon zich eenvoudigweg niet voorstellen een leven te moeten leiden waarin zij hem verdacht van de moord op haar moeder – of dacht dat hij zelfs maar in staat zou zijn geweest zoiets te bedenken. En dus was hij wel gedwongen, kokend van nauwelijks te beheersen woede, op haar verzoek in te gaan.

'Ik wil dat het geld uiterlijk komende vrijdag voor het einde van de werkdag is overgemaakt,' had Ingrid kalm en met nadruk gezegd. 'Op deze rekening.' Ze gaf hem een blaadje glad schrijfpapier waarop de naam van een bank op de Cayman Eilanden geschreven stond en een rekeningnummer, evenals een nummer van een mobiele telefoon. 'Eerder dan vrijdag is nog beter. Bel me als het is gebeurd.'

'En hoe had je gedacht dat ik dat moest doen?'

'De Boekhouder heet Marco Piravani. Hij is hier, in Londen. Zijn adres heb ik niet. De enige manier om contact met hem op te nemen is via Squisito, een Italiaans restaurant.' Ze gaf hem een kaartje waarop een adres en een telefoonnummer geschreven stonden. Toen Hammond het kaartje omdraaide zag hij een foto op paspoortformaat van een man van middelbare leeftijd, met brede kaken, een stevige bos donker haar, een snor, een getinte bril met een metalen montuur, en een ernstige, zo niet grimmige gelaatsuitdrukking. 'Die foto is acht jaar geleden genomen, maar zoveel zal hij niet veranderd zijn.'

'Heb je hem op dat adres proberen te bereiken?'

'Natuurlijk. Heel vaak. Maar hij reageert niet.'

'Misschien zijn je berichten niet aan hem doorgegeven.'

'Jawel hoor.'

'Nou…'

'Zorg dat het tot hem doordringt. Dat als hij het geld niet overmaakt, of als hij het kwijt is, of achterover heeft gedrukt, mijn vader hem wel weet te vinden.' Ze haalde haar schouders op. 'Maar dat weet hij natuurlijk heel goed.'

'En intussen stuur je mij op hem af.'

'U kan ik vertrouwen, dokter Hammond.'

'Vertrouwen zou ik het niet willen noemen. Het is chantage.'

Weer haalde ze haar schouders op. 'Het spijt me. Ik kan niet anders.'

'Ik zo te zien blijkbaar ook niet.'

'U zegt het.'

'Als ik succes heb, wat garandeert me dan dat je vader tijdens zijn proces niets over me zegt?'

'Het feit dat u de Servische autoriteiten kan vertellen waar ze zijn geld kunnen vinden.'

'Een rekeningnummer op de Cayman Eilanden. Het is me wat.'

'U kunt de Boekhouder identificeren. U kunt mij erbij lappen. Dacht u dat ik daar trek in had? Ik zou dit zelf doen, als ze me niet steeds op de hielen zaten. U bent in de beste positie om me te helpen. Ga naar de Boekhouder, en zeg hem het geld over te maken. Hij heeft het, en wij willen het. Het is ons geld. Laat hem het geld overmaken. Het kan me niet sche len hoe u dat doet, áls u het maar doet. Daarna kunt u weer terug naar uw veilige en comfortabele leventje, dokter Hammond. Misschien zelfs nog wel wat skiën, of zo. Ik wil u niet van uw pleziertjes afhouden. Maar dit moet eerst worden gedaan.'

'Dit moet eerst worden gedaan.' Ja. Natuurlijk. Dit was de prioriteit die Hammonds leven zou beheersen in de tijd die nodig was om Gazi's geld los te krijgen van zijn moeilijk te pakken te krijgen boekhouder. Die ertoe leidde dat hij zijn vlucht een paar minuten voor vertrek moest annuleren, dat hij op zijn strepen moest gaan staan om zijn bagage het toestel uit te krijgen, en een leugen moest bedenken voor Peter en Julie om uit te leggen waarom hij niet naar hen toe kon komen. De ironie van de smoes die hij had gelanceerd – dat er plotseling een donor was gevonden voor een transplantatie waar een leven van afhing – ontging hem niet. Maar die ironie viel in het niet bij de woede die hij voelde omdat hij met een dergelijke leugen op de proppen had moeten komen. Hij wist niet zeker of hij er wel goed aan had gedaan te doen wat Ingrid van hem vroeg. Maar hij kon het risico niet nemen dat Gazi zich van zijn slechtste kant zou laten zien. Dat stond in elk geval vast. Ook al was dat op dit moment misschien wel het enige.

3

TOEN HIJ DIE AVOND SQUISITO BINNENLIEP, WIST HIJ NOG NIET
precies hoe hij het zou gaan aanpakken. Ingrid had ervaren dat het achterlaten van een boodschap geen zin had. Als er een snelle en eenvoudige oplossing was voor het probleem, had hij die nog niet gevonden. De
kelners leken hem niet van het loslippige soort. Er heerste daar toch al
een opvallend gebrek aan zuidelijke vrolijkheid. Hij bestelde een biertje
en bestudeerde het niet bepaald opwindende menu, maar zijn ergernis
over de situatie waarin hij verkeerde had zijn concentratie compleet ver-
stoord. Hij besefte wel dat hij in gedachten veel te veel bezig was met het
verleden, zonder dat dat tot iets leidde, maar hij kon er niets aan doen.
Gevoelens van berouw en spijt voerden de boventoon.

En toen gebeurde er iets totaal onverwachts, een zo gelukkig toeval dat
hij het eerst haast niet kon geloven. Een vermoeid ogende Marco Piravani liep het restaurant binnen, gebogen en met een pak vol kreukels, en
werd door het aanwezige personeel meteen herkend. Zijn haar was grijzer dan op de foto die Ingrid hem had gegeven, maar verder leek hij weinig veranderd. Hammond zag meteen dat hij het was en bracht het uur
dat volgde door met bedenken hoe hij de man moest benaderen.

Dat Piravani zo'n overduidelijk onbenaderbare houding uitstraalde
hielp niet echt. De kelners spraken hem respectvol aan met '*dottore*' en
de baas, een voor het overige naargeestig type man, begroette hem met
glimlachjes en kneepjes in de schouder, maar Piravani reageerde daar

nauwelijks op en dook weg in de *Gazzetta dello Sport* die hij bij zich had. Hij leek in alle opzichten op wat Hammond over hem meende te weten: een eenzelvige cententeller. Zijn alcoholgebruik daarentegen kwam nogal verrassend over. De gezwinde verwerking van een fles rode wijn van het huis tijdens het eten, gevolgd door een grappa, riep het vermoeden op van een drankprobleem of van een poging om een aanzienlijke hoeveelheid narigheid onder te dompelen.

Hammond wist nog steeds niet precies wat hij moest doen, beseffend dat hij Piravani vermoedelijk maar één keer kon benaderen. De man was hier in Squisito onder vrienden, hoe afstandelijk hij die ook behandelde. Hammond niet. Wat niet bepaald de ideale situatie was voor het openhartige en weinig verhullende gesprek dat ze moesten hebben. En ook zou het veel beter zijn als Piravani nuchter was, als dat gesprek plaatsvond. Hammond besloot het nog even aan te zien, hoe graag hij ook de hele zaak daar en op dat moment had afgehandeld. Hij moest nog even geduld betrachten.

Terwijl Piravani wachtte op een espresso die vrijwel zeker de afronding van zijn maaltijd inluidde, legde Hammond voldoende contant geld op tafel om zijn rekening te voldoen, knikte een van de obers ten afscheid toe, en wandelde naar buiten.

Hij liep niet verder dan de onverlichte portiek van een groentewinkel aan de overkant van de weg, waarvandaan hij een goed uitzicht had op het restaurant. Tien koude minuten verstreken voor Piravani naar buiten kwam gestommeld. Er waren geen taxi's in de buurt, zodat niet meteen het gevaar bestond dat hij er een zou aanhouden. Hij zette de kraag van zijn jas omhoog, stak een sigaret op en begon richting Paddington Station te lopen. Hammond schoot naar de andere kant van de straat en zette de achtervolging in. Hij betwijfelde of Piravani hem zou hebben opgemerkt, zelfs als er niet voldoende andere voetgangers waren geweest. Het leek er meer op dat de Italiaan, met zijn hoofd gebogen en met onzekere tred, op de automatische piloot koerste.

Ze kwamen bij Pred Street, en toen Piravani stopte bij de oversteekplaats gaf dat ook min of meer aan dat hij op weg was naar het station. Hij deelde die bestemming met een groot aantal andere late reizigers, waarvan vele de indruk wekten dat ze een groot deel van de vrijdagavond hadden doorgebracht in de pub. Normaal gesproken zou Hammond hebben lopen denken aan de schade die al deze mensen toebrachten aan hun waardevolle lever, maar op dit moment had hij wel wat anders aan zijn hoofd.

Toen de lichten op groen sprongen volgde hij Piravani de weg over en de traptreden op, het station in. De Italiaan stopte voor een laatste trekje aan zijn sigaret voordat hij die weggooide, en wandelde toen de drukke hal binnen. Hij hield rechts aan, op weg naar de perrons voor de pendeltreinen naar het westen. Hammond haalde zijn ov-kaart tevoorschijn en liep door het tourniquet achter hem aan. Van de monitoren boven de perrons begreep hij dat de eerstvolgende dienst een stoptrein naar Reading was.

Die stond al klaar bij het perron toen ze aankwamen. Piravani stapte in zonder de disgenoot van Squisito op te merken die hem op de hielen zat, en was al weggezakt in een slaapje toen de trein een paar minuten daarna vertrok. Bij het wegdenderen in de nacht kreeg Hammond de kans de man wat beter te bestuderen, maar hij zag niets wat anders was dan hij had verwacht. Piravani zorgde slecht voor zichzelf, dronk te veel, en bewoog te weinig. De verkrampte houding waarin hij nu zat en die moeilijk kon doorgaan voor een lekker dutje, gaf aan dat hij vermoedelijk ook niet genoeg sliep.

Piravani's *Gazzetta dello Sport* lag op de stoel naast hem. Hammond zag dat hij niet lag opengeslagen op een van de voetbalpagina's maar op de advertentierubrieken. Een van die advertenties was omcirkeld en had een sterretje ernaast. Hij ging op de plaats achter de Italiaan zitten en gluurde over zijn schouder om te zien waar de advertentie over ging.

Maar op dat moment begon de trein vaart te minderen voor de eerste halte. De verandering van klank in de motoren wekte Piravani meteen, die overeind kwam en om zich heen keek. Hij zag zijn krant naast zich liggen, rolde hem op en stak hem in de binnenzak van zijn jas.

De trein reed Acton Main Line binnen. Een snelle blik op het bord met de naam van het station stelde Piravani gerust, en hij zakte opnieuw weg in vergetelheid. Hammond zuchtte, en vroeg zich af wat hij moest doen als de Italiaan straks uitstapte. Hem blijven volgen, besloot hij in stilte. Dat leek hem het handigst. Als hij eenmaal wist waar Piravani woonde, hing de vraag of hij kreeg wat hij wilde niet meer af van een eerste ontmoeting.

Een paar minuten later, vlak voor Ealing Broadway, stond Piravani op en liep, samen met een tiental andere mensen, naar de deuren. De rode huiswijn deed zijn snelheid en wendbaarheid weinig goed. Hammond hoefde bij het uitstappen en hun wandeling over het perron niet veel moeite te doen om voldoende afstand te houden en te voorkomen dat hij hem inhaalde.

Een moeizaam bestijgen van de trappen en het manoeuvreren door de kaartjescontrole brachten Piravani naar de uitgang, waar hij stopte om opnieuw een sigaret op te steken. De meeste andere passagiers waren inmiddels uit het zicht verdwenen, waardoor Hammond genoodzaakt werd zich te verdiepen in een aanplakbiljet met mededelingen over de te verwachten werkzaamheden aan het spoor dat weekend, tot Piravani zijn tocht hervatte.

Hij sloeg buiten het station meteen rechts af en kort daarna nog een keer. Hammond volgde hem door een straat met victoriaanse huizen van rode baksteen die evenwijdig aan de spoorbaan stonden. De eerste paar panden hadden duidelijk betere tijden gekend. Vrijstaande herenhuizen die geleidelijk aan waren afgetakeld en opgesplitst. Piravani liep met een rinkelende sleutelbos in de hand de betegelde voortuin zonder hek van een van die huizen in. Naast de stakige afscheidingsheg lagen kapotte vuilniszakken op de grond en uit een van de kamers boven kwam het versterkte bonkende geluid van popmuziek. De gordijnen voor de ramen waren van een dunne en kakelbonte stof. Op één plek waren ze vervangen door een laken. Als Marco Piravani het geld van Gazi had verduisterd, had hij het duidelijk niet gestoken in een luxueuze woonomgeving.

Hammond had zijn oorspronkelijke doel bereikt. Hij wist waar de man woonde. Nu kwam het moeilijke deel. Hij wist nog altijd niet precies wat hij zou gaan zeggen, maar de tijd was nu wel aangebroken om zijn mond open te doen. Toen Piravani de sleutel in het slot stak, liep Hammond naar hem toe.

Maar het was Piravani die als eerste sprak. Toen Hammond op hem af kwam draaide hij zich om, keek hem aan, glimlachte eventjes en zei, plotseling nuchter! 'Dobro vece.'

'G-Goeienavond,' zei Hammond, die zich afvroeg hoe lang de man zich al bewust was geweest van zijn aanwezigheid.

'U spreekt liever Engels?'

'Ik bén Engels.'

'Kijk eens aan. En geen moordenaar, zo te zien.' Zijn glimlach verbreedde zich. Hij leek eerder verbaasd dan opgelucht. 'De onderhandelingen zijn dus nog niet van de baan.'

'Weet u dan waarvoor ik hier ben?'

'Wie heeft u gestuurd?'

'Ingrid.'

'Dan weet ik genoeg.'

'Kunnen we praten?'

'Ja. We kunnen praten. Hoe heet u?'

'Hammond.'

'Hammond?' Piravani's ogen vernauwden zich tot een spleetje. 'Wacht eens. Bent u… Dokter Hammond? U bent dokter Hammond, niet?'

Hij zou het graag hebben ontkend, maar dat had geen zin. 'Ja.'

'Ik hoop dat u nu evenveel geld vraagt als de vorige keer, toen u Gazi kwam redden.'

'U zei dat we konden praten.'

'Inderdaad. Kom binnen.' Hij draaide de sleutel om in het slot en duwde de deur open. 'Kom binnen, dan kunnen we praten.'

4

DE HAL HING VOL ETENSLUCHTJES EN VERSCHAALDE SIGARET-
tenrook, gelardeerd met een vleugje marihuana. Achter een open deur
aan het einde was een keuken, waar een magere jongeman met piekhaar,
een versleten spijkerbroek en T-shirt aan een tafel vol etenswaar corn-
flakes zat te eten. Hij keek op, maakte een v-teken naar Piravani, maar
zei niets.

De Italiaan antwoordde met een vaag gebaar van eigen maaksel. 'Een
van de andere bewoners,' mompelde hij tegen Hammond. 'Een antro-
poloog zou zich hier zeker in zijn element voelen.'

'Kunt u niet ergens een betere plek vinden om te wonen?'

Piravani glimlachte meesmuilend. 'Misschien wil ik dat wel helemaal
niet. Maar kom mee. Dan gaan we naar mijn stek.'

Ze liepen de trap op, waarbij de muziek geleidelijk aan luider werd. Piravani deed de deur van het slot die naar zijn appartement leidde: een
hal, slaapkamer en badkamer, samengeperst in wat eens een grote kamer
was, met een hoog plafond met fraaie kroonlijsten. Het meubilair was
eenvoudig, de kleuren waren saai en van persoonlijke bezittingen viel
weinig te bekennen. Al met al had het meer iets weg van een wachtkamer van een derderangs tandarts dan van iemands woonruimte.

Piravani gooide zijn jas over een stoel, ging met het opgerolde exemplaar van de *Gazzetta dello Sport* naar zijn slaapkamer en kwam even later zonder de krant terug. Hammond brandde van verlangen om hem te

vragen wat hij in de advertentierubriek had aangetroffen, maar durfde het uiteindelijk toch niet aan. Piravani drukte zijn sigaret uit in een rijkelijk gevulde asbak en wuifde hem naar een stoel toe.

'Waarom heeft u niet gereageerd op de boodschappen van Ingrid?' vroeg Hammond, die zich had voorgenomen het initiatief weer aan zijn kant te krijgen.

'Omdat ik haar niet spreken wil.' Piravani zette met een behendige beweging van zijn voet de gaskachel aan die in de open haard stond en lachte Hammond toe. 'Iets drinken?'

'Nee, dank u.'

Dat antwoord weerhield Piravani er niet van om een fles en twee glazen te pakken uit een kastje in de hoek van het vertrek. Hij zette ze op de koffietafel tegenover Hammond, en legde het tweede glas uit met een gemompeld: 'Voor het geval u van mening verandert,' voor hij voor zichzelf een stevige slok inschonk en in een leunstoel neerplofte. 'Pruimenbrandewijn. Een Servische delicatesse. Volgens zeggen de oorzaak van de meeste fouten die Milosevic heeft gemaakt. *Salute!*' Hij sloeg een derde van wat hij zojuist had ingeschonken in één keer achterover. 'Denk je eens in. Die vijf jaar in Den Haag voor hij stierf: zonder één slok. Arme drommel.'

'Heeft hem waarschijnlijk alleen maar goed gedaan.'

'Niet genoeg om hem in leven te houden.'

Hammond zuchtte. Hij had nu al schoon genoeg van Piravani. 'U was – bent – Gazi's boekhouder?'

'Ja, ik hield de stand voor hem bij. Tien jaar lang.'

'Ingrid lijkt te denken dat u dat nog altijd doet.'

'Och, dat klopt ook wel. Ik heb de sleutels van de schatkist.'

'Zij wil dat u die openmaakt.'

'Natuurlijk. Zij wil zijn geld. Ze willen allemaal zijn geld. Zelf kan hij er nu niets meer mee, wel? Hij sterft in gevangenschap. Dus waarom gaat het dan niet naar hen?'

'Zegt u het maar.'

Piravani snoof spottend, nam nog een slokje brandewijn en stak weer een sigaret op. 'Hoeveel betaalt ze u, dokter?'

Hammond was niet van plan prijs te geven waarom hij uit naam van Ingrid optrad. Desnoods trok Piravani dan maar de verkeerde conclusies. 'Het geld is van de familie, Marco. Wat weerhoudt je…'

'Ha! Van de familie? Grapje zeker. Het geld is van duizenden mensen die dood zijn, en anders niet. Ik kan het weten. Ik weet waar het allemaal vandaan komt en ik weet waar het allemaal is.'

'Niemand dwong je voor Gazi te werken.'

'Dat klopt. Niemand.' Bij deze gedachte bond hij wat in. 'Ik deed het om dezelfde reden als u,' ging hij mistroostig verder. 'Het geld was goed. Maar het geld is de kaas in de muizenval. Ingrid betaalt u helemaal niets. Ze chanteert u.'

'Hoe kom je daarbij?'

'Ik was degene die alle rekeningen voor Gazi betaalde, dokter. Ook die voor de moord op uw vrouw.'

Het was begin april 1996, een paar dagen voor Pasen. Hij nam de telefoon aan in zijn spreekkamer in het St. George. Eerst geloofde hij helemaal niet wat ze zeiden. Het was onmogelijk. Maar ook was het, of hij dat nu wilde of niet, waar. Kate was bezig geweest haar boodschappen in de auto te laden bij de supermarkt in Colliers Wood. Het was lunchtijd. En druk op het parkeerterrein. Er waren vele getuigen. Maar geen van hen leek precies te hebben gezien of begrepen wat er gebeurde. Een auto stopte naast Kate. Een man stapte uit. Toen stapte hij weer in en reed weg. En kort daarna bleek Kate op de grond te liggen, bij haar halflege boodschappenkar, met een kogel in haar hoofd. Als er al een woordenwisseling was geweest, dan had niemand die gehoord. Zelfs het schot had niemand gehoord. De zon scheen helder na een hevige regenbui. Er waren een boel felle schitteringen en spiegelingen, schaduwen en lawaai. En er was een vrouw doodgeschoten.

Ze brachten haar naar de eerstehulppost, maar ze was dood bij aankomst, al te lang om te kunnen vertellen wat er was gebeurd. Tegen de tijd dat Hammond haar zag, lag ze in het mortuarium van het ziekenhuis. Al die energie, al die persoonlijke kracht, al dat léven, weg. Weg, weg, weg. Het onbegrip en de verlamming die hij zo vaak had gezien bij de familieleden van een overleden patiënt, vielen nu hem ten deel. En hij kon daar evenmin mee omgaan als alle anderen.

Haar tas was gestolen, wat het vermoeden van dat diefstal het motief was geweest bevestigde. Maar haar creditcards werden nooit gebruikt. Wat bij diefstal niet zo logisch was. De politie had van het begin af aan voor een raadsel gestaan, en wist geen raad met een misdrijf waaraan zo weinig herkenbare factoren kleefden.

Eén herinnering aan die dag stond hem nog scherp in zijn geheugen gegrift. Hammond was kort na het verlaten van het mortuarium in een gang van het St. George Alan Kendall tegen het lijf gelopen, Kates minnaar en toekomstige echtgenoot. Kendall was boos en geschokt en diep bedroefd. Toen hij Hammond zag, knapte er iets. Zijn knappe gezicht vertrok zich in een vlaag van woede. 'Dit heb jij zo bedacht, hè, gore klootzak? Jij hebt haar laten vermoorden, omdat ze mij wilde in plaats van jou.' Het was maar goed dat er een agent in de buurt was om Kendall tegen te houden, want die had duidelijk besloten om Hammond flink aan te pakken. De beschuldiging was zo absurd dat Hammond medelijden met de man kreeg. Hij had nooit durven bevroeden dat er een dag zou komen dat die beschuldiging helemaal niet meer zo absurd leek.

Hammonds reactie op Piravani's opmerking was zo instinctief dat hij uit zijn stoel was opgestaan en de Italiaan bij de revers van zijn jasje had gegrepen voordat hij zelfs maar op het idee had kunnen komen dit te doen.

'Waar heb je het verdomme over?' riep hij. 'Gazi had niets te maken met de dood van mijn vrouw.'

'Laat me los,' zei Piravani op dringende toon.

'Pas als je me de waarheid zegt.'

'Dit is de waarheid.'

'Je liegt.'

'Waarom zou ik?'

Hij keek geschrokken, maar bang was hij niet. Het drong plotseling tot Hammond door dat Piravani geen moeite zou hebben de gevolgen van het negeren van Ingrids boodschappen onder ogen te zien. Hij had blijkbaar besloten zich op een bepaalde manier op te stellen. En sprak nu vrijwel zeker de volledige waarheid.

'U sluit een deal met Gazi, en hij komt die na. Wat is daar verkeerd aan, dokter? Heeft u daar nu spijt van? Zou u willen dat ze nog in leven was?'

Hammond liet hem los en stapte naar achteren. De kamer deinde heen en weer, alsof hij dronken was. In een flits vroeg hij zich af of hij inderdaad een deal met Gazi had gesloten om Kate te laten vermoorden. Even proefde hij van wat anderen zouden denken. Hij ademde diep in. De kamer kwam tot rust. 'Wou je echt zeggen dat je iemand hebt betaald om mijn vrouw te vermoorden?'

'Ik heb het bedrag overgemaakt. Gewoon met alle andere betalingen. Zulke overmakingen kwamen wel vaker voor.'

'Ik heb Gazi nooit gevraagd haar te vermoorden. Dat is… belachelijk.'
Piravani keek hem verbaasd aan. 'Echt niet?'

'Natuurlijk niet. Ik hield van haar. Ze was de moeder van mijn kind. Al was het alleen maar vanwege Alice, dan zou ik nog niet…' Hammond brak af. Hij keek in een zwart gat. Waarvan de bodem, als die er al was, nog nergens te bekennen was.

'Ga toch zitten, dokter. U lijkt nogal geschrokken.'

Hammond liep weer naar zijn stoel. Hij ging op de rand van het kussen zitten, met zijn ellebogen op zijn knieën, en probeerde wat rede in zijn hoofd te masseren. Maar in wat hij nu wist viel maar weinig rede te bespeuren.

'Gazi is een vreemde man,' zei Piravani. 'Je denkt dat je hem begrijpt, maar je zit er altijd naast.'

'Ik kan dit niet geloven.'

'Wat waar is, is waar, of je het nu gelooft of niet.'

'Wie heeft haar vermoord? Wie heb je betaald?'

'Dat weet ik niet meer. Gazi had veel mannetjes voor dat soort dingen. Die het allemaal geweest kunnen zijn. En zelfs als ik het nog wist, wat zou het dan uitmaken? Het was niet persoonlijk. Gazi gaf de opdracht.'

'Hoeveel heb je hem betaald?'

'In 1996? Moet het tarief… vijfduizend Amerikaanse dollar, plus onkosten zijn geweest.'

'Vijfduizend dollar?' Een schijntje vergeleken bij Hammonds honorarium voor Gazi's levertransplantatie. Het redden van een leven kostte blijkbaar veel meer dan het vernietigen ervan. 'Is dat… alles?'

'Vraag en aanbod, dokter. Waar de hele zakenwereld op drijft.'

'Maar… waarom deed Gazi dit? Hij wist niets over mijn vrouw. Hij wist niets over mij.'

'Maar blijkbaar toch meer dan u dacht. Veel mensen die hem kenden hebben dat ervaren. Meestal te laat.'

'Het slaat zo helemaal nergens op.'

'Misschien moest u maar eens naar Den Haag gaan en het hem vragen.'

Hammond zakte achterover in zijn stoel en zuchtte. 'Als dit bekend raakt… ben ik geruïneerd.'

Piravani haalde zijn schouders op. 'Dat zal wel, ja.'

'Maar het raakt niet bekend als jij Gazi's geld naar deze rekening overmaakt.' Hammond legde het vel papier dat Ingrid hem gegeven had op tafel.

Piravani keek ernaar en glimlachte. 'Ah, de Cayman Eilanden. Natuurlijk.'

'Hoe lang kost het je om dat te doen?'

'Vierentwintig uur. Vierentwintig bankuren bedoel ik. Gazi wilde altijd per se dat alles liquide was. Dus zou het er aanstaande dinsdag op kunnen staan. Alleen gebeurt dat niet. Omdat ik het niet overmaak.'

'Waarom niet?'

'Te veel bloed, dokter. Uiteindelijk kan je daar niet meer omheen. Gazi dook begin 2000 onder. Hij was al aangeklaagd door het Internationaal Gerechtshof en toen een andere gedaagde, Arkan, werd vermoord ging Gazi ervan uit dat Milosevic zijn sporen probeerde te wissen voor als hij zelf zou worden aangeklaagd. Dus verdween hij, direct nadat hij mij had gezegd dat ook te doen. En sindsdien zit ik ondergedoken. Londen is de beste stad in de wereld als je ongezien wilt blijven. Maar onzichtbaarheid is niet goed voor je sociale leven. Dus kreeg ik veel tijd om na te denken. En te lezen. Meer dan honderdduizend mensen zijn gedood in die drie jaar oorlog in Bosnië, meer dan zevenduizend op één dag in Srebrenica. Ik heb niemand gedood. Maar ik heb ook niets gedaan om te voorkomen dat iemand werd gedood. Ik deed niets. Als Gazi hier was, in deze kamer, zou ik doen wat hij me opdroeg. Dat was zijn kracht. Maar hij is hier niet. Hij zit in de gevangenis. En komt nooit meer vrij. Hij zei dat hij voor me zou zorgen. En ik geloofde hem. En vertrouwde hem. En hij vertrouwde mij. Nou, daar hebben wij ons dan allebei in vergist. Ingrid krijgt geen cent van zijn geld. Dat is mijn kracht. Dat is het enige wat ik kan doen om goed te maken wat ik níét heb gedaan in Servië.'

'Luister nou eens, Marco. Ik begrijp wat je zegt. Gazi is een monster. Maar zijn misdaden blijven niet ongestraft. Hij zal zich moeten verantwoorden. Wat zou het dan dat zijn familie intussen zijn geld uitgeeft? Wat zou dat nou écht?'

'Ik zet het allemaal op een bank op de Cayman Eilanden en vergeet dat het ook anders had gekund. Had u het zo willen doen?'

'Mijn dochter heeft haar moeder verloren dankzij Gazi. Wil je dat ze nu ook haar vader kwijtraakt? Want dat kan ervan komen als ze niet wil geloven dat ik niets met de moord op Kate te maken heb gehad. Ze weet van mijn reisje naar Belgrado indertijd niets af. Hoe dacht je dat dat nu overkwam? Hoe kan ze me dan nog geloven?' Hammond haalde zijn portefeuille tevoorschijn en liet Piravani de foto van Alice zien die hij altijd bij zich had: stralende ogen, zonlicht in het haar, haar hoofd in dezelfde stand als Kate altijd had, via de lens van de camera lachend naar haar vader, vol liefde en vertrouwen. 'Dit is Alice. Ik houd van haar. Zij houdt van mij. Maar dat kan allemaal veranderen, niet? Van de ene dag op de andere. Ze ging door een hel toen haar moeder stierf. Wil je haar nu nog eens die hel in duwen?'

'Het spijt me, dokter. Het lijkt me een enige meid, maar sommige dingen moeten nu eenmaal. U heeft haar vast alles gegeven wat haar toekwam. Een fijn huis. Een goeie opleiding. Heel wat jonge vrouwen in Bosnië zouden graag met haar ruilen. En zouden zeggen dat ze een geluksvogel is. Dat ze geen benul heeft van wat door de hel gaan werkelijk betekent. Omdat zij dat namelijk wél weten.'

'Heb jij kinderen, Marco?'

'Niet meer.'

'Hoe bedoel je?'

'Ik dacht dat ik een zoon had. Ik hoorde pas later… dat iemand anders zijn vader was.' Piravani's gezicht betrok. Hij zuchtte. 'Ik was bedrogen.'

'Beroerd voor je.' Hoe beroerd deed er even niet toe. Hammond wilde maar één ding: Piravani's akkoord om het geld over te maken. En hij was bereid alle denkbare argumenten aan te voeren om dat van hem gedaan te krijgen. 'Luister, Marco, we zijn beiden fout geweest omdat we Gazi's misdaden door de vingers hebben gezien. Ik wilde daar inderdaad niets van weten. Dat geef ik toe. Maar Alice heeft niets misdaan. Ze is al opgegroeid zonder moeder vanwege, ontdek ik nu pas, mijn betrokkenheid bij Gazi. Is dat al niet voldoende straf? Wil je nou dat ze ook nog alle vertrouwen in haar vader verliest?'

'Toen de NATO in 1999 Belgrado bombardeerde, dokter, was dat om de slachtoffers van een etnische zuivering in Kosovo te redden. Dat is gelukt. Maar die bommen hebben ook onschuldige mensen in Belgrado gedood, waaronder kinderen. In Tasmajdan Park staat een gedenkteken met daarop de vraag: *Zasto*? Waarom? Daar is geen antwoord op. Dat bestaat niet. Het is wat ze bijkomende schade noemen. Nette uitdrukking. Smerige realiteit.'

'Ik smeek het je, Marco. Doe dit mijn dochter niet aan.'

Piravani drukte zijn sigaret uit en keek Hammond onderzoekend aan. Toen nam hij een slokje brandewijn en zei: 'De beste raad die Gazi me ooit gaf, was: "Besluiten moet je alleen nemen als je nuchter bent". Ik heb naar u geluisterd, dokter, en ik begrijp uw situatie. Wat ik ga doen, is het volgende: ik denk erover na. Het is weekend, dus dan ligt toch alles al stil. We zien elkaar zondagmiddag in Hyde Park. Ik sta dan om drie uur op de Serpentine Bridge. En dan geeft u me uw vel papier daar.' Hij leunde naar voren en schoof het blad met het rekeningnummer op de Cayman Eilanden terug naar Hammonds kant van de tafel. 'En dan zeg ik u daar wel wat ik besloten heb te doen.'

5

EEN ZIEK MENS IS NIET ZICHZELF. IN DE ERVARING VAN EDWARD Hammond was dat meer dan alleen een manier van zeggen. Ziekte ontneemt je je persoonlijkheid. Van een ziek mens kan je niet zeggen of hij nukkig is, of sympathiek, gemeen of edelmoedig, arrogant of nederig. En zo was het in elk geval gesteld met Dragan Gazi, wiens leverziekte al in een vergevorderd stadium was toen Hammond hem voor het eerst ontmoette in zijn privékamer in de Vocnjak Kliniek in Belgrado. Hij was in de war en zat zwaar onder de kalmerende middelen, zijn persoonlijkheid was gebroken door de overlevingsstrijd van zijn lichaam.

Er waren sinds het telefoontje van Miljanovic over het vinden van een donor pas achtenveertig uur verstreken en Hammond had gezegd dat hij de volgende morgen vroeg wilde opereren. Zijn team en hij waren eerder die dag gearriveerd. Er mocht geen tijd verloren gaan.

Een week later, met het grootste gevaar van postoperatieve complicaties achter de rug, verliep het herstel van Gazi goed. Hij sprak van tijd tot tijd met Hammond over niet-medische aangelegenheden. Hij vond het leuk zijn Engels te oefenen, zei hij. Hij maakte knorrige grapjes over Hammonds prestaties als chirurg, maar liet zich er ook vleiend en dankbaar over uit. Het was een man die nadacht en die van alles wilde weten. Zowel de mannen als de vrouwen van Hammonds team waren van hem gecharmeerd. Zijn sterk getekende knappe uiterlijk – vierkante kaken, grijs springerig haar, intelligente blauwe ogen – rondde dit geheel aardig af.

Zelfs zijn leverproblemen waren meer te wijten aan met hepatitis geïnfecteerd bloed dat hem was toegediend na wat hij 'een wond opgelopen tijdens de strijd' noemde, dan door overmatig alcoholgebruik. Je kon haast niet anders dan hem aardig vinden.

Alleen tijdens gesprekken in het Servisch met sommige bezoekers kwam er een andere kant van zijn karakter naar buiten. Hij klonk dan een stuk norser. En lachte veel minder. En benadrukte zijn argumenten met hakkende gebaren van zijn hand. Hammond zag dat wel, maar kon er verder niets mee. Wat Gazi allemaal deed in de jaren na het uiteenvallen van Joegoslavië was een onderwerp dat hij tijdens hun gesprekken zorgvuldig meed.

De enige keer dat de oplossing van het conflict in Bosnië een paar maanden terug bijna ter discussie kwam, bleek achteraf ook de laatste keer te zijn dat ze hadden kunnen praten, voordat Hammond en zijn team weer op huis aangingen. De prognoses waren, legde hij zijn patiënt uit, goed.

'Het duurt nu niet lang meer voor u uw normale leven weer kunt oppakken.'

Gazi glimlachte. 'Dat is fijn. Daar zie ik naar uit.'

'En in uw land is het nu vrede, zodat er geen reden is om…'

'Vrede?' Gazi lachte, alsof hij echt plezier had. 'Daar is in de verste verte nog geen sprake van.'

'Maar ik dacht…'

'Een bestand, dokter. Dat is alles wat we hebben. En alles wat we ooit zullen hebben. Oorlog voeren zit ons in de genen.'

'Elke oorlog is op een gegeven moment wel eens afgelopen.'

'Op de Balkan niet.'

'Zo erg kan het toch niet zijn.'

'Zo goed kan het toch wel zijn.' Gazi wierp Hammond een veelbetekenende blik toe. 'Niet alle levens hoeven altijd gered.' Toen grijnsde hij, alsof hij zeer tevreden was met zichzelf. 'Maar ik ben blij dat u het mijne heeft gered.'

Hammonds gedachten werden uit het Belgrado van dertien jaar geleden weggerukt door het tjirpen van zijn telefoon. Het was een sms'je van Alice. 'Hoe was je vlucht? Ligt er veel sneeuw?' Hij keek door het raam van de trein en door zijn eigen vaalbleke spiegelbeeld de met neonlichten bestrooide nacht in en vroeg zich af wat hij haar zou antwoorden. De waarheid was uitgesloten, natuurlijk. Hij moest haar maar dezelfde leugen voorschotelen die hij Peter en Julie had verteld. Niet dat hij dat prettig vond, maar hij had geen keus. Hij kon alleen maar hopen dat de tijd voor leugens spoedig voorbij zou zijn.

Paddington was kouder en leger dan bij zijn vertrek eerder die avond. Nu zijn woede was geluwd, voelde hij zich moe. Hij probeerde zichzelf voor te houden dat Piravani, na de zaak te hebben overdacht, tot rede zou komen. Behalve Hammonds reputatie stond immers ook zijn eigen veiligheid op het spel. Maar erg geloofwaardig klonk het allemaal niet. Piravani moest iets goedmaken. En het behoeden van de gemoedsrust van een Engelse jongedame die hij nog nooit had gezien, zou voor dat doel zeker niet voldoende zijn. Hammond moest, om Piravani aan zijn kant te krijgen, een extra stimulans bedenken. En daar had hij tot zondagmiddag de tijd voor.

Zijn auto stond bij Lancaster Gate. Op weg van het station daarheen kwam hij langs een kruidenierswinkeltje dat ook kranten verkocht, waar hij naar binnen ging om een pak melk te halen. Dat had hij niet in huis, omdat hij niet verwacht had thuis te zullen zijn die avond. In de rij voor de kassa viel zijn blik op een roze vlek in het rek met kranten: De *Gazzetta dello Sport*. Met de advertentie die Piravani had omcirkeld in gedachten nam hij een exemplaar mee in de hoop die te kunnen terugvinden. Maar dat lukte niet. Omdat er geen kleine advertenties in stonden. De verklaring daarvoor kwam tijdens een discussie met de behulpzame maar verbaasde Aziatische man achter de toog. Dit was een buitenlandeditie. Rubrieksadvertenties stonden alleen in de kranten die in Italië zelf verschenen. Maar hoe kwam Piravani daaraan? Die moesten hem per post worden gestuurd, en zouden dan ook een paar dagen oud zijn. De advertentie zou Hammond dus niet onder ogen krijgen.

Het huis in Wimbledon was bij uitstek geschikt voor een gezin van vier of vijf mensen. Maar had de afgelopen dertien jaar slechts onderdak geboden aan twee. En nu, na het vertrek van Alice naar Newcastle University, aan één. Toen hij die avond via de voordeur de koude, donkere gang binnenliep, betreurde hij het dat hij niet was verhuisd, ergens anders opnieuw was begonnen. Maar hij wist dat die gevoelens alleen maar een veel groter verdriet maskeerden. Als hij die dag ook maar iets had geleerd, was het wel dat niemand ooit vrij is van zijn verleden.

Hij sliep tot zijn verbazing goed, en werd wakker met een hoofd dat vrijwel niet door nare gedachten werd gekweld. Maar toen schoten hem met grote snelheid de gebeurtenissen van de afgelopen achttien uur weer te binnen. Alice had uit medeleven omdat zijn vakantie was uitgesteld nog een sms'je gestuurd. 'Arme jij.'

Hij ging naar de club om even te zwemmen, deed half versuft wat boodschappen, en ging weer naar huis. Het was verleidelijk om te proberen zijn gedachten af te leiden van de onaangename situatie waarin hij verkeerde door een vriend te bellen om met hem iets te gaan drinken of eten. Maar dan moest hij ook uitleggen waarom hij niet in Oostenrijk zat – of bezig was een gefingeerde transplantatie voor te bereiden. Hij zou dit weekend in zijn eentje moeten doorbrengen, of hij dat nu leuk vond of niet.

Maar eenzaamheid kan een genadeloze metgezel zijn. Er kwamen steeds meer herinneringen aan zijn tocht naar Belgrado in 1996 in hem op en hij ging zich op een gegeven moment afvragen wat zijn voormalige patiënt eigenlijk allemaal op zijn geweten had. Hij wist dat het antwoord makkelijk te vinden was. Met een muisklik van zijn computer kreeg hij de nummers 1 tot 10 van de ongeveer 385.000 voor 'Dragan Gazi' voor zijn neus. Hij had de afgelopen dertien jaar op elk gewenst moment over de man en diens met bloed besmeurde bestaan kunnen lezen. Maar dat had hij nooit gedaan. Tot nu.

Dragan Gazi (geb. 30 maart 1943, te Krusevac, Servië, Joegoslavië) is een voormalige Servische paramilitaire leider die momenteel wordt vastgehouden in het Detentiecentrum van de VN in Scheveningen, bij Den Haag, Nederland, voor een proces wegens oorlogsmisdaden begaan in Bosnië tussen 1992 en 1995, en in Kosovo in 1998-1999.

Gazi's vader, Vlajko, was lid van de Chetniks, die tijdens WO II namens de verdreven Koning van Joegoslavië hadden gevochten tegen de bezetting door Duitsers en Italianen. Vlajko zat het grootste deel van de jeugd van zijn zoon gevangen onder het communistische regime van Tito. In 1963, toen hij 20 was, vluchtte Gazi uit Joegoslavië, verdween in de criminele onderwereld van Europa en kwam aan het begin jaren zeventig weer boven water in Zuid-Amerika als huursoldaat in dienst van diverse rechtse regeringen. Algemeen wordt aangenomen dat hij in Chili een moordcommando leidde voor het regime van Pinochet en later voor de militaire junta in Argentinië. In Argentinië trouwde hij met de actrice Isabel Nieto, met wie hij samen een dochter kreeg, Ingrid (1978), en een zoon, Nikola (1980), die omkwam bij een motorongeluk in 1993.

Gazi keerde in 1982 terug naar Joegoslavië, met achterlating van zijn vrouw en kinderen in Argentinië. Hij vestigde zich daar als zakenman in de cementindustrie, maar algemeen wordt aangenomen dat dat een façade was voor allerlei criminele activiteiten, en dat hij in dienst was van de Staatsveiligheidsdienst om moordaanslagen te plegen in binnen- en buitenland waarvoor hij vermoedelijk een groep van getrainde huurmoordenaars op de been had gebracht.

Toen de Joegoslavische Federatie in 1991 uiteen begon te vallen, richtte Gazi een paramilitaire groep op die de naam Servische Patriottistische Militia kreeg, en later de Wolven werd genoemd, en die opereerde als een onofficiële eenheid van het Servische leger in de regio Vukovar in Kroatië en vanaf 1992 in Bosnië, waar ze berucht werden voor hun wreedheid en grof geweld, met name bij de etnische zuiveringscampagnes gericht op de Bosnische moslims.

De Wolven staakten hun activiteiten na het Vredesakkoord van Dayton in november 1995, maar werden nooit volledig ontbonden. Gazi werd volgens zeggen in die tijd ziek en onderging naar verluidt in begin 1996 een levertransplantatie. Naar men zegt maakte hij in de periode na Dayton van zijn paramilitairen gebruik om zijn criminele netwerk uit te breiden, maar in 1998 werden ze ingezet in hun vroegere posities toen ze, volgens zeggen op persoonlijk verzoek van president Milosevic, een rol moesten gaan spelen bij een poging van Servië om het Kosovaarse Bevrijdingsleger neer te slaan.

Een paar dagen nadat de NAVO Servië begon te bombarderen om hen te dwingen zich terug te trekken uit Kosovo, in maart 1999, werd bekend dat het International Criminal Tribunal for the former Yugoslavia (ICTY) een aanhoudingsbevel had uitgevaardigd voor Gazi, wegens genocide, moord, verkrachting, misdaden tegen de menselijkheid, en ernstige schendingen van de Conventie van Genève, waarbij hem alle voornoemde daden ten laste werden gelegd, uitgevoerd door troepen onder zijn bevel in Kroatië, Bosnië en Kosovo.

Toen het regime in Belgrado als gevolg van de bombardementen en de dagvaarding door het ICTY van Milosevic zelf begon te wankelen, ontstonden er geruchten dat zij die getuigenissen konden afleggen die Milosevic zouden kunnen schaden, het doelwit werden van eliminatie. De moord in januari 2000 op Zeljko Raznatovic (ook bekend onder de naam Arkan), een andere militaire leider, die ook was gedagvaard, leek die te bevestigen. Gazi verdween spoorloos. En bleef de acht jaar die volgden onvindbaar.

Hij werd op 22 april 2008 gearresteerd in Budva, een vakantieoord aan de Montenegrijnse kust, waar hij naar het zich liet aanzien al jaren woonde en zich voordeed als gepensioneerd Spaans zakenman die aan de Adriatische Zee was komen wonen om te kunnen schilderen. Hij werd uitgeleverd aan Nederland en wordt op het moment door het ICTY in hechtenis gehouden in Den Haag. Zijn proces ging op 8 december 2008 van start, maar is al diverse keren verdaagd en hij heeft nog geen verklaring afgelegd.

De arrestatie in Belgrado in juli 2008 van de nog beruchtere voortvluchtige voor het ICTY Radovan Karadzic, was aanleiding voor ge ruchten dat Gazi wellicht diens verblijfplaats had prijsgegeven in een deal met de aanklagers, maar zijn aanhoudende weigering om met het tribunaal mee te werken (hij zegt dat hij het niet als een wettig gerechtshof erkent en wil geen verweer voeren) voedt die veronderstelling niet.

Door deze samenvatting op Wikipedia van het schimmige leven en de criminele levensloop van Dragan Gazi, had Hammond kunnen weten wat hem te wachten stond bij het lezen van de gruwelijke details van zijn daden als Wolf-paramilitair die op andere sites te vinden waren. Maar deze details waren weer schokkend door het specifieke karakter ervan: de data, tijden en locaties van de martelingen, van etnisch geweld en massa-executies; de vrachtwagens met lijken; de grafkuilen in de velden; de documenten over de doden en de herinneringen van de levenden.

De tekst van de aanklacht van het ICTY tegen Gazi telde vele pagina's. De lijst van gruweldaden was afschuwelijk monotoon: mensen op verschillende plaatsen die hetzelfde soort dingen was aangedaan, en het leven lieten of voor eeuwig waren geschonden. Of Gazi persoonlijk iemand had doodgeschoten of verkracht stond niet vermeld. Alles was in zijn opdracht gebeurd en onder zijn bevel. Daar was hij, op een foto, genomen in Bosnië in 1992, gekleed in gevechtstenue, met een automatisch pistool in zijn ene hand en een donzige speelgoedwolf in de andere, met een groep van zijn menselijke wolven om hem heen: met strakke gezichten, brutale koppen, en een onverzettelijke uitstraling; de krijgsheer in zijn element.

Maar oorlog was niet Gazi's enige interesse. Andere sites refereerden aan zijn reputatie als onderwereldfiguur: de moordaanslagen, de rakettensmokkel, het misbruik van regeringsgelden. Er was kennelijk niets in de hutspot van corruptie die Servië onder Milosevic was waarin hij niet de een of andere rol had gespeeld. En dat was de bron van het geld dat Hammond nu in veiligheid moest zien te brengen ten behoeve van zijn gezin. Hij werd al misselijk bij de gedachte.

Toen de telefoon ging, was Hammond blij dat hij werd gestoord. Maar toen hij de stem van de beller herkende, verdween zijn blijdschap als sneeuw voor de zon.

Eerst dacht hij dat hij zich vergiste, omdat hij alleen het woord 'Edward?' had om zich op te oriënteren. 'Met wie spreek ik?' vroeg hij, en hij hoopte uit de grond van zijn hart dat hij het bij het verkeerde eind had.

'Alan Kendall.' Hij had het goed gehoord. 'Jij was misschien net van plan om met míj contact op te nemen?'

'Waarom zou ik?' Ze hadden elkaar sinds de begrafenis van Kate niet meer gesproken. De gedachte dat ze elkaar nu iets te zeggen zouden hebben, dertien jaar later, sloeg nergens op. Maar Hammonds ontmoeting met Ingrid Hurtado-Gazi had zijn wereld op z'n kop gezet. En hier, terug in zijn oude wereld, was de man met wie Kate had willen trouwen, in plaats van met hem – en die dat ook had gedaan, als ze in leven was gebleven.

'Ik vroeg me af hoe moeilijk het zou zijn je te vinden,' zei Kendall. 'Ik dacht dat je misschien wel wat kleiner was gaan wonen.'

'Wat moet je van me, Alan?'

'Weet je dat niet?'

'Nee.'

'Merkwaardig.'

'Hoezo?'

'Weet je wat? Ik ben bij je in de buurt. Laten we elkaar even ontmoeten. In de Hand in Hand, over, laten we zeggen, een halfuur.'

'Waarom zeg je niet gewoon wat er aan de hand is?'

'Ik doe dit liever niet via de telefoon. Ik kan ook naar je huis komen, als je dat prettiger vindt.'

Nee. Dat vond Hammond zeker niet prettiger. Hij zuchtte. 'Goed dan. De Hand in Hand. Ik zie je daar.'

Het huis was waarschijnlijk van Kendall geweest, als Kate lang genoeg had geleefd om met hem te trouwen, of in elk geval haar testament te veranderen. Maar nu had Hammond haar deel geërfd en van Kendalls hoop op een leven met haar was niets terechtgekomen.

Kate had hem leren kennen op het makelaarskantoor waar ze beiden werkten. Hij was jonger dan Hammond, en ook jonger dan Kate, overigens. Wat hem aantrok in haar was duidelijk, wat haar aantrok in hem een raadsel, althans wat Hammond betrof, tot Kate hem dat bij gelegenheid eens uitlegde. 'Hij luistert. Hij is geïnteresseerd. Hij is attent.' Ah. Dat was het dus.

De Hand in Hand, aan de rand van Wimbledon Common, was maar tien minuten lopen bij hem vandaan. Hammond had slechte herinneringen aan die pub, omdat het aan een van hun tafeltjes buiten was geweest dat hij Kate en Kendall voor het eerst samen had gezien, pratend en lachend in de zonneschijn, toen hij op een zomerse middag in 1995 onverwacht vroeg voorbijreed naar huis. En hand in hand zitten was toen precies wat ze deden.

Op deze winterse middag in 2009 was het te koud om buiten te zitten. Binnen zat een stel mannen uit de middenklasse naar een internationale rugbymatch op tv te kijken, waardoor er aan een hoek van de bar dicht bij de deur nog wat plaats was. Daar zat Kendall, in de gebruikelijke vrijetijdskleding voor het weekend, met een glas bier voor zijn neus op hem te wachten. Hij was wat aangekomen, en had wat minder haar dan de laatste keer dat ze elkaar hadden gezien, een aanblik die Hammonds onprettige voorgevoelens over dit alles wat verzachtte.

'Iets drinken?' vroeg Kendall met een strak gezicht.

'Oké. Dank je. Een glas bitter, graag.' Normaal gesproken had Hammond iets zonder alcohol genomen, maar dit keer vond hij dat hij zich eerst maar eens mannelijk moest opstellen.

Het bier kwam en ze liepen naar een tafeltje bij het raam, op grote en discrete afstand van het rugbygeweld. Bij het zien van Kendalls blozende en pafferige uiterlijk, waarvan de jeugdige, knappe trekjes inmiddels verdwenen waren, vroeg Hammond zich af of Kate nog bij hem zou zijn geweest, als ze nog leefde. Misschien was ze naar iemand anders gegaan, of zelfs terug naar de man die nog altijd van haar hield. 'Hoe gaat het met jou, Alan?' vroeg hij met de nodige tegenzin.

'Als je de kranten las, zou je weten dat de makelaardij op het moment geen vetpot is.'

'Ik bedoelde… met jou persoonlijk.'

'Ik ben getrouwd… drie jaar na Kate. En gescheiden, drie jaar daarna. Er is een kind dat me handenvol geld kost. Verder…' Hij nam een slok bier. 'Heb ik nooit iemand kunnen vinden als Kate. Jij?'

'Nee.' Jezus, straks gingen ze nog zitten ontdekken hoeveel ze met elkaar gemeen hadden. Hammond had veel liever de pest aan deze man, heus. 'Nou, wat is er allemaal aan de hand?'

'Zeg jij het maar.'

'Wat?'

'Nou? Heb je me dan niks te zeggen?'

'Nee. Ik niet.' Hammond keek Kendall geërgerd en vol onbegrip aan. 'Jíj belde míj, weet je nog?'

'Je weet zeker dat er niets is wat ik moet weten?'

'Over wat?'

'Niet wat. Wíé.'

'Goed dan. Wie?' Hij kende het antwoord natuurlijk. Er wás maar één antwoord.

'Kate.'

Hammond nam een slok bier. Hij wist dat hij wat het dan ook was van Kendall te weten moest zien te komen zonder te laten doorschemeren hoezeer zijn eigen leven op het moment overhooplag. Hij wist dat hij verbaasd moest overkomen maar ook niet bijster geïnteresseerd, ook al klopte dat allebei niet. 'Je zult toch wat duidelijker moeten zijn, Alan. Ik heb geen flauw idee waar je het over hebt.'

'Ik ben vanochtend gebeld op kantoor.'

'Dat gebeurt wel vaker, neem ik aan.'

'Maar niet over een huis. Dit was een vrouw, met een buitenlands accent, Spaans of zoiets. Ze wilde niet zeggen hoe ze heette. Ze wilde alleen dat ik op de hoogte was.'

'Op de hoogte waarvan?'

'Ze zei dat ik dat van jou zou horen. Over Kate.'

'Zei ze dát?

'Ja. Toen legde ze de hoorn erop. Ik heb geprobeerd haar terug te bellen, maar…'

'Haar nummer was geblokkeerd?'

'Inderdaad.'

Hammond haalde zijn schouders op. 'Nou, ik ben bang dat ik je niets te vertellen heb over Kate. Het is vast een of andere gek geweest.'

'Na dertien jaar? Welke gek die van mij en Kate weet wacht zo lang om daar dan iets mee te gaan doen?'

'Ik zou het waarachtig niet weten. Het is raar, dat geef ik toe.'

'Het is heel wat meer dan raar, Edward. Moet je horen.' Kendall leunde over het tafeltje naar hem toe. 'Ik weet dat ik toen een paar… barre… dingen over je heb gezegd. Je feitelijk heb beschuldigd van…' Hij wuifde half verontschuldigend met zijn hand. 'Ik was van streek. En argwanend. Maar de politie heeft me er volledig van overtuigd dat er geen enkele reden was om… te denken dat jij iets met de moord op Kate te maken had. Oké? Dat begrijp ik nu. En accepteer ik ook.'

'Mooi.'

'Dus als je nu om die reden niets zegt, als er echt een soort doorbraak is geweest in de zaak…'

'Er is geen doorbraak geweest.' Kendall hield nog steeds van haar, een dikke tien jaar later, ondanks het feit dat hij intussen met iemand anders getrouwd was geweest. Hij hield nog altijd van Kate. Dat was een ontwapenende ontdekking. Maar Hammond liet zich daardoor niet van zijn stuk brengen. 'Er is niets gebeurd, oké?'

'Weet je dat zeker?'

'Natuurlijk weet ik dat zeker. Het is niet het soort onderwerp om vaag over te zijn, wel? Ik weet niet wie je heeft gebeld, of waarom, maar ik kan je verzekeren dat ik niets meer over de moord op Kate weet dan jij.' Die leugen was onvermijdelijk, maar Hammond vroeg zich op het moment dat hij hem uitsprak af, wanneer hij daar spijt van zou krijgen.

Kendall leek er niet veel meer van te begrijpen, wat niet zo verwonderlijk was. Maar leek ook overtuigd. 'Raar hoor, allemaal.'

'Dat mag je wel zeggen.'

'Ze klonk niet als een gek.' Hij leunde achterover en staarde somber in zijn glas. 'Maar er moet iets achter zitten.'

'Dat hoeft niet.'

'Nee.' Kendall zwaaide met zijn wijsvinger naar hem. 'Dat moet. En ik ga uitzoeken wat dat is.'

'En hoe wilde je dat doen?'

'Misschien belt ze nog eens. En kom ik er dan achter wie ze is en waar ze in vredesnaam op uit is. En als me dat lukt, ben jij de eerste die het hoort, maak je geen zorgen.'

Maar dat was nou precies wat Hammond wél deed.

Hammond vertrok toen Kendall zijn tweede glas bijna leeg had. Buiten was het kil en begon het al donker te worden. De koele lucht op weg naar huis hielp wat om zijn gedachten te ordenen.

Zodra hij uit het zicht van de pub was stopte hij, haalde zijn mobiele telefoon tevoorschijn, en belde het nummer van Ingrid Hurtado-Gazi. Maar er werd niet opgenomen. En hij liet geen boodschap achter.

Hij vervolgde zijn tocht naar huis, waar hem een avond van zorgen en onzekerheid wachtte. Toen hij voor zijn voordeur stond, ging zijn telefoon. Het was Ingrid.

'Heeft u iets voor me, dokter Hammond?'

'Het dringende verzoek te kappen met wat je aan het doen bent. Hoe haal je het in je hoofd om Alan Kendall te bellen?'

'Wie?'

'Je weet verdraaid goed wie dat is.' Hij opende zijn voordeur, ging naar binnen en sloeg de deur achter zich dicht.

'U klinkt boos.'

'Natuurlijk ben ik boos, verdomme! We hadden een afspraak.'

'Die hebben we nog. Zorg dat het geld wordt overgemaakt en al uw problemen zijn van de baan.'

'Iets wat me beter zal lukken als je Kendall niet op mijn dak stuurt.'

'Heeft u de Boekhouder gesproken?'

'Ja. En dat doe ik binnenkort weer. Ik ben er zeker van dat hij meewerkt.' Zeker? Zover was het nog lang niet. Maar het moest gezegd. 'Ik heb alleen wat tijd nodig.'

'Die heeft u.'

'Wat ik niet nodig heb, is dat je me intussen allerlei streken levert.'

'Bezorg ons het geld, dokter. Dan zijn de streken voorbij, dat beloof ik u.'

'Dat is niet...' Maar hij sprak tegen zichzelf. Ingrid had opgehangen.

6

IN 1967, HET JAAR VAN DE EERSTE HARTTRANSPLANTATIE OOIT,
was Hammond tien. Hij wist nog hoe enthousiast zijn vader over dit
nieuws was. 'Dit, mijn jongen, zet de hele medische wereld op zijn kop.'
En dat was ook zo.

Hammond wist toen nog niet dat hij later chirurg zou worden. In wat
zijn specialisme zou worden, de lever, hadden de eerste transplantaties al
twee jaar eerder plaatsgevonden. Toen hij eind jaren zeventig ging stu-
deren, kwamen die nog altijd vrij zelden voor, maar ze waren sindsdien
steeds gewoner en succesrijker geworden, tot ze vrijwel letterlijk een al-
ledaagse gebeurtenis werden.

De eerste waar hij de leiding over had, bleef natuurlijk iets bijzonders.
Aan de muur van zijn spreekkamer in het St. George hing een ingelijste
foto van de patiënte. Ze zat rechtop in bed en lachte met die karakteris-
tieke uitstraling van iemand die een nieuwe levenskans heeft gekregen –
voor een heel nieuw leven, eigenlijk. Vijftien jaar later leefde ze nog altijd, en was ze gezond en wel. Elk jaar met kerst stuurde ze hem een kaart.

Het redden van levens is, zoals zij als eerste zou beamen, heel geweldig. En de geaardheid van de patiënt mag niet meetellen bij de volvoe-
ring van dat wonder. Zo zou dat althans moeten zijn. Hammond voelde
zich dan ook hogelijk gekrenkt dat één operatie tussen al die andere die
hij in zijn leven had uitgevoerd nu als een molensteen om zijn nek was
komen te hangen. Niemand had iets tegen de advocaten die Gazi verde-

digden in Den Haag. Die zaten daar zolang het proces duurde de hele dag in hun toga's hun honoraria en onkostenvergoedingen op te strijken, zonder dat iemand daar een kwaad woord over zei. Wat was er dan zo anders aan hem? Waarom moest hij zich schuldig gaan voelen voor het uitvoeren van zijn professionele roeping?

Hij wist het antwoord natuurlijk wel, waardoor het allemaal nog onverdraaglijker werd. Hij was erin geluisd. Hij had zonder het te weten een dubbelrol gespeeld. Door het leven van Gazi te redden, had hij het zijne verpand.

Deze en soortgelijke gedachten speelden Hammond door het hoofd toen hij zich op een sombere, grijze zondagmiddag door Hyde Park haastte. Al zijn hoop op een snelle oplossing van zijn problemen was gevestigd op zijn afspraak met Marco Piravani en het viel hem dan ook erg tegen toen bij aankomst de Italiaan niet op de Serpentine Bridge bleek te staan. Hammond was precies op tijd maar besefte dat hij dat misschien niet van Piravani had mogen verwachten.

Maar tot zijn verbazing zag hij iemand anders op de brug, die hij herkende. De jongeman in een sweater met capuchon die tegen de reling leunde en aan een sjekkie stond te sabbelen was zonder twijfel dezelfde als de jongen die hij in de keuken van het huis in Ealing had zien zitten. Dat toeval maakte hem wantrouwig. Wat moest díé daar nou?

De jongeman keek op toen Hammond dichterbij kwam, en grinnikte. 'Hoi,' zei hij, en hij nam nog een laatste trekje van zijn sigaret voor hij de peuk in de Serpentine gooide.

'Dokter Hammond, niet? Ik ben Ryan. Marco stuurt me.'

'Waarom is hij hier zelf niet? We hadden afgesproken.'

'Ja. Dat zei hij ook.'

'Nou?'

'Het probleem is, dokter, dat Marco vertrokken is.'

'Vertrokken?'

'Pleite. Op pad. Weg.'

'Marco is weg?'

'Gisteren. Nogal plotseling.'

'Wel verdomme.' Hammond draaide zich om, vloekte nog een paar keer in stilte en keek om zich heen door het park. Dat had hij kunnen voorzien. Had hij moeten voorzien. 'Waar is hij naartoe?' vroeg hij gelaten.

'Geen flauw idee. Maar ik denk dat we hem voorlopig niet terugzien.'

'Nee, dat lijkt me ook niet.'

'Beetje een afgang, hè? Marco die hem is gesmeerd?'

'Dat mag je wel zeggen, ja.'

'Aardige vent. Maar je wist nooit precies wat er in zijn hoofd omging. Kent u dat?'

'Ja, dat ken ik.'

'Livingstone Road is eigenlijk meer een studentenhuis. We zitten allemaal op de Thames Valley University. Behalve Marco. Een Italiaanse boekhouder van middelbare leeftijd? Die had volgens mij toch makkelijk ergens anders en een stuk beter kunnen wonen?'

'Vast.'

'En ik durf te wedden dat u weet waarom hij dat niet deed.'

Hammond draaide zich weer om naar Ryan. 'Had Marco veel bagage bij zich, toen hij vertrok?'

'Nee. Maar hij was sowieso niet het type om veel spullen te hebben. Hij heeft ook niet veel achtergelaten, dat kan ik u wel zeggen.'

'Hoe weet je dat?'

'Nou… ik ben wel even in zijn kamer gaan kijken. Hij had immers de sleutels bij mij achtergelaten. Om aan de huisbaas te geven. En dat is eigenlijk de reden waarom ik hier ben.'

'Hoe bedoel je?'

'Marco dacht dat u me wel wat geld zou willen geven voor het gebruik van die sleutels.' Ryan haalde zijn schouders op. 'Studieleningen, tja. Wat kan ik u zeggen? Ik leef op de armoedegrens.'

'Hoeveel moet je hebben?'

Ryan produceerde iets wat vermoedelijk moest doorgaan voor een innemende glimlach. 'Wat dacht u van vijftig pond? U lijkt me iemand die dat wel kan missen. O, en als u met de auto bent, graag een lift terug naar Ealing. Lijkt me toch heel redelijk allemaal, niet?'

Hammond bracht het niet op om hierover in discussie te gaan. 'Oké. Dan gaan we nu meteen.' Had Piravani iets voor hem achtergelaten in zijn flat? Zo niet, waarom had hij Ryan dan gestuurd? Misschien, heel misschien, was de situatie niet zo belabberd als hij in eerste instantie had gevreesd.

'En hoe zit het met dat geld?'

'Als de sleutels in het slot passen, Ryan. Betaling bij levering.'

'U bent een harde onderhandelaar, dokter.'

'Kom op. Hoe eerder we er zijn, hoe eerder je wordt betaald.'

Hammond begon te lopen en Ryan kwam met sloffende passen achter hem aan. 'O, dat vergat ik nog bijna,' hijgde hij. 'Marco wilde dat ik u nog een boodschap gaf. Hij zei…'

'Ja? Wat zei hij?'

'Dat… het hem speet.'

'Spéét?'

'Ja, meer niet. En weet u… dat leek ook echt zo.'

Tijdens hun rit naar Ealing probeerde Hammond nog wat meer informatie over Piravani uit Ryan te trekken, maar dat leverde niet veel op. Piravani woonde al in het huis toen Ryan daar afgelopen herfst was ingetrokken. Rustig, vriendelijk maar op een afstand, verdraagzaam wat de buitenissigheden van zijn medehuurders betreft, en altijd bereid tot een kleine lening: dat was de man die Ryan kende. 'Hij hield zich gedeisd, begrijpt u wel? Hij hield zich zo op de achtergrond dat je het gevoel kreeg dat hij iets te verbergen had – of in elk geval uit het zicht wilde blijven.' Ja, dat gevoel kreeg je dan wel.

Ze arriveerden in Livingstone Road en liepen meteen door naar Piravani's flat. De sleutel paste, maar Hammond liet Ryan nog even op zijn beloning wachten.

'Mis je hier iets?'

'Nee, maar ik zei u al dat hij sowieso maar weinig spullen had.'

Dat herinnerde Hammond zich ook nog. Piravani had kennelijk een soort leven geleid waarbij hij constant met de mogelijkheid van een plotseling vertrek rekening had gehouden. Hammond stapte de slaapkamer binnen, keek in de kast en vervolgens in de laden van het nachtkastje, maar alles was leeg. En van de *Gazzetta dello Sport* was geen spoor.

'Waar zijn mijn vijftig jongens nu, dokter?'

'Zo meteen. Zeg eens, kreeg Marco veel post?'

'Nee. De meeste dagen helemaal niets.'

'De laatste tijd misschien een pakje, of een grote enveloppe?'

'Hoe groot?'

'Niet zo erg groot. Groot genoeg voor een krant, of zoiets.'

'Een krant? Mm, ja, dat kan. Een paar dagen terug. Ik was hier toen die werd bezorgd. Hij liet hem beneden liggen, voor als hij terugkwam. Nogal smoezelig, als ik me goed herinner. Had inderdaad een krant kunnen zijn.'

'Italiaanse postzegel?'

'Kan zijn. Weet ik niet meer.'

'En hij zal hem hebben meegenomen, dus dat maakt verder niets uit. Had Marco een computer, Ryan?'

'Hij liep soms met een laptop.'

'Natuurlijk.' Hammond liep terug naar de zitkamer. 'Alles moest draagbaar zijn.'

'De poet, dokter,' hield Ryan aan. 'We hadden een deal, weet u nog?'

'Ik krijg niet zoveel voor mijn geld, hè?' Hammond rammelde met de sleutels in zijn hand. 'Marco moet…' Hij stopte en keek naar de sleutels. Er zaten er drie aan de ring. 'Een voor de voordeur. Een voor het appartement. Waar is die derde voor, Ryan?'

'Wat?'

'De derde sleutel. Waar is het slot waar deze in past?'

'Weet ik niet.'

'Vijftig ballen voor het gebrúík van de sleutels. Dat was de afspraak. Dus wil ik ze ook allemaal gebruiken. Anders heb je je geld niet verdiend.'

Ryan trok een grimas. 'Hou nou op, dokter. Hoe moet ik dat nou weten?'

'Dat is jouw probleem.'

'Klere.' Ryan tuurde naar de sleutel toen Hammond die omhooghield voor inspectie. 'Zo'n sleutel heb ik zelf niet. En er is niets in huis wat…' Hij stopte. Zijn blik kreeg iets peinzends. 'Ah. Dat zou het wel eens kunnen zijn. De garagebox.'

'Wat voor garagebox?'

Ryan glimlachte onbevangen. 'Had ik die vergeten te noemen?'

Toen hij op een middag de pub uit kwam die het dichtst bij de campus van Thames Valley University lag, zag Ryan tot zijn verbazing Piravani voor hem de weg oversteken en een zijweg met woonhuizen inlopen. Hij was dronken genoeg geweest om aan zijn nieuwsgierigheid toe te geven en hem te volgen. Het spoor had toen naar een blok met garageboxen geleid, waar hij Hammond nu ook heen bracht.

'Hij maakte een ervan open, ging naar binnen en trok de deur achter zich naar beneden, zodat ik niet de kans kreeg te zien wat erin zat. Maar ik heb hem nooit achter het stuur van een auto zien zitten, dus ik neem aan dat het geen antieke Lamborghini was.'

'Heb je het hem ooit gevraagd?'

'Natuurlijk niet. Dan zou hij toch weten dat ik hem had gevolgd, niet?'

'O, ik denk dat hij dat toch wel wist, Ryan. Daardoor kon hij op zijn vingers natellen dat jij me hier zou brengen.'

De garage was er een uit een dozijn op een met onkruid bezaaid terrein dat de achtertuinen van twee parallel gelegen huizenrijen scheidde. Er was niemand te zien. Hun enige gezelschap in de kilte van de vallende avond was een grote zwarte kat. En die leek hun bezigheden daar bijster oninteressant te vinden.

Diverse garages waren in een vervallen staat. Maar die van Piravani was redelijk goed onderhouden, met de nieuwste en stevigste deur van allemaal. Hammond stak de sleutel in het slot, draaide die om en schoof de deur omhoog.

Het interieur was in duisternis gehuld. Meteen achter de deur zag Hammond een lichtknopje dat hij indrukte. Een stel helder fluorescerende lampen kwam flikkerend tot leven.

Zoals voorspeld stond er geen antieke Lamborghini, maar wel een metalen tafel en een draaistoel die de indruk wekten uit een kantoor te stammen dat voor het laatst gemeubileerd was in de jaren zeventig van de vorige eeuw, een stapel van enkele tientallen kartonnen dozen, vier archiefkasten naast elkaar tegen de achterste muur en op de tafel een papierversnipperaar, die zijn bestaan rechtvaardigde met een nette rij van minstens twintig zakken van doorzichtig plastic, die boordevol papiersnippers zaten.

'Wauw,' zei Ryan. 'Wat is dit allemaal?'

'Wat wás dit allemaal, bedoel je zeker.' Hammond duwde met de neus van zijn schoen tegen een van de zakken. 'Dit is wat Marco me wilde laten zien: de boekhoudersversie van de verbrande aarde.' Hij ging naar de archiefkasten en opende een willekeurige la. De mappen daarin waren leeg.

Hij controleerde de andere laden en kasten, en ook de kartonnen dozen. Er zat niets in, behalve lege mappen en verdwaalde paperclips. Dit was Piravani's antwoord: vernietig alle aantekeningen en documenten en verdwijn daarna. Hij was weg. En Hammond wist misselijkmakend zeker dat hij alles in het werk had gesteld om niet meer gevonden te kunnen worden.

'Wat nu, dokter?'

'Nu geef ik jou je geld, Ryan. Dan sluiten we de boel hier af en gaan we elk onze eigen weg.'

Hammond had nog maar één aanwijzing over die hij kon volgen, maar waar hij maar weinig vertrouwen in had. Squisito was, toen hij daar binnenliep, zich aan het opmaken voor een rustige zondagavond. Het Engels van de kelner nam opmerkelijk snel af toen hij een foto van Piravani onder diens neus hield. Op een gegeven moment kwam de baas naar Hammond toe om het over te nemen.

'Signor Piravani is een vaste klant, meneer. Maar we weten verder niets over hem. Natuurlijk laten we hem graag weten dat u contact met hem zoekt. Schrijft u alstublieft uw telefoonnummer op, dan vragen we hem de volgende keer als we hem zien u meteen te bellen.'

Maar die volgende keer zou nooit komen. Dat wist de baas vermoedelijk niet. Maar Hammond wel.

Hij reed langzaam naar huis. Piravani was verdwenen en met hem elke reële kans om aan Ingrids ultimatum tegemoet te kunnen komen. Hammond had nog vijf dagen om een manier te vinden, maar hij kon zich niet voorstellen hoe hij dat moest doen. Zijn tijd was nog niet op, maar zijn ideeën wel.

Hij rommelde wat in de keuken om iets te eten te maken, omdat het echt hoog tijd werd dat hij eens iets at, ook al had hij helemaal geen honger. Toen het in de oven stond, checkte hij zijn e-mail en zijn antwoordapparaat. Er was één bericht. Bill Dowler, Kates oudste broer, had eerder die dag gebeld. Hoewel hij wel contact hield met Alice, zijn nicht, sprak hij Hammond haast nooit, wat zijn telefoontje onverklaarbaar en zorgwekkend maakte.

'Edward, je spreekt met Bill. Hoe gaat het? Goed, neem ik aan. Moet je horen, ik ben gebeld door die gluiperd Alan Kendall. Wat Kate ooit in die vent heeft gezien, is me een raadsel. Het geval is dat hij denkt dat er... ontwikkelingen zijn... in de zaak. Kates... dood, bedoel ik. En hij schijnt ook te denken dat jij daar meer van weet. Dit alles blijkbaar vanwege een anoniem telefoontje. Hij klonk alsof hij een slok op had, vond ik, en niet echt... redelijk, maar, ja, als er echt iets is gebeurd, zou ik dat... natuurlijk wel erg graag willen weten. Zou je me, zodra je kan, misschien even willen bellen? Bedankt. Ik... hoop van je te horen. Tot gauw, hè?'

In de stilte die na het bericht volgde hoorde Hammond zijn eigen stem, die Bill verzekerde dat Kendall onzin verkondigde. Er was niets gebeurd, en zeker niet iets waarvan hij iets af wist. Dat was niet zo'n opgave: een kort belletje om zijn zwager gerust te stellen. Maar het zou de zoveelste leugen zijn. En over een week of twee, drie, als Gazi besloot dat de tijd gekomen was, zouden al die leugens hem lelijk kunnen gaan opbreken.

Het laatste gesprek dat Hammond ooit met Kate had, een paar dagen voor haar dood, was met een van die leugens geëindigd. Het was op een zaterdagochtend, toen hij Alice kwam ophalen voor het weekend. Toen hij haar de volgende middag terugbracht, was Kendall er ook, en hij kwam de auto niet eens uit. Kate knikte hem koeltjes vanuit de deuropening toe, toen Alice over het tuinpad naar haar toe holde, maar er werd geen woord gewisseld. Hij had sterk de indruk dat Kate niet met hem wilde praten.

Maar de dag ervoor was het heel anders geweest. Zonder Kendall in de buurt kon ze voor haar gevoel vrijuit tegen hem tekeergaan. Ze was boos over wat zij zag als Hammonds traineren bij het verschaffen van financiële gegevens aan haar advocaat. Ze vermoedde, met reden, dat hij iets verzweeg.

'Je bent de afgelopen weken erg moeilijk te bereiken geweest, Edward. Mij best hoor, maar Alice begint zo langzamerhand te denken dat je haar vergeten bent.' Alice was op dat moment boven, waardoor ze dit niet kon bevestigen of tegenspreken, maar Hammond voelde zich schuldig genoeg om het te geloven.

'Ik had een hoop te doen,' antwoordde hij slapjes, maar wel naar waarheid.

'We hebben het allemaal druk, maar je kunt dingen niet ontlopen door net te doen of ze er niet zijn.'

'Ik bel mijn advocaat wel.'

'Doe dat maar, ja.'

'Wat zijn je plannen voor de paas, Kate?' vroeg hij, in een poging van onderwerp te veranderen.

'Dat laat ik je wel weten,' antwoordde ze koeltjes, en ze duwde haar haar naar achteren op die typische manier van haar waarvan hij nu maar eens moest afleren dat hij die zo leuk vond. 'Ben je in het buitenland geweest, of zo?'

'Hoe kom je daarbij?'

'De manier waarop Fiona over je sprak. Alsof je... een eind uit de buurt was.' Fiona, zijn persoonlijk assistente, had inderdaad gezegd dat Kate diverse keren had gebeld tijdens zijn tocht naar Belgrado. Ze stond be-

kend om haar discretie, maar blijkbaar was die toch niet helemaal water-
dicht.

'Je verbeeldt je dingen die er niet zijn.'

'Dus je bent het land niet uit geweest?'

'Nee.' Hij hoorde trippelende voetstappen op de trap. 'Ben je klaar,
Alice?'

'Klaar, pappie.'

En Kate zei niets, hoewel haar strakke blik wel duidelijk maakte dat ze
hem, om welke reden dan ook, niet geloofde.

Hammond verwijderde Bills bericht, schonk een groot glas whisky in en
ging in de keuken zitten wachten op de ping van de oventimer. Aan de
muur voor hem hing een kalender waarop over de week dat hij had willen gaan skiën in Oostenrijk optimistisch het woord VAKANTIE stond geschreven. Er was geen mens naar wie hij toe kon en geen plek waar hij
zich kon verstoppen. Hij had zich nog nooit zo alleen gevoeld, en zo onzeker. Hij stond oog in oog met rampzalige tijden. En een andere kant
op kijken kon hij niet.

7

DE LAATSTE KEER DAT HAMMOND IN DEN HAAG WAS, WAS DAT
voor een conferentie in het Kurhaus geweest, een groot en sierlijk ne-
gentiende-eeuws strandhotel in de aan zee gelegen voorstad Scheveningen. Er waren op dit moment kennelijk geen conferenties en dergelijke
en het krijgen van een kamer bleek geen probleem, evenmin als het feit
dat hij nog niet kon zeggen hoe lang hij bleef.

De reden waarom hij naar Den Haag ging, was moeilijk onder woorden te brengen, ook voor hemzelf. Hij moest toch wat doen. In het huis
in Wimbledon gaan zitten wachten terwijl de deadline steeds meer in
zicht kwam, kon gewoon niet. Ergens heen gaan en wat ondernemen, hoe
schijnbaar zinloos of ineffectief ook, was dan toch beter, of eenvoudigweg noodzakelijk. En Gazi, de bron van al zijn ellende, zat in Den Haag.
Dus werd Den Haag zijn doel.

Pas in de Eurostar die in de loop van die ochtend naar Brussel vertrok,
was hij gaan overdenken wat hij na aankomst zou gaan doen. Misschien
moest hij Gazi te spreken zien te krijgen om te proberen op hem in te
praten. Maar op het moment dat hij dit bedacht, vond hij het ook al weer
een slecht idee. Hij was niet goed in het ompraten van mensen en zou
zich alleen maar schuldig maken in de ogen van anderen, als die over zijn
bezoek hoorden. Maar betere ideeën lagen niet voor het grijpen. Hij kon
dan wel min of meer doen wat hij wilde, maar was toch aan handen en
voeten gebonden.

Door vertragingen op de lijn vanaf Brussel, bereikte Hammond pas aan het begin van de avond zijn hotel. Hij hoorde de golven stukslaan op het strand, maar zag ze in de duisternis achter de lichten van de promenade alleen als een bleek, spookachtig lint. Hij zat in zijn overdadig ingerichte kamer, en later in het met fresco's beschilderde restaurant, en vroeg zich af hoe makkelijk deze hele onderneming kon worden bestempeld als gekkenwerk.

Een wandelingetje langs de promenade de volgende morgen, bij een snerpend koude wind vanaf de Noordzee, staafde hem in zijn voornemens. Hij hoefde niet naar de gevangenis in Scheveningen om Gazi te zien. Het Internationaal Strafhof voor het voormalige Joegoslavië, het ICTY, eiste dat de man de meeste werkdagen van de week aanwezig was in de rechtszaal. En op deze werkdag zou Hammond op de publieke tribune zitten.

Halverwege de route naar het centrum van de stad, kwam de tram uit Scheveningen langs het anonieme gebouw waarin het ICTY was gevestigd. Op de in de wind wapperende en klapperende vlag van de Verenigde Naties na, zou Hammond zich hebben kunnen afvragen of hij zich in zijn bestemming had vergist. Maar de vliegveldachtige veiligheidscontroles bij de ingang bevestigden dat achter deze grijze muren en lege ramen recht werd gesproken over onderwerpen van politiek gevoelige aard.

In de hal was het griezelig stil. De media, die Hammond toch wel had verwacht, blonken door afwezigheid. Er lagen foldertjes in diverse talen met de aanklachten tegen de beklaagden in de zaken waarin ze werden gehoord, en met een foto verlucht. Hij pakte er een die over Dragan Gazi ging, die nog grijzer en magerder leek dan hij zich herinnerde – en ook onbuigzamer, en die met een onverzoenlijke blik in de lens van de camera keek.

Onder aan de trap die naar de rechtszalen leidde was een tweede veiligheidscontrole. De bewaker vroeg hem opgeruimd voor welke zaak hij kwam en verwees hem voor Dragan Gazi naar rechtszaal nummer drie. Hammond ging naar boven, van zijn stuk gebracht door de eenvoud en de ordelijkheid waarmee alles was opgezet. Op de een of andere manier leek het allemaal wat te saai om waar te zijn.

Ook de rechtszaal zelf was neutraal. Een ovale ruimte met gele muren en een grijze vloerbedekking die van vloer tot plafond van de publieke tribune was gescheiden door dik, vermoedelijk kogelwerend glas. De zitting van die dag was al begonnen, en werd voorgezeten door drie rechters in rode toga's. Griffiers, tolken en advocaten in het zwart zaten voor hen aan hun werktafels. Eén advocaat stond overeind en stelde vragen aan een getuige die met zijn rug naar het publiek zat, maar zijn gezicht werd afgebeeld op het tv-scherm dat voor het glas hing. Meer naar de linkerkant, geflankeerd door bewakers in blauwe hemden, zat de beklaagde.

Hammond nam dit alles in zich op in de paar minuten die het duurde voor hij ergens een plaats gekozen had, in een van de rijen wat meer vooraan. Hij had overal kunnen gaan zitten, omdat hij de enige toeschouwer was, op een slanke, donkerharige vrouw in een mooi, maar eenvoudig zwart broekpak na, die helemaal op leek te gaan in Gazi.

Een Engelse vertaling van het vraaggesprek werd via een luidspreker doorgegeven in de publieke ruimte. Om de getuige in zijn eigen taal te kunnen horen, vermoedelijk Servo-Kroatisch, was een koptelefoon vereist. De vrouw had er een op. Ze had een Slavisch uiterlijk: een vaalgele huidskleur, hoge jukbeenderen en kastanjebruine ogen. Hammond schatte haar op een jaar of veertig, van de generatie die blijvend was getroffen door de gebeurtenissen waarnaar de rechtbank een onderzoek instelde.

Gazi leunde achterover in zijn stoel, met diep in hun kassen verzonken ogen en schijnbaar verveeld, zich niet bewust, naar het leek, van Hammonds aanwezigheid. De koptelefoon hing om zijn nek en hij vroeg niet om een vertaling van wat de getuige zei. In zijn grijze pak met zwarte das leek hij op de gepensioneerde zakenman die hij zei dat hij was in de jaren dat hij ondergedoken zat. Er ging niets dreigends van hem uit, behalve dan misschien in de manier waarop hij als een oude leeuw in zijn hok in de dierentuin lag te dutten, met klauwen die hij had ingetrokken, maar die wellicht toch nog scherp waren.

De getuige, een gezette man van middelbare leeftijd met een opzichtige snor maar een onzekere manier van doen, legde met allerlei omslachtige details uit hoe de decoraties en pensioenen voor de leden van Gazi's paramilitaire troepenmacht die daarvoor in aanmerking kwamen administratief waren geregeld. Alleen de positie van de raadsvrouw die de vragen stelde, recht tegenover Gazi in de rechtszaal, gaf aan dat zij tot de eisende partij behoorde. De zorg die hij voor zijn mannen had gekoesterd, om nog maar niet te spreken van de voorzieningen die hij getroffen had voor hun weduwen, dat alles klonk voorbeeldig.

Terwijl Hammond zich geleidelijk aan ontspande, tevredengesteld omdat Gazi hem waarschijnlijk niet zou opmerken, zelfs niet als hij uit zijn apathie ontwaakte, begon het belang van de getuigenis die hij hoorde langzaam maar zeker tot hem door te dringen. Het belonen van de dapperheid van zekere daden betekende ook dat hij daar kennis van moest hebben gehad, en bracht met zich mee dat hij akkoord moest zijn gegaan met de uitvoering van andere daden. De decoraties en de pensioenen waren in die zin onderdeel van het aanzetten tot het uitvoeren van misdaden tegen de menselijkheid.

De stem van de vertaler was uitdrukkingsloos. Hammond kon alleen maar gokken welke subtiele toonzettingen hij eventueel miste. Uit niets in de gedragingen van de vrouw die voor hem zat op de publieke tribune bleek welk effect de antwoorden van de getuige op haar hadden. Haar blik – en haar concentratie – leken op Gazi gericht, alsof ze hem leek te willen betrappen op een teken van schuld of spijt of woede: of wat voor reactie dan ook op datgene wat werd gezegd.

Maar er was geen reactie. Gazi was kennelijk niet van zins iemand de genoegdoening te gunnen te zien hoe hij werd opgeschrikt of in het nauw gedreven. Hij had alle hooghartige onverschilligheid opgeroepen waarover hij beschikte en zadelde daar de rechtbank nu mee op.

Wat Hammond wel opviel, was hoe goed Gazi eruitzag. Hij was een afschuwelijk goed voorbeeld van de grote voordelen op lange termijn van de transplantatiechirurgie. Hammond zou eigenlijk een beetje trots moeten zijn op dit tastbare bewijs van zijn uitmuntendheid. Maar nu dacht hij treurig aan de fouten die hij zo makkelijk had kunnen maken, die tot de dood van zijn patiënt zouden hebben geleid en de gemoedsrust die hij als gevolg daarvan had kunnen genieten.

De behoefte om de rechtszaal binnen te lopen, Gazi uit zijn stoel te trekken en hem erop te wijzen hoe dankbaar hij zou moeten zijn, was opeens zo hevig, dat hij een soort verwensing mompelde waarvan hij zich niet bewust was en zo abrupt opstond dat zijn stoel wegschoof en tegen de stoel achter hem stootte. De vrouw keek geschrokken achterom, alsof ze zich pas nu van zijn aanwezigheid bewust werd. Ze keek eerder verbaasd dan geërgerd en hij stak verontschuldigend een hand op, zowel naar haar als naar de bewaker die tevoorschijn kwam. Ze draaide zich weer om, hij ging weer zitten, en de bewaker verdween.

In de rechtbank had niemand iets gehoord. De meeste mensen daar zaten toch al met hun rug naar het publiek. Gazi bleef in zijn eigen wereld verzonken. Het minutieuze onderzoek werd voortgezet.

Hammond bleef door het glas naar Gazi zitten kijken, en er veranderde niets. Zijn dilemma bleef. En hij kreeg steeds meer het gevoel dat hij hier geen antwoorden zou vinden, hoe lang hij ook bleef. Maar wat moest hij dán doen? Hoe kon hij de val ontlopen die Gazi voor hem had uitgezet?

Terwijl hij door deze en soortgelijke gedachten werd afgeleid, werd de ondervraging van de getuige zonder verdere nieuwe onthullingen afgerond en ging het hof uiteen voor een vroege lunch.

Gazi werd weggevoerd door een deur achter hem. Hij wierp even een vluchtige blik op de publieke tribune, maar die was op de vrouw gericht. Hammond zat buiten zijn gezichtsbereik. Toen was hij weg.

De vrouw stond op en liep voor Hammond langs de deur uit. Hij volgde haar en liep de trap af. Ze liep voor hem uit de lege hal door naar buiten. Het wachthokje bij de ingang van de poort lag rechts van hen, maar zij ging die kant niet op. Ze bleef op de trappen van het gerechtsgebouw staan, haalde een pakje sigaretten uit haar tas, en stak er een op.

'U wacht tot ze straks verder gaan?' vroeg hij impulsief.

Ze keek hem behoedzaam aan. 'Misschien. U?' De intonatie van haar stem leek te bevestigen dat ze ergens uit het voormalige Joegoslavië kwam.

Hij glimlachte. 'Ik weet het nog niet.'

'Bent u… een toerist?'

'Nee. Ik ben… geen toerist.'

'Heeft u belang bij deze zaak?'

'Een beetje.'

'Maar u bent een Engelsman. Dan zie ik het verband niet.'

'Uw Engels is uitstekend,' zei hij, in een poging haar op een aardige manier van het onderwerp af te leiden.

'Ik was lerares Engels… voor de oorlog.'

'Daarna niet meer?'

'Nee. Daarna niet meer.' Ze knikte, alsof ze het met zichzelf over iets eens werd. 'Er is veel "daarna niet meer" in Servië.'

'En daar komt u vandaan?'

'Ja. Ik kom uit Servië.'

'Bent u hierheen gekomen… voor deze zaak?'

Ze werd opeens een stuk wantrouwiger. 'Als u geen toerist bent, wat bent u dan wel?'

'Ik ben arts.'

'O, ja?'

'Ja.'

'Nou, er zijn hier geen patiënten voor u, dokter.' Ze nam een laatste trekje van haar sigaret en liep langs hem heen om de peuk uit te drukken in een asbak naast de deur. 'Sorry.'

'Voor u weer naar binnen gaat...'

'Ja?' Ze keek hem fronsend aan. Haar blik, constateerde hij, was op de een of andere manier ouder dan de rest van haar, alsof ze veel in haar leven had gezien wat ze liever zou vergeten, maar niet kon vergeten.

'Heeft u wel eens van Marco Piravani gehoord?'

Ze gaf geen antwoord. Maar dat hoefde ook niet. Het was meteen en verrassend duidelijk dat ze wist wie het was.

Ze heette Zineta Perovic. Meer wilde ze in eerste instantie niet over zichzelf kwijt. Ze was wantrouwig en ze was op haar hoede. Maar uit alles bleek dat ze allebei graag wilden weten hoe de ander Piravani kende. Hammond stelde voor dat ze hun gezamenlijke belangstelling voor de Italiaan zouden bespreken tijdens de lunch. Zineta ging akkoord, op voorwaarde dat zij zou zeggen waar. 'Dan gaan we naar de binnenstad,' zei ze, 'en praten we daar,' op een toon die te kennen gaf dat ze, voor er zou worden gepraat, eerst wat afstand wilde scheppen tussen hen en het ICTY.

Hammond probeerde, toen ze op de tram stonden te wachten, wat over ditjes en datjes te praten, maar dat lukte niet. Zineta wilde zijn paspoort zien en stelde hem vragen over zijn vak. Hij had sterk de indruk dat ze bang was dat ze in de een of andere val werd gelokt, en hem ook zou hebben afgepoeierd als hij niet met Piravani op de proppen was gekomen.

'Wat voor werk doe je nu?' vroeg hij, toen ze in de tram stapten.

'Ik maak kantoren schoon. Van zes tot middernacht.'

'Hoe lang doe je dat al?'

'Zo lang ik in Den Haag woon.'

'En hoe lang is dat?'

'Sinds december.'

'Toen de rechtszaak tegen Gazi begon.'

'Ja. Toen zijn rechtszaak begon.'

'Ken je hem?'

'O, ja.' Ze knikte bars. 'Ik ken hem heel goed.'

Ze koos voor een drukke kleine brasserie, pal achter Den Haags belangrijkste winkelstraat, waar het luide geroezemoes van het lunchpubliek zou voorkomen dat ze werden afgeluisterd. Ze bestelde brood en soep en nam pas een hoofdgerecht toen Hammond zei dat hij betaalde.

'Ja, sorry hoor,' zei ze, 'maar ik heb nu eenmaal erg weinig geld.'

'Dat geeft helemaal niets. Wil je wat wijn?'

'Nee. Geen wijn.'

'Ga je elke dag naar de rechtbank?'

'Elke dag dat ik kan.'

'Wat zoek je daar?'

'Wat zoekt ú daar? U bent vast heel druk. Waar haalt ú de tijd vandaan, dokter?'

'Noem me maar Edward.'

'Nee. Daarmee zou de indruk worden gewekt dat we elkaar beter zouden gaan leren kennen. En dat moet ik nog maar zien.'

'Oké. Nou, officieel ben ik op vakantie.'

'Maar u bent hier niet als toerist.'

'Nee, inderdaad.'

'Waarom dan wel?'

'Laten we het over Piravani hebben.'

'Best. Vertel me dan eerst hoe u Gazi kent. Als ik u geloof, vertel ik u hoe ik hem ken.'

'En als je me niet gelooft?'

'Hoop ik dat u verder van uw lunch geniet... alleen.'

'Ben je altijd zo... veeleisend?'

'Het spijt me,' zei ze, en ze leek dat te menen. 'Mijn leven was niet zoals ik had gehoopt – had verwacht. Het uwe daarentegen is... naar ik aanneem soepel en gladjes verlopen. Ik heb een neef die arts is. Arts wás. Nu is hij taxichauffeur. Betaalt beter, begrijpt u wel. Genoeg geld in elk geval om zijn gezin te onderhouden. De oorlog is voorbij. Maar Servië is niet meer wat het geweest is. Niet meer het land waarin ik ben opgegroeid, dat ze Joegoslavië hadden genoemd. Waarvan de inwoners niet wisten dat ze elkaar haatten, omdat niemand ze dat had gezegd.' Haar blik dwaalde af en kreeg even iets treurigs. Toen was haar aandacht weer op hem gericht. 'De waarheid, dokter. Om de beurt. Hoe kent u Gazi?'

Hammond zuchtte. Vreemd genoeg twijfelde hij er niet aan dat ze het meteen door zou hebben als hij haar voorloog. Ze moesten elkaar vertrouwen. Maar dat was makkelijker gezegd dan gedaan. 'Dertien jaar geleden heeft hij een levertransplantatie ondergaan. Ik was de chirurg.'

'Ah, ja.' Ze dacht even na. 'De transplantatie. Dat weet ik nog.' Ze knik-te. 'U heeft zijn leven gered.'

'Dat kan je zo stellen, ja.'

'Velen zullen dat ook doen. Inclusief de mensen die hem dood willen.'

'Zou jij hem dood willen, Zineta?'

'Soms, ja.'

'En waar ken jij hem van?'

Ze keek Hammond aan. Er klonk niets ontwijkends door in haar stem, toen ze zei: 'Ik was zijn vaste vriendin.'

8

ZINETA AT MET DE SMAAK VAN IEMAND DIE GEWOONLIJK MIN-
der aandacht aan haar lunch besteedde – als ze überhaupt al lunchte. Ze
had haar connectie met Gazi nu prijsgegeven, maar bleef op haar hoede
en terughoudend waar het Piravani betrof. Nu waren ze met zichzelf in
beraad over wat ze zouden zeggen, hoeveel ze zouden prijsgeven, en hoeveel risico ze zouden nemen.

'Waarom vroeg u me naar Marco, dokter?' zei Zineta, die daarmee een
stilte verbrak die vol was van gedachten.

Het belang van het feit dat ze Piravani's voornaam had gebruikt, was
Hammond niet ontgaan. Haar ook niet, getuige het blosje dat over haar
gezicht trok. Ze liepen beiden op eieren. 'Ik ben naar hem op zoek. Het
is dringend.'

Ze keek naar hem. 'Ik ook.'

'Waarom?'

'U eerst.'

'Dat is… een beetje moeilijk uit te leggen.'

'Dat zal vast wel. Maar we kunnen elkaar misschien helpen. En dat kan
alleen als…'

'We eerlijk tegen elkaar zijn.'

'Ja.'

'Wie zegt me dat je geen undercover journalist bent?'

'En als ik dat was, heeft u dan veel te vrezen?'

Hammond trok een gezicht. 'Ja.'

Ze knikte. 'Ik ook. Als u er een bent.'

'Je hebt mijn paspoort gezien. Je weet wie ik ben. Je kan, als je wilt, het ziekenhuis bellen waar ik werk. Mijn assistente denkt dat ik ben gaan skiën in Oostenrijk. Alles wat ik heb gezegd zal blijken te kloppen. Wil je dat?' Hij hield haar zijn telefoon voor. 'Ik vind het best, Zineta. Echt. Ik heb...' Hij brak af.

'Wat is er?'

'Ik had willen zeggen: "Ik heb niets te verbergen". Maar dat klopt niet helemaal.'

'Stop uw telefoon maar weg, dokter. Ik geloof u.'

'Je kunt me echt wel Edward noemen, hoor.'

'Goed dan, Edward. Ik geloof dat je bent wie je zegt dat je bent.'

'Mooi.'

Ze keek op haar horloge. 'De rechtbank komt zo weer bij elkaar. Gazi zal zich afvragen waar ik ben.'

'Hij liet niet erg duidelijk blijken dat hij je heeft gezien.'

'Hij laat maar heel weinig duidelijk blijken.'

'Maar hij weet wel dat je er bent?'

'Natuurlijk.'

'En de reden daarvan is?'

Ze glimlachte even. 'Vertel me nou maar waarom je op zoek bent naar Marco, Edward. Alsjeblieft, dat moet ik echt weten.'

'Goed dan. Maar niet hier.' Hij keek om zich heen. De mensen aan de andere tafeltjes leken allemaal op te gaan in hun eigen gesprekken, maar hij voelde zich toch niet helemaal op zijn gemak. En hij moest wat tijd hebben om na te denken. 'Laten we ergens heen gaan waar we... alleen kunnen zijn.'

'Dat is in deze stad niet erg moeilijk. Ik heb me nog nooit zo alleen gevoeld als hier.'

'Heb je veel gereisd?'

'De laatste tijd niet. Het is moeilijk als je niet veel geld hebt, of als het geld dat je hebt niets waard blijkt te zijn in een andere muntsoort. Ik heb eind jaren tachtig een jaar lang in Londen gezeten. Om Engels te leren. En midden jaren negentig acht maanden in Parijs. Waar ik voor mijn moeder heb gezorgd. Ze had kanker en we moesten voor de juiste chemotherapie naar Frankrijk. Toen ben ik gestopt met het geven van Engels, hoewel dat met het belabberde salaris van die tijd nauwelijks iets uitmaakte.'

'Hoe is het met je moeder gegaan?'

'Ze is gestorven.'

'Wat ellendig.'

'Laat maar. Het is alweer een hele tijd terug, allemaal. Twaalf jaar.'

'En wat deed jij... na haar dood?'

'Ik ben weer naar huis gegaan.'

'Waar niets meer was.'

'Een ander soort leven. Ik had er genoeg van om altijd maar arm te zijn. Genoeg van het hebben van principes, denk ik.'

Hammond zag haar voor zich, hoe ze er twaalf jaar geleden moest hebben uitgezien, met modieuze kleren en meer make-up. Ze moest, besefte hij opeens, een opvallend aantrekkelijke verschijning zijn geweest. Het gaf hem wat meer inzicht in wat ze had gedaan, eenmaal weer thuis na maandenlang voor haar stervende moeder te hebben gezorgd. 'Ben je zo in contact gekomen met Gazi?' vroeg hij haar voorzichtig.

'Ja.' Ze keek een andere kant op. 'Maar eerst leerde ik Marco kennen.'

Ze zeiden niets meer over Piravani of Gazi tot ze de brasserie hadden verlaten en door het hart van de stad naar de Hofvijver waren gelopen. De wind was gaan liggen en de torentjes en gevelspitsen van het Binnenhof spiegelden zich vaag in het kalme oppervlak van de vijver. Maar verder was het te koud om op een van de bankjes aan het pad langs het water te zitten en ze wandelden langzaam rond onder de bladerloze bomen.

'Ga je me nu vertellen waarom je op zoek bent naar Marco?'

'Ja,' antwoordde Hammond. En dat deed hij. Maar hij had wel besloten dat hij de voormalige vriendin van Gazi niet de hele waarheid kon toevertrouwen. Er stond te veel op het spel. Het geld dat Piravani onder zijn beheer had moest de reden zijn waarom Zineta hem zocht. Misschien vond ze wel dat Gazi haar nog het nodige schuldig was. 'Ik ben een paar dagen geleden benaderd door Gazi's dochter Ingrid. Marco zou niet op haar boodschappen hebben gereageerd. Ze moest iemand hebben die hem kon opsporen en met haar in contact kon brengen. Ze kon zelf niet achter hem aan, beweerde ze, omdat ze zou worden gevolgd door Servische staatsagenten, of... geteisem uit Gazi's kennissenkring... of beide. Ze vroeg mij omdat... ik de enige betrouwbare persoon was die ze kon bedenken die al sinds geruime tijd geen contact meer had gehad met haar vader.'

'En jij ging akkoord.'

'Ik moest wel.' Hij haalde zijn portefeuille tevoorschijn en liet haar de foto van Alice zien. 'Mijn dochter. Ze zit in haar eerste jaar op de universiteit. Ingrid dreigde... haar kwaad te doen... als ik niet meewerkte. En met de staat van dienst van haar vader voor ogen had ik geen reden om aan haar dreigement te twijfelen.'

'Wat ellendig, Edward.' Zineta hield de foto even vast en gaf hem toen met een zucht aan hem terug. 'Ingrid heeft de wreedheid van haar vader blijkbaar geërfd.'

'Het lijkt er wel op, ja.'

'En wat zoek je dan in Den Haag?'

'Ingrid zei dat ik een bepaald Italiaans restaurant in Londen in de gaten moest houden waar Marco geregeld at. Daar dook hij inderdaad op, en toen hij weer wegging ben ik hem gevolgd.'

'Woont Marco in Londen?'

'Woonde. Maar nadat ik hem had verteld wat ik wilde dat hij deed, zei hij dat hij tijd nodig had om te kunnen nadenken. Hij zei dat hij... scrupules... had met betrekking tot het helpen van Gazi's familie. Toen zijn tijd voorbij was, ging ik hem opzoeken en bleek hij niet te vinden. Spoorloos verdwenen.'

'Dat kan hij goed.'

'Kennelijk. Ik kwam hier, omdat... ik dacht... je weet maar nooit...'

Zineta schudde haar hoofd. 'Dit is de laatste plaats waar Marco naartoe zou gaan.'

'Je hebt vast gelijk. Maar...'

'Hoe lang kreeg je van Ingrid?'

'Een week.'

'Weet de moeder van Alice wat je aan het doen bent?'

'Die... is een paar jaar geleden gestorven.'

'Ah. Wat akelig.'

Ze zeiden niets meer, en gingen op een van de bankjes zitten. Zineta stak een sigaret op. Hammond staarde over de vijver en wachtte tot zij een van haar geheimen prijsgaf. Hij vroeg zich af of die meer waarheidsgetrouw zouden zijn dan die van hem.

'Je weet dat Marco Gazi's financiële man was, niet, Edward?'

'Ja.'

'Ingrid wil haar vaders geld. En daar is heel wat van te willen.'

'Dat heb ik begrepen, ja.'

'Misschien denk je dat ik daar ook een deel van wil.'

'Ik zou het je niet kwalijk nemen.'

'Nee? Nou, het is niet zo, hoewel er een tijd is geweest dat het wel zo was. Eind jaren negentig was het in Belgrado voor een vrouw alleen onmogelijk een normaal leven op te bouwen. Milosevic had alles verziekt. De wet had niet veel meer te betekenen. Er gebeurde van alles met me… waar ik nou niet meer aan wil denken. Ik besefte dat ik bescherming nodig had. Iedere gangster in die tijd had zijn eigen "sponsormeisje". Voor de meisjes was het… een manier om te overleven. Er waren bars waar je jezelf kon komen showen… jezelf te koop aanbood. Het was beschamend, maar ik deed het toch. Ik was ouder dan de meeste meiden. Daarom was ik misschien nog… beschikbaar… toen Marco me oppikte. Ik bofte. Hij is zachtaardig. Maar heeft, zoals je zelf hebt gemerkt, scrupules. Hoewel niet over geld, toen niet, in elk geval. Hij verdiende het maar al te graag, en gaf het ook even graag weer uit. En ik vond het prima dat hij een deel daarvan aan mij besteedde. Champagne, lekker eten, mooie kleren, dure parfums, grote auto's met chauffeur: het was een waar genoegen. O ja. Marco was goed voor me. Het kwam erop neer dat hij verliefd op me was. Toen ik hem vertelde… dat ik zwanger was… kwam het niet in hem op dat hij misschien de vader niet was. Maar bij mij wel. En bij Gazi ook.'

'Gazi was de vader?'

'Tegen hem kon ik geen nee zeggen, Edward. Ik zei je al, alles draaide om overleven. Hij regeerde over leven en dood. Hij wilde me alleen maar omdat Marco van me hield. Mij dwingen om Marco te bedriegen zou normaal gesproken voldoende voor hem zijn geweest. Zelfs de zwangerschap zou geen probleem hebben gevormd, als het een meisje was geworden. Maar de baby was een jongen. En Gazi's enige zoon was omgekomen in Argentinië, bij een motorongeluk, toen hij nog… krankzinnig jong was. Dus wilde Gazi per se een DNA-test. Ik wist dat die zou gaan bewijzen dat hij de vader was. Dat wilde… het lot, neem ik aan. Ik heb de foto van mijn zoon bij me, zoals jij die van je dochter hebt. Zien?'

Ze maakte haar tas open en haalde er een leren fotomapje uit. De foto was van een heel jong, kinderlijk jochie, gekleed in een korte broek en een T-shirt, dat met blote voeten op een door de zon bespikkeld grasveld zat en beminnelijk naar de camera straalde.

'Dat is Monir, toen hij net een jaar oud was,' legde Zineta uit. 'Hij is nu bijna elf.'

'Heb je geen recentere foto?'

'Nee. Hij is voordat hij twee werd bij me weggehaald.'

'Weggehaald?'

'Na zijn geboorte woonde ik met hem in Gazi's villa. Het eerste jaar... had ik het geluk dat ik mijn kind in luxe kon opvoeden. Maar toen Gazi werd aangeklaagd door het ICTY, en de NAVO Belgrado bombardeerde, werd alles anders. Ik leefde eigenlijk in gevangenschap. Gazi was bang dat Milosevic hem zou laten vermoorden. Hij zag overal bedreigingen. En misschien ook wel terecht. Hij liet Marco een plan bedenken om te verdwijnen. Marco was woest op Gazi omdat hij mij had ingepikt, maar nam het geld dat Gazi hem gaf nog altijd aan. Hij durfde niet te stoppen, en wist misschien ook wel dat Gazi hem niet zou laten stoppen. Daarnaast strafte het plan waarmee hij kwam mij voor mijn bedrog. Dat moet hem de nodige voldoening hebben geschonken. In maart 2000 stuurde Gazi me op vakantie naar Cyprus. Hij zei dat ik zo te zien aan wat zon toe was. Ik begreep dat niet. Tot die tijd hield hij me juist altijd bij zich in de buurt. En ik wilde niet, omdat ik Monir niet mocht meenemen, maar ik had niets in te brengen. Als hij wat zei... had ik maar te luisteren. Ik belde elke dag vanuit het hotel, natuurlijk, maar vanaf de vierde dag nam niemand meer op. Ik wist niet wat ik daarmee aan moest. Ik belde Marco, maar kreeg alleen zijn antwoordapparaat. En op mijn boodschappen reageerde hij niet. Uiteindelijk belde ik een voormalige collega van school en vroeg haar om uit te zoeken wat er aan de hand was in de villa. Ze belde later terug om te zeggen dat die leegstond. Deuren op slot, luiken dicht. Ik nam de eerstvolgende vlucht naar huis. Ze had gelijk. Gazi was weg, en had Monir meegenomen. Ik wist een paar mensen van het personeel op te sporen. Die zeiden dat ze allemaal waren betaald tot het eind van de maand en dat ze niet meer terug hoefden te komen. Gazi was weggereden met Monir, een vrouw die ze nog nooit eerder hadden gezien, en een van zijn bodyguards. Niemand wist waarheen. Ik ging naar het appartement van Marco. Daar was hij niet. Een buurman zei dat hij hem al dagenlang niet had gezien. Ik wist wat dat betekende. Ik weet nog hoe ik boven aan de buitentrap van de flat onbedaarlijk heb zitten huilen. Van de tijd daarna herinner ik me niet veel meer. De wanhoop was... fysiek. Ik raakte volkomen uitgeput.'

'Heb je je zoon daarna nog teruggezien?'

'Nee. Ik heb geen idee waar hij is. Gazi heeft hem buiten mijn bereik gebracht, buiten ieders bereik. Ingrid zal het wel weten, natuurlijk. Het kan zijn dat een deel van het geld daarvoor is bedoeld: om voor hem te kunnen zorgen. Dat kan ook de reden zijn waarom Marco weigert mee te werken, omdat hij ooit, hoe kort ook, heeft gedacht dat Monir zijn zoon was.'

'Maar denk je dat hij weet waar de jongen is?'

'Dat moet wel. Hij heeft dit hele plan tenslotte in opdracht van Gazi bedacht. Dus… is er een kans… als ik hem weet over te halen…' Ze hield een hand tegen haar voorhoofd. 'Toen ik hoorde dat ze Gazi hadden opgepakt, dacht ik dat ik misschien met hem in contact zou kunnen komen. Maar hij wil me niet zien.' Ze zuchtte. 'Maar hij kan natuurlijk niet verhinderen dat hij me tijdens de rechtbanksessies ziet. Daar, kijkend naar hem vanuit mijn stoel, elke dag weer, is de enige manier waarop ik een beroep op zijn geweten kan doen.'

'Heeft hij dan een geweten?'

'Vermoedelijk niet.' Ze boog haar hoofd. 'Nee, natuurlijk niet. Ik houd mezelf voor de gek.' Ze huiverde. 'En ik heb het koud. Zullen we weer eens in beweging komen?'

Ze stonden op en wandelden verder. Hammond had diep medelijden met deze verdrietige en eenzame vrouw. Ze wist dat haar koppige wake in de rechtszaal vrijwel geen kans van slagen had. Maar wat kon ze anders doen om het kind terug te winnen dat Gazi haar ontnomen had?

'Je zult wel denken, Edward, dat Monir te jong was toen we uit elkaar werden gehaald om nu nog te weten wie ik ben.'

'Dat is voor hem nog geen reden om je niet te willen leren kennen.'

'Misschien niet. Maar ik zal hem eerst moeten uitleggen dat ik zijn moeder ben. Ik weet niet wat Gazi of de anderen hem hebben verteld, maar de waarheid kan dat nooit zijn geweest. Daar heb ik me bij neergelegd. Ik weet dat het moeilijk zal zijn… voor ons allebei. Maar… ik moet het in elk geval proberen. Het heeft meer dan een jaar geduurd voor ik weer een beetje kon functioneren… nadat ik Monir was kwijtgeraakt. Tegen die tijd hadden ze Milosevic hierheen gehaald om hem te berechten en was er in Servië een democratische regering gevormd. Ik probeerde aan een leven te wennen… zonder mijn zoon. Ik schaamde me voor veel dingen die ik in de slechte tijden had gedaan. Er waren mensen die wisten dat ik Gazi's vriendin was geweest. Die keken me na op straat, of dat dacht ik tenminste… Ik besloot dat ik weg moest uit Belgrado – uit Servië. Ik solliciteerde bij de Bosnische Commissie voor Vermiste Personen. Die nam me aan omdat ik zo goed Engels sprak. En ik verhuisde naar Sarajevo. Ik vertelde niemand dat ik een Servische was. Iedereen dacht dat ik uit Slovenië kwam. Pas in Sarajevo begon het tot me door te dringen hoe verschrikkelijk die oorlog eigenlijk was geweest. Zoveel doden… zoveel andere gruwelen… ongelooflijk. En zoveel vermisten. Dood, natuurlijk, de meesten daarvan, opgestapeld, de een boven op de ander, in grotten en kuilen en gaten in de grond. Maar hun families waren nog altijd naar hen op zoek, op zoek naar een lichaam om te kunnen begraven, op zoek naar de waarheid over wat hen overkomen was: waar en wanneer en hoe ze gestorven waren. Maar niet waarom. Dat deel begrepen ze wel. De oorlog had van buren vijanden gemaakt. En alles uit elkaar gerukt. Ze probeerden ook niet om alles weer te laten worden zoals het vroeger was. Dat kon helemaal niet. Ze wilden alleen maar wéten. Uiteindelijk is dat toch nog weer beter dan niet te weten. Daarom is het terugvinden van Monir, zelfs als hij niets van me zou willen weten, beter dan hem niet terugvinden.'

'En de beste mogelijkheid is via Marco?'

'Op het moment wel, ja. Heb je enig idee waar hij gebleven kan zijn?'

'Nee, niet bepaald. Behalve dan... dat hij een paar dagen voor hij vertrok via de post een pakje kreeg uit Italië.' Hammond deed verslag van de kleine advertentie in de *Gazzetta dello Sport*. 'Degene die hem die zond, wist kennelijk waar hij woonde, dus...'

'Weet die misschien ook waar hij nu kan zijn.'

'Ja. Maar ik heb geen flauw idee wie die afzender was. Sprak Marco wel eens over zijn vrienden of familie bij hem thuis?'

'Nooit. Ik was er wel eens bij als zijn moeder opbelde. Waarbij hij dan nauwelijks aan het woord kwam, weet ik nog wel. Als ik later naar haar vroeg, sloeg hij dicht. "Hoe minder je over me weet," zei hij dan, "hoe veiliger dat voor je is." Nu denk ik dat het veiliger was voor hemzelf.'

'Uit welk deel van Italië kwam hij?'

'Dat weet ik niet. Het noorden, geloof ik. Maar dat is meer een gevoel dan iets anders. Vanwege zijn koelheid. Hij was altijd erg beheerst.' Ze glimlachte zwakjes. 'Behalve als hij naar voetballen keek.'

'Ging hij naar voetbalwedstrijden?'

'Nee. Ik bedoel kéék. Op televisie – een of ander Italiaans satellietkanaal. Dan zat hij bier te drinken en op de scheidsrechter te schelden. Ik moest altijd lachen als hij dat deed.'

'Had hij een favoriete club?'

'Vast. Maar voor mij waren ze allemaal hetzelfde. Wel droeg hij altijd een speciaal shirt, als hij keek. Zwart, met rode strepen.'

'Als ik verstand van voetbal had, zou me dat wel wat zeggen.'

'Maar dat heb je niet.'

'Nee. Aan de andere kant...' Er kwam een hoopgevende gedachte in Hammond op. 'Ken ik iemand die dat wél heeft.'

Hij pakte zijn telefoon, zette hem aan, en zag tot zijn onvrede dat er diverse berichten voor hem waren. Hij negeerde ze en belde het nummer van Peter en Julie.

Die zaten te lunchen met Sophie in de buurt van een skipiste die Peter omschreef als 'weelderig'. Hammond moest eerst allerlei gemopper verduren over hoe betreurenswaardig zijn afwezigheid was, voor hij kon zeggen waar het hem om ging. Om een collega te helpen bij een discussie hierover: kon Peter, de lopende (en skiënde) encyclopedie op het gebied van alles wat met voetballen van doen had hem vertellen welk Italiaans team speelde in zwarte shirts met rode strepen?

'AC Milan, Edward. Dat weet toch iedereen? En mag ik uit deze plotselinge dorst naar trivialiteiten opmaken dat je alsnog deze kant op komt?'

Nee. Dat mocht niet. Na het oplappen van zijn oorspronkelijke verhaal en met welgemeende woorden van grote dankbaarheid, brak Hammond het gesprek af. 'Het zou wel eens kunnen dat Marco uit Milaan komt,' verkondigde hij. 'Een noorderling, zoals je al zei, hoewel…'

Hij stopte. Het leek wel of Zineta hem helemaal niet had gehoord. Ze was een stukje doorgelopen en staarde voor zich uit, met een peinzende uitdrukking op haar gezicht.

'Zineta!?'

Ze schrok op en keek waar hij was. 'Sorry Edward,' zei ze, en ze lachte verontschuldigend. 'Ik moest opeens aan iets denken.'

'Waaraan?'

'Iets wat ik vergeten was… tot nu. Als de voetbalwedstrijden voorbij waren, belde Marco vaak een vriend in Italië die Guido heette om grappen met hem te maken over de uitslag. Dat zou wel eens de man kunnen zijn die hem de krant heeft gestuurd.'

'Ja. Dat zou kunnen. Jammer genoeg heten heel veel mannen in Milaan Guido.'

'Milaan?'

'Waar de zwarthemden met rooie strepen spelen.'

'Ah.' Ze knikte. 'Dus moeten we een man zien te vinden die Guido heet in een Italiaanse stad van, dacht ik, meer dan een miljoen mensen.' Ze schudde haar hoofd bedroefd. '*Nemoguc.*' Het was het eerste woord Servisch dat hij haar hoorde spreken. En dat hoefde ze niet voor hem te vertalen.

Ze gingen koffiedrinken in de fraaie arcade van de Passage. Daar legde

Hammond uit wat hij als zijn enig mogelijke redding zag. Dat hield wel in dat hij Ingrid zou moeten toegeven dat Piravani hem was ontsnapt, maar daar kwam hij toch al niet onderuit. En er was een gerede kans dat Gazi haar had verteld wat hij over Piravani wist.

'Zeg haar alsjeblieft niet dat je mij hebt leren kennen, Edward.' Zineta pakte hem bij zijn arm om tot hem door te dringen en was duidelijk doodsbenauwd bij de gedachte. 'Ik wil niet dat zij weet dat ik je help.'

'Wees maar niet bang. Ik zeg wel dat ik dit zelf zo heb uitgedokterd.'

Hij liep van het koffiehuis de arcade in en belde Ingrid. Hij moest, net als de vorige keer, een bericht inspreken. Toen luisterde hij zijn eigen berichten af. Eerst was er een sms van Alice, van de vorige dag. 'Oom Bill wil je spreken. Wat moet-ie van je?' Hij sms'te terug. 'Praat wel met Bill. Nix aan de hand.' Er waren een paar voicemails, waarvan eentje vermoedelijk van Bill, waarschijnlijk om uit te leggen waarom hij Alice had gebeld. Maar die moesten wachten. Ingrid belde terug.

'Waar heeft u gezeten en wat heeft u gedaan, dokter? U heeft nog maar drie dagen.' Hammond putte wat schrale troost uit het rekensommetje dat hij technisch gezien eerder een dag of zes had, omdat er in het weekend geen rechtszittingen waren waarin Gazi iets over hem kon zeggen, maar daar zei hij niets over tegen Ingrid.

'Ik heb wat problemen gehad.'

'Problemen interesseren me niet. Het geld wel.'

'De onderhandelingen met de Boekhouder moeten via een tussenpersoon gaan: een vriend van hem in Italië.'

'Welke vriend?'

'Ik hoop dat jij me dat kan vertellen.'

'Weet u dat dan niet?'

'Moet je horen, Ingrid. De grootste kans om je geld te krijgen, is als je me helpt.

Wat deed Pira...'

'Geen namen noemen!'

'Oké, oké. De Boekhouder. Wat deed die voordat je vader hem inhuurde?'

'Hetzelfde. Voor meer mensen.'

'In zijn eentje?'

'Nee. Hij had een partner. Maar mijn vader wilde... exclusiviteit. Dus gingen ze uit elkaar.'

'Hoe heette die partner?'

'Dat weet ik niet. Misschien weet mijn vader het. Dat zal ik hem moeten vragen.'

'Wel, vraag hem dat dan. Ik moet het weten.'

'Ik kan hem pas vanavond te spreken krijgen. Op het moment zit hij in de rechtszaal, denk ik.'

'Hoe eerder hoe liever.'

'U zei dat u de Boekhouder had ontmoet.'

'Inderdaad.'

'Waarom dan die vraag over zijn vroegere partner?'

'Omdat de Boekhouder weer ondergedoken is.'

'U bent hem kwijt, hè?' snauwde ze. 'Hoe kon u zo... *estúpido* zijn?'

'Wil je dat ik hiermee doorga, Ingrid?' Hij durfde het aan haar uit te dagen. 'Of doe je het liever zelf?'

Het bleef even stil. Toen Ingrid weer sprak hoorde hij meteen aan de diepere, beheerstere toon van haar stem dat hij deze woordenwisseling gewonnen had. Maar meer dan dat was het ook niet. Er moest nog een hele strijd worden gestreden. 'Ik bel u zodra ik de informatie heb.'

'Dank je.'

'Maar dokter...'

'Ja?'

'Geen fouten meer. Voor uw eigen bestwil.'

9

BILL DOWLER WAS ZES JAAR OUDER DAN ZIJN ZUS, MAAR HET was voor het gevoel van Edward Hammond altijd meer geweest, eerder tien of twaalf. Uiterlijk hadden ze wel iets van elkaar weg, wat minder werd toen Bill zijn baard liet staan, maar hun persoonlijkheden stonden lijnrecht tegenover elkaar: Bill kalm en stoïcijns, Kate levendig en extravert. Na dertig jaar bij de Landmacht was hij in een cottage in het New Forest gaan wonen, waar hij een teruggetrokken leven leidde als man voor klusjes in de tuin. Hij verwachtte, volgens eigen zeggen, niets van de buitenwereld, die in een voortdurend falen te functioneren volgens de principes van orde en discipline, een blijvende teleurstelling voor hem vormde.

Er zat iets simplistisch, intuïtiefs in Bill wat Hammond soms wel aardig vond, soms ook niet, maar vaak vond hij het verfrissend direct. Hij had zijn rol altijd heel serieus genomen, die van oudere broer van een zus die naar zijn mening maar zelden wist wat goed voor haar was. Het ging zo ver dat Hammond niet wist of Kate een grapje maakte, toen ze, kort voor hij Bill leerde kennen, zei: 'Ga er maar van uit dat als Bill je niet ziet zitten, je je leven niet zeker bent.'

Hun eerste ontmoeting werd beheerst door een discussie over de Falklandoorlog, een conflict waar Bill persoonlijk getuige van was geweest, zodat Hammond redelijkerwijs mocht veronderstellen dat ze niet als de beste vrienden uiteen waren gegaan. Maar dat was niet zo. Kate vertelde hem later dat Bill hem van het begin af aan aardig had gevonden en had gerespecteerd. 'Hij denkt blijkbaar dat jij net die stabiliserende invloed hebt die goed voor me is.'

Als Hammond inderdaad die stabiliserende invloed had gehad, zou Kate hun huwelijk natuurlijk niet na twaalf jaar in de gehaktmolen hebben gegooid en het met Alan Kendall hebben aangelegd. Bills vertrouwen in hem bleek jammer genoeg misplaatst. Het pleit voor hem dat hij Hammond nooit verantwoordelijk heeft gehouden voor de scheiding. Maar bij de begrafenis liet hij over één ding geen misverstanden bestaan: 'Als ik ooit ontdek wie haar heeft vermoord, zweer ik ervoor te zorgen dat hij nooit de binnenkant van een rechtszaal te zien krijgt, laat staan een cel met alle moderne comfort in zo'n gevangenis die meer een soort vakantieoord is.'

Dat was typisch Bill. En hij meende het ook. De gedachte daaraan speelde Hammond somber door het achterhoofd toen hij die avond in zijn kamer in het Kurhaus, telefoon aan zijn oor, luisterde naar het overgaan van de telefoon in een cottage in het New Forest. Eigenlijk hoopte hij dat Bill niet thuis was. Liegen tegen een antwoordapparaat was een stuk eenvoudiger. Maar op het moment dat het apparaat aansloeg, nam Bill op.

'Hallo?'

'Ha Bill, je spreekt met Edward.'

'Eindelijk. Ik stond al op het punt een opsporingsexpeditie uit te sturen.'

'Sorry dat ik niet meteen terugbelde. Ik heb het nogal druk gehad.'

'Dat zei Alice al. Je skivakantie afgezegd, blijkbaar.'

'Ja. Het verbaasde me eerlijk gezegd dat je haar had gebeld.'

'Ik had je mobiele nummer niet. En aangezien je nooit thuis bent…'

'Je hebt haar toch niet gezegd waarom je me wilde spreken, hè?'

'Natuurlijk niet. Hoe kom je erbij?'

'Ik wil gewoon niet dat ze denkt dat er iets aan de hand is, als dat in feite niet zo is.'

'Genoteerd. En dat is dus zo? Dat er niets aan de hand is?'

'Als er wel wat was, had ik je dat toch meteen verteld?'

'O ja, Edward? Echt?'

'Natuurlijk.'

'Ik heb gisteren je assistente gesproken. Die is erg goed. Elke politicus zou haar benijden voor de manier waarop ze het antwoord op een vraag als: "Waar is dokter Hammond?" weet te omzeilen.'

'Tja… soms voert ze de geheimzinnigheid wel eens wat ver door.'

'Ik kreeg de indruk dat ze het eigenlijk helemaal niet weet. Waar je nu zit, bedoel ik.'

Hammond vloekte in stilte. 'Waar belde je haar voor, Bill?'

'Jij belde maar niet terug. Dus… Waar zit je?'

De waarheid, op dat gebied althans, leek hem de beste optie. 'Den Haag.'

'Wat moet je daar nou?'

'Dat kan ik je niet zeggen. Op basis van de geheimhoudingsafspraken tussen dokter en patiënt.' Dat was een miserabele smoes, maar hij had op dit moment niets beters. 'Maar ik verzeker je dat deze tocht niets te maken heeft met Kate. Kendall verzint maar wat. Laat je door hem niet beïnvloeden.'

'Kendall kan ik wel aan. Dat is niet…'

'Wacht even.' Hammonds mobieltje tjirpte. Hij zag op de display dat het Ingrid was. 'Het spijt me, Bill. Ik moet ophangen. Er komt wat tussendoor.'

'Maar…'

'Sorry.' Hij legde de hoorn op de haak en pakte zijn gsm. 'Hallo?'

'Ik heb de informatie waarom u vroeg, dokter.' Ingrid klonk koeler en beheerster dan eerder die dag. Misschien had Gazi haar nog eens uitgelegd hoe de prioriteiten lagen.

'Mooi.'

'Bent u in de buurt van een vaste telefoonlijn?'

'Ja. Hoezo?'

'Bel het nummer dat ik u zo geef via die lijn. Het is ook een vast telefoonnummer. We moeten voorzichtig zijn.'

'Als jij het zegt.'

'Ik zeg het.'

Wat Hammond zich met die wisseling van telefoonnummers vooral afvroeg, was of ze inderdaad zo voorzichtig moesten zijn. Hij wist niet wat voor soort mensen Ingrid achter zich aan had, maar hij wist wel dat hij ze niet achter hem aan wilde hebben.

Ingrid nam direct na de eerste keer overgaan op. 'Dokter?'

'Ja. Wat heb je voor me.'

'Mijn vader zegt dat de partner van de Boekhouder Guido Felltrini heette.'

'Guido Felltrini?'

'Ja.'

'Prachtig. Dat is de man die ik zoek.'

'Ik heb hun zakenadres in Milaan van 1992. U begrijpt dat Felltrini intussen verhuisd kan zijn.'

'Natuurlijk.' Maar vermoedelijk was hij wel in het centrum van de stad gebleven. De man moest te vinden zijn, dat kon toch haast niet anders. 'Zeg het maar.'

'Via Ragno zeventien, tweede verdieping.'

'Genoteerd.'

'Gaat u er heen?'

'Jawel.'

'Wees voorzichtig.'

'Maak je je zorgen over me, Ingrid?'

'Ja, dokter. Ik maak me zorgen dat het misloopt.'

Hij had beloofd Zineta die middag mee te nemen naar Milaan. Haar motief om Piravani te zoeken zat hem niet helemaal lekker. En kon op zeker moment in botsing komen met het zijne. Maar beloofd was beloofd. Zijn betrokkenheid bij Gazi had weinig eervols en het helpen van Zineta bij het vinden van haar zoon, maakte dat misschien een beetje goed. Hij pakte de telefoon en belde het mobiele nummer dat ze hem had gegeven.

'*Zdravo.*'

'Zineta, met Edward Hammond.'

'Ah. Je belt ook echt. Ik was bang... van niet.'

'Waarom dacht je dat?'

'Het zou de eerste keer niet zijn dat iemand me liet zitten.'

'Nou, ik heb een adres van Felltrini. En als we willen krijgen wat we zoeken, kunnen we hem dat volgens mij het beste persoonlijk vragen. Ik boek ons op de eerste vlucht morgenochtend van Schiphol naar Milaan, als jij er niets op tegen hebt om bij het krieken van de dag te vertrekken – of eerder nog.'

'Geen bezwaar.'

'Kan jij als Servisch staatsburger zonder problemen Italië in?'

'Ja. Ik heb een Schengen-visum. Sinds begin vorig jaar mogen wij Serviërs tot maximaal negentig dagen ons hok weer uit. Italië is dus geen probleem.'

'Prima. Ik bel je terug zodra ik weet hoe laat we vliegen.'

'Dank je, Edward. Dit is zo... goed van je. Ik ben het niet meer gewend dat mensen aardig voor me zijn. Ik ben je erg dankbaar.'

'Geen dank.'

Hij had veel liever dat ze hem niet bedankte, omdat hij maar al te goed besefte dat ook hij zich op een gegeven moment misschien zou moeten aansluiten bij het groeiende leger van mensen die haar hadden laten zitten.

Na een telefoontje naar de KLM en nog een naar Zineta, bestelde Hammond eten via de roomservice, ging op zijn balkon staan en staarde peinzend in de nog altijd stervenskoude buitenlucht naar de in duisternis gehulde horizon. Hij moest toegeven dat hij moe en geïrriteerd was en dat zijn zenuwen nogal van streek waren. Hij had meer leugens verkocht dan hij eigenlijk aankon en zette nu ook nog in op een onbetamelijk doel: om voor zijn eigen gemoedsrust het geld van Gazi in handen te spelen van zijn inhalige en onwaardige familie. In theorie leek het daar tenminste op. Maar was het ook zo? Was het echt zo? Afgelopen vrijdagmiddag was de eerste scheur ontstaan in de stevige muur die vroeger tussen zijn wereld en die van mensen als Zineta Perovic stond. Na die tijd waren er meer scheuren in gekomen. En begon die muur stukje bij beetje, en alsmaar sneller af te brokkelen. En hij kon misschien nooit meer opnieuw worden opgetrokken.

Hij stond nog stevig overeind op die dag in maart 1996 toen men het erover eens werd dat het toezicht op verder herstel van Dragan Gazi kon worden overgelaten aan de eigen staf van de Vocnjac Kliniek, waardoor het team van Edward Hammond Belgrado kon verlaten. Svetozar Miljanovic kwam met het idee voor een afscheidsfeestje, wat aansloeg gezien het harde werk en de vele uren die waren gemaakt. Het was eerst een wat bezadigde bijeenkomst van een handjevol mensen, maar werd wat levendiger toen men zich verplaatste naar een traditioneel Servisch restaurant, en schakelde naar een nog hogere versnelling toen Miljanovic hen meenam naar een disco die zich in een van de catacomben onder het Kalemegdan Fort bevond. Hammond maakte een paar obligate draaibewegingen op de dansvloer voor hij zich terugtrok, in de veronderstelling dat de jongeren onder hen zich beter op hun gemak zouden voelen zonder hem. Miljanovic volgde zijn voorbeeld en ze gingen uiteen, na een slaapmutsje in de bar van Hammonds hotel.

'*Ziveli*,' zei Miljanovic, en hij tikte met zijn cognacglas tegen dat van Hammond. 'Het was heel leerzaam en een eer om met je te werken, Edward.'

'En met een succesvol resultaat, Svetozar, dat is het belangrijkste. We hebben geboft dat er zo weinig complicaties waren.'

'Dat is zo. En de complicatie die toch optrad, werd ook nog door onze man gewaardeerd.' Miljanovic doelde op de dramatische zwelling van Gazi's testikels, een paar dagen na de operatie. 'Hij zei me dat hij zich net een jonge stier voelde.'

'Nou, zolang hij zich er niet al te vlug naar gedraagt…'

Miljanovic lachte. '*Da*. Dat moet hij maar aan zijn dokters overlaten.'

'Het zou leuk zijn als dat kon.'

'In Belgrado bij nacht kan alles, beste vriend.'

'Mij niet gezien. Ik ga zo lekker naar bed.'

De veelbetekenende glimlach van Miljanovic drong pas een uur later tot Hammond door, toen hij de Serviër naar een taxi had gebracht en naar zijn kamer ging. De enige andere persoon in de lift was een donkerharige jonge vrouw in een nauwsluitende zwarte jurk en met hoge hakken. De jurk had een split die hoog opliep over de dij en de bovenrand van een nylonkous toonde, waar Hammond welgevallig maar zonder verdere bijgedachten naar keek, tot hij zijn deur bereikte en zich opeens realiseerde dat de vrouw pal achter hem stond.

'Dokter Hammond?' vroeg ze met een zwaar Slavisch accent.

'Ja.'

'Generaal Gazi heeft me gestuurd. Ik ben uw… *poklon*.'

'Mijn wat?'

'Ik ben voor u.' Ze deed een van de knopen aan de voorkant van haar jurk los waaronder de kanten franje van iets zwarts en straks tevoorschijn kwam. 'Voor wat u maar wilt.' Haar huid was bleek, bijna transparant, haar ogen waren groot en met piekerige wimpers, haar mond met glanzende lippen stond een beetje open. De aard van de genoegens die ze bood was overduidelijk. Ze keken elkaar een paar seconden aan. Toen schudde hij zijn hoofd.

'Het spijt me,' zei hij. 'Dit is een misverstand. Ik ben niet geïnteresseerd.'

Toen hij zijn balkon afliep en terugkeerde naar de warmte van zijn kamer, moest Hammond aan de vrouw denken en de manier waarop ze met een onverschillig en lusteloos schouderophalen op zijn afwijzing had gereageerd. Hij had haar toen niet gezien als iemand die een eigen leven, verleden en toekomst had. Ook had hij zich niet afgevraagd hoe lang en hard ze misschien had moeten knokken om voor een man als Gazi het fraai verpakte geschenk te kunnen worden dat hij kon sturen naar een man als hij. Maar dat was nu veranderd. Hij begon zichzelf nu te zien zoals zij hem die nacht moest hebben gezien. En wat hij zag, beviel hem allerminst.

10

ZINETA VROEG HAMMOND TIJDENS DE REIS NAAR MILAAN ENIGE keren hoe hij Felltrini dacht over te halen hem te vertellen waar Piravani zat. Zijn antwoorden waren vaag, niet omdat hij de zaak niet had overdacht, maar omdat hij vermoedde dat ze beter af was als ze het niet wist. Hij was er inmiddels gewend aan geraakt om te doen wat er gedaan moest worden en had geen zin daar uitleg over te geven. Wat dat inhield, merkte ze wel als het zover was.

Zineta's andere favoriete onderwerp was haar dankbaarheid. Zijn gulheid had haar volledig overrompeld, vooral ook toen ze merkte dat ze, vanwege de late boeking, businessclass vlogen. Haar verrukking toen de stewardess haar een glas champagne aanbood, was bijna kinderlijk, en roerde Hammond meer dan hij wilde toegeven.

'En dit is voor jou allemaal aan de orde van de dag, Edward?' vroeg ze ademloos.

Dat was het natuurlijk niet. Maar zou het wel kunnen zijn, als hij wilde. Voor Zineta was dergelijke luxe alleen mogelijk geweest als onderdeel van een pakket waarvan ze zelf een handelsartikel was. De kloof tussen hen gaapte hem aan. En hij vroeg zich af of die ooit te overbruggen zou zijn. Ze glimlachte, een beetje tipsy van de champagne op een lege maag. Maar de droefenis in haar ogen bleef. Die was diep en niet te lenigen.

Het passeren van de douane op Malpensa duurde voor Zineta veel lan-

78

ger dan voor Hammond, maar op een gegeven moment voegde ze zich weer bij hem en liepen ze naar de shuttletrein naar de stad. Ze hadden beiden weinig bagage en namen vanaf het station meteen een taxi naar het adres dat ze van Ingrid hadden gekregen.

Het was een kille, vochtige woensdag in Milaan, en de stad vormde een lawaaiig, door verkeersopstoppingen geplaagd contrast met de vreedzame rust van Den Haag. Hammond had op het vliegveld een exemplaar van *La Gazzetta dello Sport* op de kop getikt, dit keer compleet met de kleine advertenties. Een vlugge blik op de wervende teksten (voor zover Hammond die kon ontcijferen) voor tweedehands auto's, huisgenoten, massage-instituten en huwelijkskandidaten leverde niets op wat op Piravani wees.

'Denk je dat die advertentie er nog altijd in staat?' vroeg Zineta terwijl de taxi zich in een soort slalom door het wurgende verkeer slingerde.

'De kans was klein. Maar dit is eigenlijk meer bedoeld als ondersteuning. Ik wil Felltrini laten denken dat we hem op de hielen zitten.'

Maar om Felltrini iets te laten denken, moest hij eerst worden opgespoord. Via Ragno 17 was een onopvallend halfhoog kantoorgebouw uit de jaren zestig ten noordoosten van het stadscentrum. De namen van de bedrijven die er gevestigd waren stonden bij de ingang vermeld. Die van G. Felltrini stond er niet bij. Op de tweede verdieping zat een architectenkantoor.

Ze gingen niettemin op goed geluk naar boven.

En geluk hadden ze. Felltrini was jaren geleden verhuisd, volgens de Engelssprekende medewerker die hen te woord stond. Maar het kantoor had hem als accountant, en zijn huidige adres was geen probleem.

Het was terug in de richting waar ze vandaan waren gekomen, dichter bij het historische deel van de stad, op de bovenste verdieping van een fraai neoklassiek gebouw aan de rand van het modedistrict. De sfeer van fonkelende overvloed die de juwelier op de begane grond uitstraalde was niet als zodanig terug te vinden in de aankleding van Felltrini's kantoor, dat echter wel smaakvol was ingericht en werd bemand door goed geklede jongelui, die de indruk gaven dat hij, ondanks het vertrek van Piravani, goed had geboerd. Evenals de prominent opgehangen foto van een gladharige, gesoigneerde zakenman in maatkostuum, die bij de een of andere bijeenkomst van de rijken en machtigen handen stond te schudden met Silvio Berlusconi.

'Signor Felltrini?' vroeg Hammond aan de receptioniste met karmijn-rode lippen.

Dit kon ze bevestigend beantwoorden, maar toen Hammond erop aan-drong dat hij de man wilde spreken, moest Felltrini's assistente, een oudere vrouw die wat bescheidener was opgemaakt en beter Engels sprak, erbij worden gehaald.

'Het is een dringende en persoonlijke kwestie,' legde hij uit. 'Betreffende Signor Felltrini's voormalige partner Marco Piravani.'

De assistente was hier niet van onder de indruk. Signor Felltrini was weg voor zijn lunchafspraak en was verder de hele middag volgeboekt. Een afspraak zat er dus niet in.

Hammond hield vol, en voerde aan dat haar baas hen zeker zou willen spreken. Uiteindelijk zei ze dat ze dan wel zou gaan bellen. Hammond ging akkoord, op voorwaarde dat ze bij dat gesprek zou vermelden dat ze ook hier waren vanwege een recente advertentie in de *Gazzetta dello Sport*. Dat zou ze doen, maar ze liet niet na duidelijk te laten merken dat ze haar tijd heel wat beter kon besteden.

'Nu komen we waarschijnlijk te weten of hij Marco inderdaad die krant heeft gestuurd,' fluisterde Zineta tegen hem, toen ze zaten te wachten.

'Dat zou heel goed kunnen, ja.'

En dat was ook zo. Toen de assistente terugkwam, zag ze er wat verslagen uit. 'Signor Felltrini verwacht u om halfdrie,' zei ze. 'En wel op tijd komen, want hij heeft het erg druk,' zei ze ook nog, alsof ze toch iets van haar verloren gezag probeerde terug te winnen.

Dat ze zich daar geen zorgen over hoefde te maken, hing Hammond haar niet aan haar neus.

Ze bleven in de buurt en gingen lunchen in een restaurantje om de hoek, terwijl de tijd naar hun afspraak langzaam wegtikte. Ze waren allebei benieuwd naar de komende ontmoeting, in het besef hoeveel daarvan afhing, maar Zineta zat er ook nog over in hoe Hammond Felltrini zo ver zou kunnen krijgen dat die de informatie gaf die ze zochten.

'Geloof me nou maar, dat lukt me wel,' verzekerde hij haar.

'Hoe dan?'

'Door te gokken op het feit dat Felltrini's loyaliteit tegenover zijn vriend niet opweegt tegen de mogelijke aantasting van zijn eigen naam en faam.'

'En als dat niet zo is?'

'Dan hebben we nog de kleine bijkomstigheid van zijn persoonlijke veiligheid in petto. En die van zijn gezin, als hij er een heeft.'

'Gaan we hem bedreigen?'
'Nee. Dat doet Gazi wel voor ons.'

Van de sfeer van bedrijvigheid die hen bij hun eerste bezoek aan het kantoor van Felltrini had begroet, was nu, bij hun terugkeer niets over. Hij had, dacht Hammond, voor een tijd gekozen waarvan hij wist dat de meeste medewerkers afwezig waren om te genieten van hun traditionele, lange Italiaanse lunch. Er zat een receptioniste, maar een andere dan die van vanochtend. Ze had de opdracht hen direct naar de kamer van Felltrini te brengen.

Ze kwamen langs het onbemande bureau van de assistente, van wie ook geen spoor te bekennen viel. Felltrini stond een sigaret te roken bij het raam van een grote kamer die was ingericht met meubelen van blank gelakt hout, geborsteld staal en bloedrood leer, en hij keek uit over de door wolken overhuifde daken van de stad. Hij zag er wat minder gladjes uit dan zijn evenbeeld op de foto en had iets verslagens over zich. Hammond vroeg zich af of hij had voorzien dat zoiets als dit zou kunnen gebeuren. Misschien had hij altijd wel begrepen dat zijn vriendschap met Marco Piravani niet zonder gevaren was, hoewel Hammond betwijfelde of hij wel doorhad hoe groot die gevaren konden zijn.

'*Buongiorno, signore,*' zei Felltrini bedachtzaam toen ze binnenkwamen en hij keek hen aan. 'U bent Engels, heb ik gehoord.'

'Ik ben Engels,' zei Hammond.

'Uw naam?'

'Dokter Edward Hammond.'

'Medicus?'

'Ja. Maar het gaat me nu niet om een medische aangelegenheid.'

'Nee. Natuurlijk niet. En uw charmante vriendin?' Hij knikte naar Zineta.

'Zineta Perovic,' antwoordde die.

Hij slaagde er niet in zijn verbaasde reactie helemaal te onderdrukken en nam nog een trekje van zijn sigaret om een seconde te winnen om na te denken. Het was evident dat hij de naam kende. 'Waar komt u vandaan, *signora*?'

'Servië.'

'*Veramente?* En wat kan ik doen voor de Engelse dokter en de Servische…' Hij maakte een gebaar dat zowel minachting als onzekerheid kon betekenen.

Hammond kreeg het gevoel dat hij zo probeerde de toon van het gesprek te zetten. Hij stapte naar voren en legde met een klap zijn exemplaar van de *Gazzetta dello Sport* op het grote, lege bureau dat het vertrek domineerde. 'Waar was die advertentie voor, Guido?'

'Advertentie?' Felltrini deed net alsof hij niet begreep wat hij bedoelde.

'Die u Marco heeft gestuurd. Om hem te waarschuwen, misschien? Ik weet het niet. Wat ik wel weet is dat u blijkbaar weet waar hij zich ophoudt.'

'Mijn partnerschap met Marco Piravani is zeventien jaar geleden beëindigd, dokter Hammond. De enige reden waarom ik u wel wilde zien, was om…'

'Uit te vinden hoeveel we over u weten. Daarom wilde u ons zien. En het antwoord is: genoeg. Hoe verloopt dit seizoen voor AC Milan, overigens? Dat is toch het team dat jullie volgen, niet?'

'Marco belde u altijd na hun wedstrijden op tv,' zei Zineta.

'En nu bent u hier om over voetbal te praten?' vroeg Felltrini net iets te verbaasd.

'Nee,' zei Hammond. 'We zijn hier om te bespreken wat Marco voor ons moet doen.'

'Maar ik ben Marco niet. En ik zei al, dat onze…'

'U weet waar hij is. Jullie waren niet alleen partners, jullie zijn ook oude vrienden. We willen dat u contact met hem opneemt.'

'Ik kan u niet helpen.'

'Jawel. En dat doet u ook. Tenzij u wilt dat iedereen te horen krijgt dat u nauwe banden heeft met de man die Dragan Gazi hielp zijn gestolen gelden op te potten.'

'Gazi? Moet ik die… persoon kennen?'

'Veel van uw klanten kennen hem zeker en zullen niet meer van uw diensten gebruik willen maken als ze horen dat u iets met hem te maken heeft. Gelieerd zijn aan een Servische oorlogsmisdadiger en zijn gestolen geld is bepaald geen aanbeveling voor een accountant met een goede naam.'

'Maar ik ben daaraan niet… gelieerd.'

'Ik ben bang van wel. En het gaat niet alleen om het effect daarvan op uw zaak, u zult ook aan uw gezin moeten denken.'

'*Prego?*'

'Wij zijn aardige jongens, weet u, van het soort dat rustig over dingen wil praten. Maar er zijn ook een heleboel niet zulke aardige jongens die uit zijn op het geld dat Marco beheert. Als wij u kunnen vinden, kunnen zij dat ook. En zeker als we hun vertellen wie jij bent en waar je zit. Die schuwen geen middel om te weten te komen waar Marco zich ophoudt. Ik zou in dat geval niet graag in uw schoenen, of die van uw gezin, willen staan.'

'Marco heeft u dat vast wel eens verteld,' zei Zineta. 'Dit zijn niet alleen maar moordenaars. Het zijn slagers.'

Dit laatste woord, misschien wel omdat het van een Servische kwam, maakte meer indruk op Felltrini dan alles wat Hammond had gezegd. Hij kromp zichtbaar ineen. 'Ik heb dit bedrijf opgebouwd,' sputterde hij. 'Van… van twee kamers en één secretaresse… tot…' Opeens drong het tot hem door hoe zinloos het verslag van zijn activiteiten op dit moment was. Hij nam nog één beverig trekje van zijn sigaret en drukte die toen uit in de asbak die in de vensterbank stond. 'Ik verdien het niet om in zo'n…' Hij stak zijn gebalde vuisten protesterend in de lucht. '*Merda!* Ik had net moeten doen of ik die advertentie niet had gezien.'

'Wat stond erin?' vroeg Hammond, op een wat hartelijker toon.

'Het ging over een beloning – tot tienduizend euro – voor informatie over Marco. Uit niets bleek wie hem had geplaatst. Alleen een telefoonnummer. Ik vond… dat Marco dat moest weten.'

'Dat was aardig van u,' zei Zineta.

'Maar niet erg handig. Nee, helemaal niet handig.' Felltrini zuchtte diep. 'Waar is Marco nu?' Hammond probeerde zo gewoon mogelijk te klinken, alsof het beantwoorden van die vraag volkomen vanzelfsprekend was.

'Dat weet ik niet. Hij is weg uit Londen. Maar waar hij nu zit.' Felltrini haalde omstandig en hulpeloos zijn schouders op. 'Ik heb alleen een mobiel nummer van hem.'

'Schrijf dat maar op.'

Felltrini schuifelde ontmoedigd naar zijn bureau, trok een la open en haalde daar een blad postpapier met firmanaam uit. Hij pakte een sierlijke vulpen uit zijn zak en schreef het nummer op. 'Hij neemt niet op als hij de beller niet kent,' zei hij, en hij schoof Hammond het papier toe. 'En misschien zelfs dan nog niet.'

'Maar als u belt, wel?'

'Natuurlijk.'

'Dat dacht ik al. En daarom moet u hem bellen. Namens ons.'

'Ik?'

'U moet hem uitleggen in wat voor lastig parket u zit. Het gevaar – het extreme gevaar waarin hij u heeft gebracht. U moet een beroep op hem doen – als uw vriend – en zeggen dat hij alles in het werk stelt om u te redden.'

'En wat houdt dat in?'

Hammond haalde een vel papier uit zijn zak waarop hij eerder die dag de gegevens van de rekening op de Cayman Eilanden en het nummer van zijn mobiele telefoon had geschreven, en verruilde dat met het stuk postpapier met het nummer van Piravani. 'Marco moet voor het einde van de werkdag morgen alle fondsen van Gazi op deze rekening hebben overgemaakt.'

'Misschien kan dat niet zo vlug.'

'Marco zei zelf dat het binnen vierentwintig uur kon.'

Felltrini gaf zich gewonnen en knikte. 'In dat geval... zal ik hem dat zeggen.'

'Verder willen we weten waar Monir Gazi zich ophoudt. En daarmee bedoel ik zijn precieze adres.'

'Wie is... Monir Gazi?'

'Dat weet Marco wel,' zei Zineta.

Felltrina keek haar aan. 'Wat is voor u belangrijker, signora Perovic? Het geld... of Monir?'

'Het is een packagedeal, Guido,' zei Hammond. 'Zorgt u er nu maar voor dat die wordt gemaakt. Ik verwacht voor het eind van de dag van u te horen. Of van Marco. Wat het beste uitkomt.'

'En wat levert die transactie Marco en mij op, dokter Hammond?'

'Een vreedzaam leven. Als het geld eenmaal op die rekening staat, is het in handen van Gazi's familie en heeft niemand er verder nog iets aan om u lastig te vallen of te bedreigen. Dan is de zaak uit uw handen.'

Felltrini spreidde zijn handpalmen uit. 'Die is nooit in mijn handen geweest.'

'In de mijne ook niet. Wij willen alleen maar wat we u net hebben aangeboden, Guido.'

'*La vita pacifica*. Natuurlijk. Dat willen we allemaal.' Felltrini pakte het papier. 'Marco kan veel beter met cijfers omgaan dan ik. Maar hij mist wat mijn moeder *il buon senso* zou noemen. Dat is, denk ik, waarom ik een goedlopende zaak en een mooi huis heb, en hij... alleen een koffer.' Hij glimlachte. 'Ik heb nog veel van hem te goed.'

'Tijd om hem daarop te wijzen.'
'*Si.*' Felltrini knikte kort en beslist. 'Dat zal ik doen.'

Het was zo goed gegaan als maar kon en een stuk beter dan had gekund. Maar Hammond voelde zich eerder opgelucht dan opgewekt toen ze het kantoor van Felltrini uitliepen. Het veiligstellen van Gazi's geld voor zijn familie was niet iets om trots op te zijn. En het onder druk zetten van Piravani via een oude vriend liet een nare bijsmaak achter in zijn mond. Maar hij hoopte nu wel dat Piravani hierna zijn handdoek in de ring zou gooien. Hij kon niet weten dat de bedreiging die Hammond had gebruikt om Felltrini onder druk te zetten op niets was gestoeld. Het geld zou nu vast wel spoedig worden overgemaakt.

Wat ze via hem te weten zouden kunnen komen over Monir, was minder duidelijk. Het kon zijn dat Piravani hen echt niet verder kon helpen, zelfs als hij dat wel wilde. En aangezien hij noch Felltrini verder nog iets te vrezen hadden als het geld eenmaal bij Ingrid was aangekomen, bleven er geen mogelijkheden over om nog informatie over de jongen in te winnen.

Dat Zineta zo stilletjes en gelaten overkwam, was vermoedelijk omdat zij dat ook wel aanvoelde, vermoedde Hammond. Hij nam twee kamers in een hotel en stelde voor, in het besef dat het nogal merkwaardig moest klinken, om de stad te gaan bekijken in afwachting van het moment dat ze antwoord zouden krijgen op hun boodschap. Zineta ging met zichtbaar gering enthousiasme akkoord. Tijdens hun rondwandeling door de kathedraal bleef ze in gedachten verzonken en leek ze zich nauwelijks van haar omgeving bewust.

'Hier schieten we niet zoveel mee op, wel?' vroeg Hammond, toen ze het grote grijze Piazza del Duomo opliepen.

'Het spijt me Edward,' zei ze, met een blik achterom op de majestueuze westgevel van de kathedraal. 'Ik kan me op het ogenblik blijkbaar op niets anders concentreren dan...'

'Maak je je zorgen over hoe Marco gaat reageren?'

'Heel erg.'

'Nou, dan moesten we maar eens koffie gaan drinken. Of iets sterkers.'

Ze knikte. 'Ja, zoiets.'

Ze zetten koers door de toenemende motregen naar de grotachtige ingang van de Galleria Vittorio Emanuele II. Ze waren bijna halverwege toen Hammonds telefoon ging. Hij hoopte dat het Piravani zou zijn, maar zag algauw dat dit gesprek veel minder welkom was.

'Hallo, Bill.'

'Edward, ik dacht dat je gisteravond zou terugbellen.'

'Ach, sorry hoor. Ik ben geweldig druk geweest.'

'Ja, ja. Je hebt het druk. Dat begrijp ik. Maar waarmee is mij een raadsel, en je assistente blijkbaar ook.'

'Ik dacht dat ik je dat had uitgelegd. Met iets waarover ik niet kan praten.'

'Aan zo'n uitleg heb ik niet zoveel, zoals je misschien begrijpt. Maar goed. Ik wil alleen maar weten wanneer je weer thuis bent, omdat ik je graag wil zien.'

'Ik verwacht dit weekend weer terug te zijn.'

'Mooi. Zien we elkaar dan?'

'Prima. Maar... de precieze datum weet ik nog niet. Dus die laat ik je nog weten.'

'Natuurlijk.' Hammond dacht dat hij Bill hoorde zuchten.

'Je hoort binnenkort van me, Bill, oké? Tot gauw.'

Thuis met het weekend? Zo op het eerste gezicht was er geen reden waarom dat niet zo zou zijn. Hammond ging daar gewoon van uit.

Het Caffè Zucca zat vol winkelpubliek en toeristen die het sombere weer waren ontvlucht. Ze gingen aan een tafeltje buiten, in de galerij, zitten. Hammond bestelde twee koffie en één grote cognac. Zineta stak een sigaret op en trok daar nerveus aan. 'Wie was dat aan de telefoon?' vroeg ze.

'De broer van mijn overleden vrouw.'

'Weet hij van de bedreiging van je dochter?'

De bedreiging van Alice? Natuurlijk. De leugens vermenigvuldigden zich constant. Als een rattenkolonie. 'Nee, daar weet hij niets van.'

'Je hebt wel een hoop op je eigen schouders geladen.'

'Ik kon niet anders.'

'Hoe serieus neem je deze bedreiging eigenlijk?'

Dat was, ook al wist Zineta dat niet, een suggestieve vraag. 'Zo serieus als maar kan, lijkt me.'

'Je hebt best kans dat Ingrid alleen maar bluft, weet je.' Hun drankjes werden gebracht. Ze nam een slokje cognac. Hij kreeg de indruk dat ze, in beider belang, probeerde de hele situatie wat af te zwakken. 'Als ze het geld niet krijgt, zie ik haar niet zo gauw iemand betalen om achter je dochter aan te gaan.'

'Dus jij denkt dat ze me er gewoon in hebben geluisd om Gazi te helpen?'

'Niemand moet die man helpen, als dat niet hoeft, Edward. Het is een slecht mens.'

'Dat weet ik.'

'Echt? Voor ik in Bosnië was geweest, wist ik niet eens hoe slecht hij was. Als je dingen hoort... van de mensen die het zelf overkomen is... is het anders. Heel anders.'

'Heb je dingen gehoord over Gazi?'

'Zijn paramilitairen – de Wolven – golden als meedogenloos. Die hebben duizenden mensen vermoord. En niet alleen tijdens de oorlog. Ze maakten iedereen af die hen voor de voeten liep. Ik sprak een vrouw in Mostar die nog steeds naar haar drie kinderen zocht, tien jaar nadat die door de Wolven waren meegenomen. Ze zocht naar hun overblijfselen, natuurlijk, want dat ze allemaal dood waren stond wel vast. Een kind van twee, een kind van drie, en een kind van vijf. De soldaten hielden haar in leven, omdat ze mooi was. Maar toen ik haar leerde kennen, was ze minder mooi. Iemand had met een mes een woord in haar voorhoofd gekerfd. Je kon de littekens nog altijd lezen. *Vuki*. De Wolven.'

'Grote god.'

'De soldaten namen haar mee naar hun kamp en verkrachtten haar vele keren. Daar heeft ze Gazi ontmoet.'

'Heeft hij...?'

'Nee, hij heeft haar niet aangeraakt. Behalve met zijn mes.'

'Bedoel je...'

'Hij heeft dat woord in haar voorhoofd gekerfd.'

Hammond keek een andere kant op. Hij voelde zich letterlijk onpasselijk. Om hen heen zaten goed doorvoede en elegant geklede mensen koffie te drinken en cake te eten. Dat zulk inhumaan gedrag als Zineta zojuist beschreef kon voorkomen in een land dat pal aan de overkant van de Adriatische Zee lag, was haast niet voor te stellen. Maar het was toch gebeurd. De beschaving was maar een dun vlies, dat makkelijk scheurde.

'Gaat ze tegen hem getuigen?' vroeg hij aarzelend.

'Ik denk van niet. Ze schaamt zich te erg.'

'Waar moet zij zich dan voor schamen?'

'Voor van alles, in haar ogen. Ze was verkracht omdat ze moslim was. En ze was getekend om dat niet te vergeten. Dat hebben de Serviërs haar aangedaan. En ik ben een Servische. Ik heb tegen haar gelogen. Ik zei dat ik een Sloveense was. Als ze geweten had dat ik uit Servië kwam... had ze me denk ik in mijn gezicht gespuugd. En dat zou ik haar niet kwalijk hebben genomen.'

'Jij bent toch niet verantwoordelijk voor wat Gazi en zijn mannen hebben uitgehaald, Zineta.'

'Nee. Maar Gazi's geld zou moeten worden gebruikt om de levens van zijn slachtoffers weer wat zin te geven, zoals van die vrouw daar in Mostar, en niet om zijn familie te spekken. Ik weet dat, en jij weet dat ook.' Ze keek over het tafeltje heen naar Hammond, met een blik die hard en onverzoenlijk was, jegens hem én jegens haarzelf.

11

DE MET MARMER BEKLEDE GEMEENSCHAPPELIJKE RUIMTES VAN Hotel Manzoni weerkaatsten de klank van elke voetstap. Waarvan er maar weinig waren. Zo midden in de week was het er stil, op het slaapverwekkende af. Maar toch miste dat zijn uitwerking op de zenuwen van Zineta en die van Hammond, die lusteloos zaten te eten en van hun wijn dronken in het restaurant van het hotel, waar meer kelners waren dan eters, en het enige geluid bestond uit het kletteren van bestek op aardewerk.

'Hoe laat is het?' vroeg Zineta.

'Ongeveer tien minuten later dan de vorige keer toen je dat vroeg,' antwoordde Hammond met een ironisch lachje.

'Hij zou nu toch wel gebeld moeten hebben.'

'Tja, was het maar waar. Maar hij belt heus wel, dat weet ik zeker.'

'Omdat we hem bang hebben gemaakt?'

'Ja. Ik vrees van wel. Het komt erop neer…' Hij brak af toen een van de mensen van de receptie op hem toe kwam lopen. 'Hallo, wat is er?'

'*Mi scusi, signore,*' zei de jongeman. 'Er is een meneer aan de telefoon die u wil spreken, dokter Hammond. Hij zegt dat het dringend is. Zijn naam is Piravani.'

Dus Piravani werkte buiten zijn vriend om – waarmee hij hem misschien wel een goede dienst bewees. Maar waarom had hij het nummer niet gedraaid dat Hammond Felltrini had gegeven? En hoe wist hij in welk hotel ze logeerden? 'Waar is die telefoon van u?'

'Deze kant op, *dottore*.'

De jongeman bracht Hammond naar een cel bij de receptie. Daar nam hij de hoorn van de haak en het gesprek werd doorverbonden.

'Dokter Hammond?' Het wás Piravani.

'Inderdaad, Marco.'

'*Buonasera*.' De begroeting klonk niet erg hartelijk.

'Heb je Guido gesproken?'

'Blijkbaar, dokter. Hij is… geschrokken. En ik ben boos, omdat u mijn vriend heeft bedreigd.'

'Je liet me weinig keus. Je hield je niet aan onze afspraak in Londen. Ryan als plaatsvervanger voldeed niet.'

'U had de keus om Ingrid te zeggen dat ze kon barsten.' Hij was inderdaad boos. Dat was wel duidelijk.

'Ruziemaken lost niets op, Marco. Je weet wat je te doen staat. En waarom belde je me niet op mijn mobiele nummer, overigens?'

'Omdat u dat nummer overal hebt staan uitdelen alsof u het nieuwe sletje in de buurt bent. Opspoorbaarheid, dokter. Let daar eens op. Als we zaken gaan doen, waar het naar uitziet, zult u wat voorzichtiger moeten worden.'

'En hoe wist je dan welk hotel je moest bellen?'

'Dat wist ik niet. Ik heb eerst een paar andere geprobeerd, voordat ik u vond. Dat is wat ik met voorzichtigheid bedoel.'

'Ja, ja. Het is me duidelijk.'

'Ik hoop het maar. Weg met die telefoon, dokter. Gooi hem weg. Koop een andere. Ik wissel de mijne net zo vaak als mijn sokken. Dat moet u ook doen.'

'Als je dat echt nodig vindt.'

'Ja, dat vind ik. En vertel me nu eens hoe u aan Zineta komt.'

'We liepen elkaar tegen het lijf. In Den Haag.'

'Wat zocht ze daar?'

'Wat denk je? Haar zoon, Marco. Zoals elke moeder.'

'Een geweldige moeder, ja. Die de hoer van Gazi wordt.'

'Terwijl het doen van zijn boekhouding een loffelijke en eerbiedwaardige bezigheid was, neem ik aan?'

'U bent de man die zijn leven redde, dokter. Weet u nog?'

'Ik zal dat niet gauw vergeten.'

'Maar dat zou u wel willen.'

'Ja, Marco. Ik zou het graag willen. Ik zou deze hele rotzooi maar al te graag vergeten. Maar dat kan ik niet. Voor je dat geld hebt overgemaakt. Dus, wat ga je nu doen?'

Het duurde even voor Piravani antwoord gaf. 'Ik maak het over.'

'Echt?'

'Ja, dokter. U wint. Oké? Zoals u al tegen Guido zei: als u hem kan vinden, kunnen anderen dat ook. Ik wil het risico niet lopen dat Ingrid iemand inhuurt om informatie uit hem te slaan die hij in feite niet heeft. Hij is de beste vriend die ik ooit heb gehad.' Hij klonk niet alleen boos maar ook gefrustreerd. Maar dat was alleen maar goed, en toonde aan dat hij zich in een hoek gedreven voelde.

'Staat het geld morgen aan het einde van de werkdag op de rekening?'

'Ja, daar zal ik voor zorgen.'

'En Monir? Waar is die?'

'Dat ligt... wat gecompliceerder.'

'Hoezo?'

'Zo gaat dat met dat soort dingen nu eenmaal.'

'Kom op, Marco. Wordt het niet eens tijd om de strijdbijl te begraven? Zineta wil gewoon haar zoon terug. Ze is geen slecht mens.'

'Het zijn meestal de slechte mensen die krijgen wat ze willen, dokter, en niet andersom. En de complicatie is, dat ik niet weet waar de jongen is.'

'Dat vind ik moeilijk te geloven.'

'Het is waar.'

'Maar je weet toch wel waar hij is ondergebracht. Jij hebt zijn verdwijning zelf geregeld.'

'Niet persoonlijk. En bovendien was dat negen jaar geleden. Ik...' Piravani zuchtte hoorbaar. 'Er is iemand die wel kan weten waar hij nu zit. Ik zal het hem vragen.'

'Wanneer?'

'Morgen. Eerder kan niet.'

'Goed. Wanneer horen we van je?'

'Als de overboeking is gedaan. En tegen die tijd, weet ik misschien ook meer over de jongen.'

'Misschien?'

'Meer kan ik niet beloven, dokter. Zeg maar tegen Zineta dat ze meer van me krijgt dan haar toekomt.'

Hammond gaf Piravani's boodschap niet door aan Zineta. Als het waar was, wat het vermoedelijk was, hoefde ze daar niet aan te worden herinnerd. Ze kon nu vooruitzien naar de mogelijkheid dat ze spoedig zou horen waar Monir zat. Dat was genoeg. Dat moest genoeg zijn.

Intussen brak er weer een nieuwe periode van wachten aan: die nacht en vermoedelijk een groot deel van de volgende dag. Op dit gebied leek Zineta iets voor te hebben op Hammond. 'Ik weet wat het is om te wachten, Edward. Ik heb ervaring.'

Hij had die veel minder, en ook minder geduld. In de loopbaan die hij had gehad, hadden zijn eisen en verwachtingen altijd prioriteit gehad boven die van zijn staf. De afgelopen vijf dagen waren een onprettige voorproef geweest van hoe het leven aanvoelde als andere mensen de dienst uitmaakten. Het was een soort leven dat hij geen seconde langer wilde leiden dan absoluut nodig was.

Rond middernacht lag hij in zijn kamer op zijn bed en keek naar een film op de televisie die hij goed genoeg kende om het verhaal te kunnen volgen, ook al was hij nagesynchroniseerd in het Italiaans. Het slaapverwekkende effect ervan, waarop hij had gehoopt, was tot nu toe uitgebleven. Toen de telefoon ging, dacht hij dat het Zineta kon zijn, die ook wakker lag. Hij verwachtte niet dat Piravani zo snel zou terugbellen. Die zou dat alleen maar doen als er iets onverwachts was gebeurd. En dat klopte dan ook wel.

'Neem me niet kwalijk dat ik u stoor,' zei de receptionist. 'Maar er is een dringend telefoontje van een meneer Piravani. Kan ik hem doorverbinden?'

'Ja, verbind maar door.'

Even later was Piravani aan de lijn. 'U moet iets voor me doen, dokter.' Er zat geen boosheid meer in zijn stem, die klonk nu eerder bezorgd.

'Wat is er aan de hand?'

'Dat weet ik niet precies. Misschien wel niets. Misschien... van alles.'

'Wat bedoel je daarmee?'

'Ik bedoel dat ik geen contact kan krijgen met Guido. Ik heb hem na ons laatste gesprek een paar keer gebeld, thuis en op kantoor. Geen antwoord. Maar toen ik hem de laatste keer sprak, wilde hij niets liever dan een oplossing voor de situatie. Hij wilde absoluut dat ik hem meteen zou bellen als u en ik het eens geworden waren. Hij zei zelfs dat hij bij de telefoon zou zitten wachten. Dus klopt er iets niet.'

'Heb je zijn mobieltje geprobeerd?'

'Natuurlijk. Ook geen antwoord.'

'Tja...'

'U moet naar zijn kantoor gaan. Daar was hij de laatste keer dat we elkaar spraken. Hij zei dat hij daar zou blijven tot ik hem had teruggebeld.'

'Maar…'

'Dit is ook van belang voor u, dokter. We moeten weten wat er met hem is. Als ik in Milaan was, ging ik zelf wel. Maar dat ben ik niet. Ik ben zelfs niet in Italië. U bent er minder dan een kilometer vandaan. U moet gaan.'

Het kon natuurlijk best zijn dat Felltrini genoeg had gekregen van het wachten op het gesprek met Piravani, en dat hij de stad in was gegaan om zijn zinnen te verzetten, dacht Hammond. In dat geval zou een bezoek aan zijn kantoor niets uithalen. 'Ik weet niet of dat nou wel erg veel zin heeft, Marco.'

'Maar ik wel, dokter. Ik maak geen cent over zolang ik niet weet hoe het met Guido is gesteld. Dus bel me als u daar bent geweest. En via een vaste telefoonlijn, ja? Dit is mijn nummer.' Piravani ratelde het nummer af en Hammond krabbelde het neer op het notitieblokje naast het bed. 'Heeft u dat?'

'Ja.'

'Dan hoop ik spoedig van u te horen.'

Hammond liep naar buiten, de donkere nacht in. Hij had Zineta niet gezegd dat hij wegging, om te voorkomen dat ze met hem mee zou willen. Intussen bleef hij ervan uitgaan dat Felltrini op weg was naar huis, of ergens zijn problemen zat weg te drinken. En dat niemand zich zorgen hoefde te maken.

De motregen van eerder die dag was overgegaan in vlagen bijtende natte sneeuw, die de grond bedekte met een halfbevroren papperige brij. Het was stil op straat, bij het kantoorgebouw van Felltrini bijna op het spookachtige af. Hoe dichter Hammond zijn doel naderde, hoe minder hij geloofde dat Piravani zijn ongerustheid overdreef.

De juwelier was gesloten en de rolluiken waren neergelaten. In de hal met de lift en de trappen naar boven scheen geen licht. Maar in de kamer op de bovenste verdieping waar Zineta en hij door Felltrini ontvangen waren, brandde het licht fel. Was hij toch nog op kantoor? En waarom had hij de telefoon dan niet opgenomen?

Hammond drukte op het knopje van de intercom voor *Felltrini e Soci*. Er kwam geen antwoord. Ook de tweede en derde keer niet. Hij liep de straat door en vroeg zich af wat hij nu moest doen. Toen zag hij een keienstraatje dat naar een binnenplaats achter het gebouw leidde. Hij liep dat in om te zien of daar misschien een auto zou staan die van Felltrini kon zijn. En die stond er. Een beetje verloren in een hoek van de binnenplaats stond een Audi sedan die aan alle eisen voldeed.

Hij draaide zich met een ruk om, omdat hij opeens het gevoel kreeg dat iemand hem in de gaten hield. Maar er was niemand. Op een avond als deze, met dit smerige weer, was er natuurlijk geen mens op straat. Dat wist hij ook wel. Hij vervloekte Piravani in stilte en vroeg zich af of het in werking stellen van het autoalarm Felltrini misschien naar buiten zou krijgen. Waar was de man eigenlijk mee bezig?

Een rondwielend kolken van de zwakke, onrustige wind werd gevolgd door een krakend geluid en bewegingen aan de rand van het pleintje. Hammonds hart sloeg over. Toen merkte hij dat het een open deur was, die in zijn scharnieren zwaaide. Hij zag hoe die tegen de deurpost sloeg, maar niet dicht kon omdat er iets was wat dat verhinderde.

Hij liep erheen om te zien wat er aan de hand was. Het ging om een brandwerende deur met een stang aan de binnenkant, van het soort dat na openen vanzelf weer dichtvalt. Binnen, schaars verlicht door een groene lamp boven de lateibalk, was een trap – met de kale betonnen treden van een nooduitgang.

Er was iets mis. Het had geen zin dat nog langer te ontkennen. Hammond was bang, zowel voor Felltrini als voor zichzelf. Hij keek achterom naar de auto en het begin van het straatje. Voor zover hij kon nagaan, was hij alleen. Maar hoe ver was dat? De muren en deuropeningen om hem heen wierpen schaduwen die diep genoeg waren om meer dan één onzichtbare toeschouwer te verbergen. Opeens kreeg hij het gevoel dat het binnen veiliger zou zijn dan buiten. Hij liep door de deur naar binnen en trok die stevig achter zich dicht.

Hij kon nu niet veel anders doen dan de brandtrap op gaan om te kijken wat er die avond bij Felltrini e Soci was gebeurd, als er al iets zou zijn gebeurd. Hij nam de treden met twee tegelijk, om te verhinderen dat hij op zijn besluit zou terugkomen.

Twee minuten later stond hij boven, buiten adem en meer bezweet dan alleen van de klim. Een tweede, laatste trap leidde naar het dak, maar hij nam de deur met het bordje ULTIMO PIANO en liep de helder verlichte receptieruimte van het accountantskantoor binnen. Hij stond achter het nu onbemande bureau van de receptioniste, met de glazen deuren waardoor Zineta en hij de afgelopen middag naar binnen waren gekomen rechts van hem. De meeste aangrenzende kantoorruimtes waren in duisternis gehuld, maar de route naar die van Felltrini was dat niet.

'Guido,' riep Hammond. 'Ben je daar?'

Er kwam geen antwoord. Hij liep om het bureau van de receptie heen en de korte gang door die naar Felltrini's kamer leidde, en daarvoor, naar die van zijn assistente. Hij ging de openstaande deur door. En bleef toen staan.

Hij kon niet alles wat er te zien was in één keer in zich opnemen. Maar het werd Hammond al snel duidelijk dat het hier om een ware opeenstapeling van gruwelijkheden ging. Felltrini lag met zijn armen en benen wijd op de vloer. Zijn ene oog staarde zonder iets te zien naar het plafond, terwijl zijn andere oog doorboord was met zijn fraaie vulpen, met de punt eerst. Zijn mond was tot een groot gat opengeschroeid door de kale punten van een elektrisch snoer dat naast hem op de vloer lag opgerold. Het was achter uit een fotokopieerapparaat gewurmd, zat nog in het stopcontact en stond nog onder stroom. Zijn overhemd en broek stonden wijd open. Op zijn borst en buik waren schroeiplekken te zien. Dat die ook op andere plaatsen zouden zitten, daar twijfelde Hammond niet aan. Felltrini had de dood, toen die uiteindelijk dankzij een kogel in de hersenen intrad, vermoedelijk alleen maar verwelkomd. In de halo van bloed om zijn hoofd lagen stukjes hersenweefsel en schedel. Na het martelen was de executie gevolgd.

Wat hij ook had gezegd, het had hem geen respijt gegeven.

Er waren geen tekenen van rigor mortis, dus kon hij niet veel langer dan enkele uren dood zijn. Hammond had in zijn werk heel wat doden gezien, maar deze was voor hem een unicum. Hij was misselijk – en heel, heel bang. Zijn hart bonsde, zijn hele lijf trilde. Wie had een ander mens zulke verschrikkelijke dingen kunnen aandoen? De moordenaar had informatie uit het slachtoffer willen persen, voordat hij hem het leven benam. Uit de methodes die waren toegepast, bleek wel dat het niet vanzelf was gegaan. Ook kon het zijn dat Felltrini eenvoudigweg niet over de gevraagde informatie had beschikt. Maar de namen van Hammond en Zineta kende hij wel. En hij had ze kunnen prijsgeven. Wat hij vermoedelijk ook had gedaan. Gelukkig had hij niet geweten waar ze logeerden.

De verblijfplaats van Piravani was een ander verhaal. Hammond zette twee stappen in de richting van de telefoon op het bureau van de assistente, met de bedoeling hem zo spoedig mogelijk te waarschuwen, maar stopte toen. Het kantoor zou de volgende morgen zwart zien van de politie. Als die erachter kwam dat er een paar uur na de moord vanaf het kantoor was gebeld, zou dat zeker hun aandacht trekken. Het was veel verstandiger om Piravani vanuit het hotel te bellen.

Hammond liep terug naar de deur en keek naar Felltrini. Het beeld van de vulpen die als een soort rare antenne uit zijn oog stak was om de een of andere reden schokkender dan het bloed en de brandwonden. 'Het spijt me, Guido,' mompelde Hammond. 'Dit was nooit mijn...'

Hij hoorde opeens een geluid: een mechanisch zoemen ergens in het gebouw. Hij draaide zich om en holde terug naar de receptie. Daar was het geluid sterker. Toen hij door de glazen deuren naar de overloop keek, zag hij wat de oorzaak was: de cijfers boven de lift lichtten in meedogenloze volgorde na elkaar op – 1, 2, 3... Degene die de lift bediende zou bij 5 de hoogste verdieping hebben bereikt. Hij had geen moment meer te verliezen.

Onderweg naar de nooduitgang zag Hammond een autosleutel met het Audi-symbool aan de ring op het bureau van de receptie liggen. Die moest van Felltrini zijn. Misschien had hij die daar eerder neergelegd, toen hij terugkwam van zijn besluit om weg te gaan. Hammond stopte en pakte hem, omdat zijn instinct hem zei dat het veiliger vluchten zou zijn met de auto dan te voet.

Deze handeling kostte hem een paar cruciale seconden. Net toen hij de deur van de nooduitgang had bereikt, hoorde hij het pingelen van de liftbel. Hij rukte de deur open en vloog naar beneden. Twee trappen brachten hem naar de vierde verdieping, twee naar de derde, en nog eens twee naar de tweede. Toen kaatste er iets weg van de leuning voor hem. Tegelijkertijd was er het geluid van een explosie, gevolgd door een ronkend geluid toen er een kogel langs hem heen zoefde die een scherf meenam uit de rand van een van de treden. Maar hij holde door, zo dicht mogelijk tegen de muur gedrukt, en gokte erop dat de schutter hem niet beter in het vizier zou kunnen krijgen als hij niet eerst verder naar beneden kwam.

Hij bereikte de begane grond en hield heel even stil, net lang genoeg om de voorthollende voetstappen op de trappen boven hem te horen. Toen rende hij naar de deur, duwde de stang naar beneden en stoof naar buiten, de duisternis in.

Hij holde over de met natte sneeuw bedekte keien van de binnenplaats, richtte de sleutel op de auto en drukte als een gek op het knopje van de afstandsbediening. Toen hij halverwege de auto was, begonnen de lichten te knipperen en schoten de sloten los. Hij kroop achter het stuur, klapte het portier dicht, zocht tastend, wat naar zijn gevoel wel een eeuw duurde, naar het contact, draaide het sleuteltje om en dankte God toen de motor melodieus zingend tot leven kwam. Hij duwde de versnellingshendel in drive en weg was hij, intussen koortsachtig de knopjes aftastend op zoek naar de lichten.

Maar hij was niet snel genoeg. Bij het wegrijden van de binnenplaats klapte de deur van de nooduitgang open. Een potige, in het zwart gehulde figuur kwam naar buiten, holde op hem af en stak een arm uit. Op dat moment flitsten, als gevolg van Hammonds verwoede pogingen, de koplampen aan. De schutter probeerde met zijn linkerhand zijn ogen af te schermen tegen het licht, en richtte met zijn rechterhand. Hij vuurde. Een kogel schoot langs de flank van de auto en versplinterde de voorruit. Hammond dook instinctief weg, maar erg laat, en realiseerde zich intussen dat het volgende schot niet kon missen, als hij, op weg naar de straat langs de schutter reed. Hij wrikte het stuur naar rechts en duwde zijn voet naar beneden.

De botsing gaf een flinke klap, die een fractie van een seconde later werd gevolgd door een hevige schok toen de auto tegen de muur botste. Hij stuiterde terug van het stuurwiel met een scherpe pijn in zijn borst en trok zijn voet van het gaspedaal. De schutter lag vanaf zijn middel voorovergeknakt met zijn gezicht op de motorkap. Toen Hammond in zijn achteruit schakelde en een stukje terugreed, gleed de man door de ontstane ruimte naar beneden, maar het wapen bleef waar het was.

Hammond had grote moeite met ademhalen. Elke keer als hij inademde, voelde hij een scherpe pijnscheut in de buurt van zijn rechterlong, wat erop wees dat hij een rib had gebroken. Maar als hij had gewacht om zijn gordel om te doen, had de schutter misschien meer dan eens de gelegenheid gehad om op de auto te schieten, en dan… Hij schudde zijn hoofd in een poging zijn gedachten op een rijtje te krijgen. Hij opende het portier en stapte voorzichtig naar buiten. De koplampen waren gericht op een gepleisterd stuk muur. Maar het licht scheen ook in de schaduwen onder de bumper en weerkaatste op een donkere poel van bloed. Hij liep op zijn tenen om de neus van de auto heen om beter te kunnen zien.

De man lag op de grond tegen de muur, roerloos en in elkaar gekrompen, zijn gezicht verborgen onder een zwarte bivakmuts. Hij verloor veel bloed. Zijn kans om te overleven lag in handen van een ambulancebroeder, die vermoedelijk wel niet zou komen. Maar het kon zijn dat het lawaai van de schoten in de buurt was gehoord. En dat de politie binnen afzienbare tijd zou arriveren. Hammonds artseninstinct zei dat hij zo goed mogelijk moest proberen te helpen tot de officiële hulpdiensten kwamen. Maar de man had wel geprobeerd hem te vermoorden. En Hammond kon het risico niet lopen op die plek te worden gezien. Hij zou te veel uit te leggen hebben.

En hij mocht ook niet worden aangetroffen in de auto die hem in verband zou brengen met de dode eigenaar.

Hij leunde voorover de auto in met een vertrokken gezicht van de pijn die, dat wist hij nu wel zeker, moest worden veroorzaakt door minstens één gebroken rib, en zette de motor uit. Toen, met een hand in zijn zij om de breuk te stabiliseren, liep hij het straatje uit naar de weg.

Daar waren overal schaduwen en het was niet moeilijk zich voor te stellen dat zich in een daarvan een tweede schutter schuilhield die hem onder schot hield. Maar die zou dan, als hij echt bestond, inmiddels zijn handlanger wel te hulp zijn geschoten. Hammond hield zichzelf voor dat de kust nu veilig was en wandelde de straat in.

12

'*PRONTO.*'

'Ik ben het, Marco. Ik heb slecht nieuws.'

'Wat is er gebeurd, dokter?'

'Guido is dood.'

'*Gesù.*'

'Ik vond hem in zijn kantoor. Doodgeschoten.'

'Iemand heeft Guido doodgeschoten?'

'Ja. Heel ellendig, Marco. Dat meen ik.'

'Ik dacht het wel. Toen hij de telefoon niet opnam. Ik… Dit is uw fout, dokter. Begrijpt u dat? Als u hem niet had opgezocht, had hij nu nog geleefd.'

'Kan zijn. Ik…'

'Waarom liet u hem niet met rust? Het enige wat hij verkeerd deed, was dat hij mijn vriend was.'

'Ik vind het echt heel ellendig. Maar ik zie niet hoe ons bezoekje…'

'Wist hij in welk hotel u zit?'

'Wat?'

'Wist Guido in welk hotel u zit?'

'Nee, dat wist hij niet.'

'Dan bent u veilig. Voorlopig, tenminste. Hij wist ook niet waar ik zit. Dat was waarschijnlijk wat ze… Hebben ze hem, voor ze hem doodschoten… gemarteld, dokter?'

99

'Ja, ik vrees van wel.'

'*Perdoni mio*, Guido.'

'Hoor eens, Marco, we moeten…'

'Nadenken, dokter. Dat is wat we nu moeten doen. Ik bel u terug. Zeg tegen de receptie dat ze me met u moeten doorverbinden, hoe laat het ook is. Heeft u dat begrepen?'

'Ja. Maar…'

Op dat moment werd hun gesprek beëindigd. Na de nachtportier op het hart te hebben gedrukt dat alle telefoontjes moesten worden doorverbonden, ongeacht het uur waarop ze binnenkwamen, was Hammond op zijn bed gaan liggen. Hij staarde naar de reproductie van een Modigliani aan de wand en probeerde de nachtmerrieachtige gebeurtenissen van de afgelopen uren zodanig te benoemen dat hij er nu nog niet van uit hoefde te gaan dat zijn leven aan het instorten was.

De pijn van de gebroken rib had hem tijdens zijn tocht terug naar het hotel afgeleid van de ernst van de situatie. Maar nu had hij, als hij stillag, geen pijn en drong de realiteit van wat er was gebeurd zich genadeloos aan hem op.

Hij ging ervan uit dat hij nog in shock was en zich daarom niet meteen door zijn impulsen moest laten leiden. Die varieerden van een directe terugkeer naar Londen bij de eerstvolgende mogelijkheid en doen of hij nooit in Milaan was geweest, tot het bellen van de Italiaanse politie en die alles vertellen wat hij wist. Van wat Piravani zat uit te broeden, had hij geen flauw idee. De moord op Felltrini en zijn eigen aansprakelijkheid voor een tweede dood hadden zijn betrokkenheid bij de machinaties van Dragan Gazi doen overgaan van een ruzie over geld naar een strijd om te overleven. Hoe die overgang had plaatsgevonden wist hij eigenlijk niet precies. Elke stap die hij na de ontmoeting met Ingrid had gezet, had op dat moment steeds de enige geleken die de omstandigheden vereisten. Maar dit was waar deze stappen toe hadden geleid: een Felltrini die om genade smeekte en die niet kreeg; het geluid van vlees en botten die tegen een steenharde muur werden geduwd, wat nog in zijn geheugen gegrift stond; het bloed, veel bloed, dat donker blonk in de nacht.

En met het bloed was hij nog niet klaar. Opeens zag hij tot zijn afschuw hoe er een karmozijnrode tijstroom over de vloer naar zijn bed toe kwam rollen. Hij probeerde overeind te komen, maar iets sterks wat hem smoorde weerhield hem daarvan. Hij worstelde om zich te bevrijden en wist los te komen.

Toen werd hij wakker. En was het bloed verdwenen. En was hij alleen, badend in het zweet, terwijl de pijn van zijn plotselinge beweging langzaam wegebde. En was er niets veranderd. Felltrini en de schutter waren nog steeds dood. En hij zat nog steeds in de val in zijn hotelkamer, zo volkomen uitgeput dat het verschil tussen slapen en waken hem langzamerhand begon te ontgaan.

Hij ging achteroverliggen en probeerde zich lichamelijk en geestelijk te ontspannen. Hij moest nadenken, maar om goed te kunnen denken had hij rust nodig, en die rust was ver te zoeken.

Toen ging de telefoon.

'Ik bel via een vaste lijn, dokter. Bel me niet meer op het nummer dat ik u eerder gaf. Dat is opgeheven. Degene die Guido heeft vermoord, heeft dat nu, en ik wil voorkomen dat ze me opsporen. En u kunt me ook niet vinden.'

'Nee, dat zal wel niet.'

'Ik kan u nu laten gaan. Nu Guido dood is, heeft u niets meer waarmee u me nog kunt bedreigen.'

'Ik bedreig je niet, Marco.'

'Niet meer, nee. Niet nu u weet met wat voor soort mensen u te maken heeft. U bent een bang mens, met veel om bang voor te zijn.'

'Daar kan ik niets tegen inbrengen.'

'Weet u waarom ik toch nog met u praat? Vanwege Guido. We hebben samen op dezelfde school gezeten. Ik heb met hem mijn eerste wedstrijd in San Siro gezien. Ik ben met hem een zaak begonnen. Hij was mijn beste en oudste vriend. Mijn enige echte vriend. Nu is hij dood. En hij is geen gemakkelijke dood gestorven, wel?'

'Nee, inderdaad niet.'

'Misschien is het nog wel meer mijn schuld dan de uwe. Ik had dit moeten... zien aankomen.'

'Weet je wie dit gedaan kan hebben?'

'Ik denk van wel, ja. Maar ik moet eerst precies weten wat er is gebeurd.'

'Weet je dat wel zeker?'

'Heel zeker, dokter.'

En dus vertelde Hammond hem dat, zo gedetailleerd als hij dacht dat beiden konden verdragen, met vermelding van de feiten zonder te veel uit te weiden over de gruwelijkheid van wat hij had aangetroffen en wat er was gebeurd.

Toen hij klaar was, reageerde Piravani alleen met wat gemompelde woorden in het Italiaans. Toen zei hij: 'Hier zit Todorovic achter.' Alsof deze conclusie vanzelf sprak.

'Wie?'

'Branko Todorovic. Gazi's belangrijkste man voor zijn onderwereldzaakjes.'

'Hoe weet je dat zo zeker?'

'Omdat ik zijn methodes ken. En ik weet waar hij op uit is.'

'Het geld?'

'Nee, dokter. Hij wil dat geld graag hebben, dat spreekt. Maar daar gaat het hem niet echt om.'

'Waar dan wel om?'

Piravani gaf geen antwoord.

'Marco?'

'Ja, dokter. Ik ben er nog. Ik dacht even na. Over de risico's die ik moet nemen en de risico's die ik zou kunnen nemen. Ik woog ze tegen elkaar af.'

'Wat wil Todorovic?'

'Dat vertel ik wel als we elkaar zien.'

'En wanneer gaat dat gebeuren?'

'Morgen. Ik weet zeker dat de man die u heeft gedood, alleen was. Anders was u niet weggekomen. Hij bleef na de moord op Guido rondhangen, omdat hij geen bruikbare informatie uit hem had weten te krijgen. De arme Guido had die gewoon niet. Nou, als Todorovic denkt dat hij…' Piravani hield zich in. 'Dit is wat u moet doen. U vertrekt morgenochtend om zes uur uit het hotel. Ga dan naar het Stazione Centrale en koop een kaartje voor de Cisalpino van tien over zeven naar Zürich. Stap uit bij de tweede halte: Lugano.'

'Lugano in Zwitserland?'

'Ja, dokter. Zwitserland.'

'Is het geld daar ondergebracht?'

'Het is waar we elkaar zien. Meer hoeft u niet te weten. Onthoud goed: boeken naar Zürich, uitstappen in Lugano.'

'Best. We zullen er zijn.'

'We?'

'Ik kan Zineta nu niet achterlaten, Marco. Misschien verkeert ze wel in gevaar. Wat jij verder ook…'

'U móét haar achterlaten. Niet voor mij. Maar voor uzelf.'

'Hoe bedoel je?'

'Hoe hebben ze Guido gevonden? Denk eens na. Wie wist dat hij en ik nog contact met elkaar hadden? Maar twee mensen. U. En Zineta. Iemand heeft ze gewaarschuwd. Anders hadden ze hem nooit zo snel kunnen vinden. Dus wie was dat? U? Of Zineta?'

'Dat meen je toch niet?'

'Jawel, hoor. Ze heeft u verraden, dokter. Ze mag niet weten waar u heen gaat. Anders zijn we allebei verloren. Begrijpt u me? Verloren… zoals Guido.'

Hammond kon niets tegen het betoog van Piravani inbrengen, maar dat betekende nog niet dat hij geloofde dat Zineta Todorovic had gewaarschuwd. Dat ging er bij hem absoluut niet in. Alles wat hij van haar had meegemaakt sinds ze elkaar hadden leren kennen, wat inderdaad nog maar kort geleden was, druiste daartegen in, en vooral haar diepe afkeer van de afschuwelijke daden die Gazi en zijn makkers hadden verricht. Misschien dat het iemand van Felltrini's personeel was geweest, hoewel hij geen idee had hoe dat dan in zijn werk moest zijn gegaan. Maar niet Zineta. Nee, Piravani zat er wat haar aanging naast.

Hij had echter beloofd te doen alsof Piravani het bij het rechte eind had: hij zou het hotel verlaten zonder het haar te laten weten, en zou alleen naar Lugano reizen. Maar hoe langer hij hierover nadacht, hoe groter het conflict groeide tussen de schuld die hij zou voelen als hij haar in de steek liet en de aandrang om te zien of Piravani's beweringen steek hielden. Als ze hem had bedrogen, wilde hij daar zeker van zijn. Moest hij daar zeker van zijn. En dan…

De telefoon in haar kamer ging zeven of acht keer over voor ze die opnam en de slaperigheid in haar stem was beslist niet gespeeld. Zou ze waarachtig, na de bloedhonden van Todorovic op Felltrini te hebben afgestuurd, rustig kunnen zijn gaan slapen? Het leek hem erg onwaarschijnlijk. 'Ik ben het, Zineta. We moeten praten. Nu.'

'Hoe… Hoe laat is het?'

'Even over drie.'

'Wat is er aan de hand?'

'Niet via de telefoon. Kan ik naar je kamer komen?'

'Oké. Ja. Geef me… vijf minuten.'

Hammond gaf haar precies de tijd die het hem kostte om naar de lift te lopen, één verdieping omhoog te gaan en haar kamer te vinden. Ze deed open, gekleed in een te grote badjas waarop de goudkleurige M van Manzoni was geborduurd. Haar haar zat in de war en haar ogen waren nog dik van de slaap, maar toen ze Hammond zag – met een van pijn vertrokken gezicht, onverzorgd en met zijn arm tegen zijn ribbenkast geklemd – was ze meteen klaarwakker.

'Wat is er met jou gebeurd, Edward?'

'Felltrini is dood en ik mag van geluk spreken dat ik zelf nog leef.'

Haar geschokte reactie leek in alle opzichten echt. 'Wanneer?' vroeg ze naar adem snakkend. 'Hoe?'

'Voor ik je dat vertel… heb jij pijnstillers bij je?'

'Paracetamol?'

'Prima.'

'Ben je… gewond?' vroeg ze, en ze pakte een medicijnstrip uit haar handtas.

'Gebroken rib.' Hij peuterde er een paar tabletten uit.

'Ik haal even iets te drinken.'

Ze liep naar de badkamer en haalde een glas water. Hij slokte de tabletten weg en bestudeerde intussen de paniek en verwarring op haar gezicht om te zien of daar iets onechts tussen zat. Hij vond niets.

Hij liet zich voorzichtig zakken in de enige leunstoel die de kamer telde en begon zijn verslag over de gebeurtenissen van die nacht. Zineta zat op de rand van het bed en luisterde gespannen, met gefronste wenkbrauwen en open mond. Als zij Todorovic had gewaarschuwd, had ze voor de door haar getoonde ontzetting en emotie een belangrijke acteursprijs verdiend. Hammond raakte steeds meer overtuigd van haar onschuld, maar wist dat hij moest uitkijken. Over de geplande ontmoeting met Piravani in Lugano – over hun hele laatste telefoongesprek in feite – zei hij niets.

'Heb je Marco gebeld?' vroeg ze, toen hij klaar was.

'Moet dat, denk je?'

'Felltrini was zijn oudste vriend. Hij moet het wel weten.'

'Dat is zo. Maar Marco deed alleen maar wat we van hem wilden om Felltrini te beschermen.'

'Denk je dat hij zich nu… zal terugtrekken?'

'Dat kan best.'

'Maar… hij verwacht van je te horen.'

'Ja. En wie denk je dan dat hij de dood van zijn vriend gaat verwijten? Wij zijn de enige mensen die wisten dat zij nog contact met elkaar hadden.'

'Ons?' Haar hand ging naar haar mond. Van haar gezicht was opeens zelfverwijt af te lezen, en het was nog niet duidelijk waarom.

'Wie heeft dit gedaan, Zineta? Dat vraag ik me af. Serviërs?'

Ze knikte somber. 'Dat lijkt me wel.'

'Ingrid zei dat ik moest oppassen voor een man die Todorovic heet. Zegt je dat wat?'

Dat was overduidelijk het geval. 'Todorovic. Nee. Dat kan niet. Hij zou nooit…' Ze schudde haar hoofd. 'Dat slaat nergens op.'

'Kan hij dit hebben gedaan?'

'Jawel. Maar…' Ze bracht haar handen naar haar voorhoofd en wreef met haar vingers stevig over haar slapen en wangen. 'Hoe had die kunnen weten…' De vraag leek meer aan haarzelf gericht dan aan Hammond. 'Hoe had hij…' De herhaling van de zin verzandde in stilte. Toen keek ze hem aan en de gruwel van Felltrini's lot werd in haar geest verdreven door iets wat nog gruwelijker was. 'Edward, ik… ik…'

'Wat is er?'

Ze deed even haar ogen dicht, en zei toen. 'Dit is mijn schuld.'

'Jouw schuld?'

'Todorovic wist waar Felltrini zat… door mij.'

Dus het was waar. Zineta was de verrader. Maar waarom gaf ze dat zo ruiterlijk toe?

Hammond keek haar strak aan, omdat hij nog niet helemaal begreep wat ze nu eigenlijk toegaf. 'Heb je hem dat verteld?'

'Nee. Todorovic?' Ze huiverde. 'Zo'n man zou ik nooit kunnen helpen.'

De frustratie won het van de door de paracetamol verzachte pijn in zijn zij. Hammond duwde zich overeind uit de stoel en pakte Zineta bij haar schouders. Hij wilde nu de waarheid van haar horen, zonder verdere omhaal. 'Je zei net dat hij het wist door jou. Hoe dan?'

Ze keek met een smekende blik naar hem op. 'Het spijt me, Edward.'

'Wat heb je gedaan?'

'Voor ik Servië verliet, ben ik benaderd door een agent van de ICEFA.'

'Wat is de ICEFA?'

'De Investigating Commission of Economic and Financial Abuses. Een regeringsinstelling die de miljarden dollars aan belastinggeld moet opsporen die tijdens het bewind van Milosevic verloren zijn gegaan.'

'En wat wilden die van jou?'

'De agent bood hulp aan van het ministerie van Buitenlandse Zaken bij het vinden van Monir... als ik hen hielp het geld van Gazi te vinden. Ik kon hem niet helpen, en zei hem dat. Marco ging over het geld. En ik had geen idee waar Marco zat. Zij evenmin. Maar dat veranderde... toen ik jou leerde kennen.'

'Dus heb je hem verteld dat we via Felltrini gingen proberen Marco te bereiken.'

Ze slikte moeizaam. 'Ja.'

'Waarom? Marco zou je toch al helpen om Monir te vinden?'

'Daar heb ik nooit in geloofd. Hij kan nog altijd niet verkroppen wat ik hem heb aangedaan. Het ministerie van Buitenlandse Zaken met al zijn hulpbronnen was een veel veiliger gok. Ik heb voor we uit Den Haag vertrokken mijn contactpersoon gebeld.'

'Een agent van de overheid?'

'Ja.'

'Maar wat heeft Todorovic daar dan in vredesnaam mee te maken?'

'Er is zoveel corruptie in Servië, Edward. Snap je het niet? Mijn contact moet de informatie aan Todorovic hebben doorgegeven. Hij heeft me verraden. En... die arme signor Felltrini heeft de prijs betaald.'

'Wat was dat dan allemaal wat je in Den Haag tegen me zei over eerlijk zijn en de waarheid spreken?'

'Dat waren dingen waar ik ontzettend graag in wilde geloven.'

'Godallemachtig!' Hammond liet haar los en liep naar het raam. Hij kromp in elkaar door een flinke pijnscheut in zijn zij, waardoor hij weer in de stoel belandde. Daarvandaan keek hij hijgend naar haar schuldige, gekwelde gezicht. 'Hoe heb je zo... zo stom kunnen zijn?'

Ze begon te huilen. Eén enkele traan trok een spoor over haar linkerwang. 'Ik had nooit... gedacht... dat zoiets als dit... ooit zou kunnen gebeuren.'

'Nou, het is gebeurd, Zineta. Dankzij jou.'

De tranen begonnen nu vrijelijk te stromen. 'God vergeve me,' snikte ze. 'En hoe kom ik nou nog te weten waar Monir zit?'

Hij had medelijden met haar, meer medelijden dan ooit, ondanks wat ze had gedaan. Ze had hem moeten vertrouwen. Maar dat lag, na het soort leven dat ze had gehad, natuurlijk niet zo voor de hand. Hij stond voorzichtig op en verplaatste een doos tissues van de tafel achter de stoel naar Zineta's schoot. 'Huil nou maar niet,' zei hij, en hij trok de eerste tissue tevoorschijn. 'Ik begrijp waarom je het deed.' Hij ging stijfjes naast haar op het bed zitten. 'Ik zou de hemel danken als je het niet had gedaan. Maar... ik begrijp het wel.'

'Ik vind het zo erg, Edward.'

'Ik ook.'

'Moeten we ons bij de politie melden?' Ze depte haar ogen en keek hem aan. 'Als je zegt dat het moet, ga ik wel.'

Hij schudde zijn hoofd. 'Dat is te link.'

'Maar wat nu dan?'

'Dat weet ik niet.' Hij zuchtte.

'We bedenken wel wat.' Toen zuchtte hij weer. 'We zullen wel moeten.'

13

HET WAS NOG DONKER TOEN DE CISALPINO VAN 07.10 UUR
Milano Centrale uitreed en zijn reis naar Zürich begon. Edward Hammond had een raamplaats in de eersteklaswagon en hoopte dat hij kon doorgaan voor een zakenman aan het vroege begin van een normale werkdag. Zijn spiegelbeeld in het vensterglas bevestigde dat in elk geval wel. Er waren geen uiterlijke kentekenen van de stress waarin hij verkeerde, of van de door de paracetamol onderdrukte pijn die hem kwelde.

Het was donderdagmorgen. Vorige week donderdag om deze tijd had hij zich staan afdrogen na een rondje zwemmen en was daarna naar het St. George gegaan voor een drukke, maar niet al te zware dag met consulten en overleg over de lopende ziektegevallen. De gedachte eraan kwam absurd en afstandelijk over, als een door hypnose opgeroepen herinnering uit een ander leven – een comfortabeler, veiliger, zekerder leven dan dat wat hij op het moment leidde.

Verder naar achteren in de trein zou Zineta zeker proberen zo goed mogelijk op te gaan tussen de andere reizigers naar Zwitserland, zich intussen angstig afvragend, zonder twijfel, of Hammond zou zijn opgewassen tegen de taak die hij hen had opgelegd. Hij zou volgens afspraak in Lugano uitstappen om Piravani te zien, terwijl zij zou blijven zitten tot het volgende station, Bellinzona, om een uur later terug te keren naar Lugano. In de tussenliggende tijd zou Hammond Piravani ervan proberen te overtuigen dat hij haar kon vertrouwen, ondanks haar indirecte verantwoordelijkheid voor Felltrini's dood. En als het al moeilijk was om te voorspellen wat ze zouden gaan doen als hij daarin slaagde, was het schier onmogelijk zich voor te stellen wat er ging gebeuren als het niet lukte.

'Ik zie je op het station van Lugano, wat er ook gebeurt,' had hij gezegd. 'Als ik er niet ben als je aankomt, wacht dan.' Ze kon in dat geval toch al niet veel anders doen, natuurlijk. Ze konden om veiligheidsredenen hun telefoons niet meer gebruiken en waren nog niet in de gelegenheid geweest om andere te kopen. Ze was volkomen van hem afhankelijk. De omstandigheden dwongen hen elkaar te vertrouwen.

Tegen de tijd dat de trein Como bereikte, begon het licht te worden. De regen in Milaan was overgegaan in sneeuw en de witheid van de wereld achter het raam vermengde zich in Hammonds geest met de ongewisheid van zijn directe toekomst. Hij moest het vertrouwen dat Zineta in hem stelde zien over te dragen op Piravani: door van hem te verlangen dat hij redelijk zou zijn, rationeel, en toegankelijk. Maar of er in de nasleep van de dood van zijn beste vriend in welk opzicht dan ook een beroep op hem zou kunnen worden gedaan, was zeer de vraag.

Lugano. De laaghangende lucht was grijs en het was harder gaan sneeuwen. De omliggende bergtoppen waren haast niet te zien en op de daken van de stad lag een dikke laag sneeuw. Hammond bleef op het perron achter, terwijl de passagiers die waren uitgestapt verdwenen. Hij keek om zich heen op zoek naar Piravani, maar zag hem niet. De trein reed weg, met Zineta aan boord. En nog altijd geen spoor van Piravani.

Hammond wandelde naar de uitgang. Hij passeerde de rij voor de kabelbaan naar het stadscentrum en liep het stationsgebouw uit. Het verkeer daar ploegde zich moeizaam een weg door de bagger heen. Aan de overkant van de straat stond een rij taxi's in een wolk van uitlaatdampen gehuld. Er waren maar een paar voetgangers, waaronder geen Piravani. 'Waar ben je, Marco,' mompelde Hammond binnensmonds. 'Waar zit je, verdomme?'

Als op afroep zakte het raampje aan de bestuurderskant van een van de taxi's naar beneden en kwam de hand van de chauffeur tevoorschijn met een stuk karton waarop in grote viltstiftletters DOTT. HAMMOD geschreven stond.

Hammond stak haastig over, zo nu en dan ineenkrimpend van de pijn omdat zijn gebroken rib vrijwel elke beweging afstrafte. Hij schermde zich af tegen de vallende sneeuw met zijn *Gazzetta dello Sport* van de dag ervoor en keek naar de donkere glimlachende man met het karton. 'Mijn naam is Hammond. Moet u mij hebben?'

'*Dottore Hammod?*'

'Hammond.'

'*Si, si.* Hammond. Ik moet… u meenemen.'

'Meenemen waarheen?'

'*Incontrare Marco. Si. Si? Andiamo. Andiamo subito.*'

Verdere discussies hadden geen zin. Hammond klom achterin en ze reden weg, waarbij de spijkerbanden zich bij hun zigzagroute door de stad stevig vastgrepen aan het wegdek. De chauffeur, wiens jongere, slankere evenbeeld op een gelamineerde taxivergunning voor hem aan het dashboard bungelde, bespeurde het door de sneeuw gevlekte exemplaar van de *Gazzetta dello Sport* en barstte los in een kritische beschouwing van de gisteravond op televisie uitgezonden voetbalwedstrijd. Als antwoord op de hoofdgebaren en klappen op het stuurwiel hoefde Hammond niet veel anders te doen dan te grijnzen en te knikken.

Het was spitsuur in Lugano en de rit schoot niet erg op. Hammond had geen idee hoe lang het zou duren voor hij Piravani zou zien. Hij besefte achteraf dat hij had kunnen weten dat Marco een treffen op het station te gevaarlijk zou vinden. Hij was een voorzichtig man, met veel om voorzichtig voor te zijn.

Toen de chauffeur rechts afsloeg van de hoofdweg en in oostelijke richting de stad uit reed, strekte zich opeens het meer van Lugano voor hèn uit, vlak, grijs en koud. De voetbalmonoloog hield abrupt op toen hij aan de kant van de weg stopte en op een poort wees die toegang gaf tot een park aan het meer. '*Parco Ciani,*' verkondigde hij. 'Waar u moest gebracht… voor Marco. *Arrivederci, dottore.*'

Het park was een groot deel van het jaar zonder twijfel een aangename plek voor kinderen, moeders, honden en eerbiedwaardige burgers, met bomen tot aan de waterkant en bloembedden ter opfleuring, bergen die nu nauwelijks zichtbaar waren door het slechte weer, lieflijk weerspiegeld in rustig blauw water, met poedelende eendjes en tsjilpende vogeltjes.

Maar op deze koude, ondergesneeuwde ochtend was alles heel anders. Hammond zocht voorzichtig zijn weg over het hoofdpad in de richting van de kantoor- en flatgebouwen van de binnenstad van Lugano die verderop bij de baai voor hem opdoemden. Hij was moe en had het koud en zijn maag rommelde omdat hij niet had ontbeten. Door de tas die hij droeg en de gladde zolen van zijn schoenen kon hij niet snel genoeg lopen om warmer te worden. Hij voelde zich belachelijk, maar ook radeloos. Hij had al veel eerder iets moeten bedenken om aan deze situatie een einde te maken, dacht hij, echt.

Er was niemand in het park, hoewel Piravani zich natuurlijk makkelijk achter een van de talrijke bomen of grote bosjes had kunnen schuilhouden. Omdat hij niet wist of hij moest wachten tot hij tevoorschijn kwam of niet, liep Hammond langzaam maar in een gestaag tempo door. Pas toen hij, op het kruispunt van diverse paden, langs een in de stijl van een zomerhuisje gebouwd openbaar toilet kwam, merkte hij opeens dat er iemand achter hem was komen lopen.

'U ziet er niet goed uit, dokter,' zei Piravani. Hij was gekleed op het weer, met stevige schoenen, een dikke broek, parka, een wollen muts, en een paraplu tegen de sneeuw. 'U loopt als een oude man.'

'Ik heb gisteravond een rib gebroken.'

'U moet beter oppassen.'

'Dat heb je al vaker gezegd.'

'Uw telefoon al weggegooid?'

'Nee. Maar ik heb hem niet gebruikt.'

'Geef maar hier.'

'Moet dat nou echt?'

'O, ja. Dat moet echt.'

Hammond worstelde de telefoon uit zijn zak en leverde die in. Ze liepen in stilte verder. Toen het pad dichter bij de oever van het meer kwam, stopte Piravani en gooide de telefoon met een grote boog in het water. 'Ik koop straks wel een andere voor u,' zei hij met een nors glimlachje.

'Gecondoleerd met Guido, Marco,' zei Hammond en hij besefte hoe slap dit moest klinken. 'Ik vind het echt heel erg.'

'Ik geloof u.'

'Ik had nooit gedacht...'

'Maar nu denkt u dat wel, hè? Wat Guido waarschijnlijk ook dacht toen hij begreep dat hij dood moest.'

'Waarom wilde je me toch zien?'

'Dat wilde ik niet. U wordt vergeetachtig, dokter. U wilde míj zien.'

'Als jij het zegt.'

'U ziet er echt niet goed uit.'

'Dat zou jij ook niet doen, als je net zo'n nacht achter de rug had als ik.'

'Maar u ziet er beter uit dan Guido, niet?'

'Ja.' Hammond knikte somber. 'Zeker.'

'Misschien moesten we dan maar eens gaan koffiedrinken waar het warm is. Heeft u Zwitserse franken bij u?'

'Nee.'

'Dan betaal ik wel. En op weg daarheen, vertel ik u over Todorovic.'

De wandeling van het park via de promenade naar de oude stad was niet lang, hoewel het wel zo overkwam op Hammond, vooral toen hij de treden met aangekoekte sneeuw naar een tunneltje onder de randweg langs het meer moest nemen. Hij had noch de lust noch de energie om Piravani's beknopte biografie over Branko Todorovic, van kruimeldief tot grote smeerlap, te onderbreken.

Volgens Piravani was Todorovic precies het soort stiekeme sadist en eerzuchtige gangster dat veilig opgesloten was gebleven in de doos van Pandora die het Joegoslavië onder Tito was, tot Milosevic en zijn kornuiten besloten die open te zetten. Todorovic was slimmer, wreder en bovenal realistischer dan de meeste anderen. Hij vond het niet erg om voor anderen te werken en genoegen te nemen met de commissie die ze hem betaalden. In het begin was hij niet veel meer dan de boodschappenjongen van Gazi, maar later werd hij, tegen de tijd dat Piravani in beeld kwam, een onmisbare tussenpersoon tussen Gazi en de criminele elementen, thuis en in het buitenland. Hij was erg goed in het uitoefenen van druk op hen die te veel praatten of hun schulden niet op tijd betaalden. In de tijd dat Gazi moslims uitroeide in Bosnië of Kosovo leidde hij de smokkeloperaties van zijn baas. Na de verdwijning van Gazi begaf hij zich echter op persoonlijke titel in wat respectabeler zaken, en dook zijn naam op bij projecten voor kantoren en hotels in het nieuwe, gedesinfecteerde Servië van na Milosevic. Hij had zijn hoofd boven water gehouden en zich aan de omstandigheden aangepast. Maar vanbinnen was hij nog altijd de genadeloze en moordlustige Branko Todorovic, zoals uit het lot van Guido wel was gebleken.

De voor de hand liggende vraag, die Hammond niet stelde, was hoe Piravani er zo zeker van kon zijn dat Todorovic verantwoordelijk was voor Felltrini's dood. Het antwoord daarop kwam toen ze vlak bij het station van de kabelbaan in een groot koffiehuis in Weense stijl terecht waren gekomen en ontbijt hadden besteld.

'Todorovic had een bijnaam, dokter. Ze noemden hem "Torto", een afkorting van *Tortura*: de folteraar. Begrijpt u wel? Dat was zijn… grote specialiteit. Van hem en van de mensen die hij gebruikte toen hij de dingen zelf niet meer deed. Ik volg het Servische nieuws op de website van de *Politika*, de grootste nationale krant. Zo weet ik van zijn zakelijke ondernemingen. Een winkelcentrum in Nieuw-Belgrado; een complex van skichalets in Kopaonik; een boetiekhotel net om de hoek van de Kathedraal van Belgrado: de man probeert zichzelf wat status aan te meten. Van de arrestatie van Gazi moet hij zich rot geschrokken zijn. Wat zou die ouwe allemaal gaan zeggen? Belangrijker nog, wat kon hij bewijzen? Todorovic was nooit direct betrokken geweest bij de militaire acties van de Wolven, maar hij had wel voor de wapenbevoorrading van de strijdmachten gezorgd en er waren tientallen moorden waarvoor hij zou kunnen worden berecht als er bewijsmateriaal was dat hem daarmee verbond. En dat is er. En dat weet hij ook.

Gazi was na Dayton wat paranoïde geworden. Nou ja, het waren paranoïde tijden, dus dat lag wel een beetje voor de hand. Hij begon met het vastleggen van bepaalde bijeenkomsten en telefoongesprekken die in de villa in Dedinje plaatsvonden. Verzekering noemde hij het, tegen verraad. "Als iemand me onderuithaalt," zei hij, "gaat die met me mee onderuit." Er stond een hoop smeerlapperij op die banden. Omkoperijen van politici. Aanslagen in de onderwereld. Drugsdeals. Wapentransporten. Alles waar hij mee te maken had. Todorovic was een regelmatig bezoeker, om verslag uit te brengen van klussen die hij voor Gazi had uitgevoerd, om instructies te halen. De banden zouden zijn ondergang zijn, als die naar buiten kwamen. In Belgrado óf in Den Haag. Hij was natuurlijk bang dat ze bij Gazi gevonden zouden worden. Maar Gazi had ze niet. Die banden waren veel te gevaarlijk om in huis te hebben. Ze belastten niet alleen de mensen die erop voorkwamen, maar ook hemzelf. Daarom zit Todorovic achter mij aan, dokter. Hij denkt dat ik ze heb.'

'Maar dat is niet zo?'

'Nee. Toen Gazi onderdook, liet hij de banden in de villa achter. Ze waren te gevaarlijk om mee te nemen en te waardevol om te vernietigen. Dus deed hij ze in een muursafe, metselde daar stenen voor en pleisterde de muur, zodat die safe alleen gevonden kan worden als het hele huis wordt afgebroken… of als je weet waar je zoeken moet.'

'En dat weet jij?'

'Natuurlijk. Ik heb hem zelfs geholpen de safe in te metselen. Hij vertrouwde me. Omdat ik geen Serviër was. Omdat ik niet een van hen was. En omdat de banden ook voor mij belastend zijn. Maar dat maakt niet uit. De Serviërs mogen me wat mij betreft opsluiten, als ze me ooit te pakken krijgen, zolang Todorovic maar krijgt wat hij verdient. Guido was mijn vriend. Dat is een band die niet verbroken mag worden. Todorovic is verantwoordelijk voor zijn dood.

Ik zal hem daarvoor laten boeten. Ik zal ervoor zorgen dat hij de rest van zijn leven in de gevangenis zit. En u gaat me daarbij helpen.'

'Ik?'

'Ja, dokter. U. Er zijn te veel mensen in Belgrado, waaronder Todorovic, die me zouden herkennen. Ik moet iemand hebben die ze niet kennen die de villa kan inspecteren, zodat we daarna kunnen besluiten wat we moeten doen om de banden te pakken te krijgen.'

Een croissant en een kop koffie hadden weer wat leven teruggebracht in Hammond. Het begon hem duidelijk te worden dat Piravani hem wilde inhuren voor een buitengewoon gevaarlijke inbraak. 'Je bent gek. Hoe denk je daar binnen te komen, een halve muur neer te halen en ervandoor te gaan met een safe zonder dat iemand daar iets van merkt?'

Piravani keek hem kwaad aan. 'Dat weet ik niet,' zei hij op neutrale toon. 'Dat zie ik wel als we daar zijn.'

'Je hebt het steeds maar over "we". Waarom denk je dat ik me hierin zal laten meeslepen?'

'Twee redenen, dokter. Eén: Guido had nog geleefd als u Zineta niet op zijn spoor had gezet. Dit is uw kans om dat goed te maken. Twee: nu Guido dood is kunt u me niet meer dwingen Gazi's geld over te maken naar Ingrids bankrekening op de Cayman Eilanden. Maar ik doe dat toch, als u me helpt om Todorovic vast te zetten.'

'Wat vermoedelijk inhoudt dat ik door de Servische politie voor inbraak in de boeien word geslagen.'

Piravani haalde zijn schouders op. 'Er kleven natuurlijk wel wat risico's aan, ja.'

'Te veel risico's.'

'Niet voor iemand die de kans loopt door Gazi te worden beschuldigd van medeplichtigheid aan de moord op zijn eigen vrouw. Bedenk dat de banden u wel eens zouden kunnen vrijpleiten. Ik weet dat niet. Maar het kan. Hoe dan ook, ik ga te vlug. Dit is de deal. Het geld is hier. In Lugano. Op een van die banken die door de mensen hier zo discreet en efficiënt worden gerund. Ik had hier vroeger een flatje in Campione d'Italia, aan de andere kant van het meer. Als Italiaans burger kon ik tijdens de periode van de sancties probleemloos heen en weer reizen naar Belgrado. Wat cruciaal was voor Gazi's financiën. Het betekende dat we zijn geld uit Servië konden weghalen en veilig konden parkeren in Zwitserland. Waar het nog op hem staat te wachten. Of op Ingrid. Eén simpele handtekening of een telefoontje van mij en de hele bups vliegt over de oceaan naar de Cayman Eilanden. Dat is toch wat u wilt, niet? Dat is álles wat u wilt. Nou, dat kan. Als u me helpt.'

'Hoor eens, Marco, waarom ga je niet...'

'Ik maak het u makkelijk, dokter. Als de nieuwe eigenaar van de villa het gebouw hermetisch heeft afgesloten en aan alle kanten blijkt dat het onmogelijk zal zijn om de banden te bemachtigen, geef ik het op.' Hammond geloofde daar niets van. Piravani zou zijn zin op wraak nooit opgeven, hoe groot de obstakels op zijn weg ook zouden blijken te zijn. 'U riskeert niets door naar Belgrado te gaan. U kunt er elk moment mee ophouden.'

Dat was inderdaad zo. En er was geen andere manier te bedenken om Piravani te bewegen het geld over te maken. Hammond wilde de zaak nu afgerond hebben, en dat gevoel beheerste dan ook, zij het met tegenzin, zijn gedachten. Misschien dat de trip naar Belgrado de laatste hoepel was waar hij door moest springen. Misschíén. 'Als iemand de safe al heeft gevonden en die heeft leeggehaald, Marco. Heb je daar al eens aan gedacht?'

'Dat is vast niet zo. Niemand weet dat hij daar is. Als Todorovic had wat erin lag, zat hij niet achter me aan. Als iemand anders het had, zouden er heel wat mensen, waaronder Todorovic, nu in de gevangenis zitten. Nee, alles ligt daar nog. Daar ben ik van overtuigd. En, gaat u me nou helpen of niet?'

De vraag kon niet langer worden ontweken. En er was, zoals Piravani moest hebben verwacht, maar één antwoord dat Hammond kon geven. 'Goed, ik ga met je mee naar Belgrado.'

'Prima.' Piravani stak zijn hand uit over het tafeltje. Het was een formaliteit die Hammond niet had verwacht. Er sprak een plechtigheid uit die hem nogal zorgen baarde. En hem eraan herinnerde dat hij nog niets over Zineta had gezegd. Hij schudde Piravani's hand met de nodige terughoudendheid.

'Ik ga ervan uit dat je je aan onze eerdere afspraak houdt, Marco. De verblijfplaats van Monir Gazi zowel als de overboeking van zijn vaders geld.'

Piravani keek verbaasd. 'Wat kan u die jongen schelen?'

'Zineta heeft ons niet verraden. Althans niet op de manier zoals je denkt.'

'Hoe bedoelt u?'

Hammond probeerde het zo goed mogelijk uit te leggen. Of Piravani het verhaal geloofde of niet, was moeilijk te zeggen. Hij luisterde zwijgend en met een nors gezicht.

'Ik had u gezegd Milaan te verlaten zonder haar dat te zeggen,' gromde hij toen Hammond klaar was. 'U heeft ons beiden in gevaar gebracht. Hoe kunt u zo onvoorzichtig zijn?'

'We kunnen haar nu vertrouwen, Marco. Ze heeft haar lesje geleerd.'

'Nee, dokter. Vroeger vertrouwde ik haar. Nu niet meer.'

'Ze wacht op me op het station. Ik heb beloofd haar op te halen.'

'Heeft u haar meegenomen naar Lugano?'

'Ik laat haar niet in de steek.'

'Waarom niet? U valt zeker op haar, hè?' Piravani had een rood hoofd gekregen van woede. 'Of zijn we dat stadium al voorbij? Het zou me niets verbazen.'

'Ze wil gewoon haar zoon, Marco. Meer niet.'

'U weet nu opeens precies wat er allemaal in haar omgaat, hè?'

'Nee. Maar ik heb haar beloofd haar te helpen.' Dat was ook zo. En het was tot zijn verbazing voor hem nu een halszaak geworden. Hij was bijzonder ontevreden over de dingen die hij moest doen om zijn goede naam te beschermen. En ergens moest er een grens worden gesteld. Dit was die grens. 'Je weet heel goed dat ze nooit Gazi's vriendin had willen worden, Marco. Je straft haar voor wat hij jou heeft aangedaan.'

'Ik dacht dat u leverspecialist was, geen psychiater.'

'Het is beneden je stand om haar zo te behandelen.'

'Beneden mijn stand?'

'Jullie hebben allebei genoeg ellende gehad. Hou daar nu eens mee op. Zeg haar waar haar zoon is. Of zeg het mij. Je hoeft met haar niet te praten, als je dat niet wilt.'

Piravani keek lang en doordringend naar hem, met nerveus trekkende mondhoeken onder zijn snor. Toen zette hij zijn bril af en drukte met twee vingers tegen de brug van zijn neus. Zijn grootste probleem was, begreep Hammond nu, dat hij niet langer geloofde in dat waarvan hij tot nu toe overtuigd was geweest: dat Zineta hem willens en wetens had bedrogen. 'Waarom moest u zo'n goeie chirurg zijn? Als Gazi op de operatietafel gestorven was... hadden we allemaal een zoveel plezieriger leven gehad.'

Dit had Hammond de laatste tijd zelf ook al zo vaak gedacht. Hij haalde machteloos zijn schouders op. 'Sorry.'

'Ik heb wat frisse lucht nodig. Eet uw ontbijt maar op en betaal hiermee.' Piravani gooide een biljet van vijftig frank op tafel. 'Ik zie u over tien minuten op het piazza dat we op de heenweg overstaken.'

'Waarom? Wat kan er in die tien minuten nou nog veranderen?'

'Mijn gedachten, misschien.' Piravani haalde zijn schouders op. 'Misschien ook niet.'

Het Piazza della Riforma kwam uit op een door palmen geflankeerde weg met daarachter het meer, waarover de dwarrelende sneeuw als een gordijn uit de laaghangende, geelgrijze lucht hing. Piravani wachtte Hammond op in de beschutting van de portiek van de ingang van een van de talloze banken in de stad. Hij stond een sigaret te roken en keek somber naar de vallende vlokken.

'Iets drinken?' vroeg hij, en hij bood zijn heupfles aan.

Hammond merkte dat hij eigenlijk heel graag iets wilde drinken. Hij nam een slok. De drank was zoet en verwarmde.

'*Prepecinica*,' zei Piravani. 'Twee keer gedestilleerd.' Hij pakte de fles terug en nam zelf ook een slok. 'Het beste wat Servië te bieden heeft.'

'Is dit de bank?' Hammond knikte naar de dikke rookglazen deuren achter hen.

Piravani glimlachte. 'Nee, hier is Gazi's geld niet. Maar het is wel hier in de buurt.'

'Zineta ook.'

'Fijn dat u me er even aan herinnert, dokter. Hoefde niet... maar toch heel aardig.'

'Wat ga je nu doen?'

'Biechten, zoals een goede katholiek betaamt.' Hij trok aan zijn sigaret. 'Ik weet niet waar Monir is. En ook niet hoe ik dat te weten kom.'

'Maar je zei...'

'Dat er een man was die me dat kon vertellen. Ik weet wat ik heb gezegd. Ik ging ervan uit dat u wel akkoord zou gaan met het geld zolang ik u nog even aan het lijntje kon houden met de jongen. Ik heb zijn verdwijning indertijd niet geregeld. Gazi was waarschijnlijk bang dat ik toch voor de charmes van Zineta zou bezwijken en haar op den duur zou zeggen waar hij zat, dus heeft hij de klus aan iemand anders overgelaten.'

'Maar je moet toch wel een vermoeden hebben gehad van wat er gaande was?'

'Natuurlijk. Maar de details kende ik niet. Gazi zei dat hij iets geregeld had en dat ik me daar niet druk over hoefde te maken.'

'Dus...'

'Heb ik Zineta niets bruikbaars te zeggen, zelfs als ik zou willen.'

'Ze heeft alle hoop op jou gevestigd, Marco.'

'Dan maakt ze een grote fout. Niet voor het eerst, overigens.'

'Wat moet ik dan nu tegen haar zeggen?'

'Zeg maar dat ik, zonder een reden te geven, wil dat u meegaat naar Belgrado. En dat ik in ruil daarvoor het geld zal overmaken en u vertel waar Monir zit, maar pas als we terug zijn uit Belgrado.'

'Maar je zei net dat je niets over hem weet.'

'Dat is zo. Maar het antwoord kan op een van die banden staan, dokter.' Er speelde een ontwapenend glimlachje over Piravani's gezicht. 'Begrijpt u wel? U doet zo echt uw uiterste best voor haar.'

'In het onwaarschijnlijke geval dat we erin slagen de banden uit de villa te ontvreemden.'

'U zegt het.' Piravani nam een lange, laatste trek van zijn sigaret en drukte de peuk uit in de glanzende Zwitserse buitenasbak op de paal naast hem. 'Zineta kan niet met ons mee, dokter. Stuur haar terug naar Den Haag. Ze kan de banden afluisteren voor ik die naar het Oorlogstribunaal stuur. De meeste gesprekken zullen sowieso in het Servisch zijn, dus kan zij er meer mee dan ik. Als die haar naar Monir leiden...' Hij haalde zijn schouders op. 'Zal ik niet tussen moeder en zoon gaan staan. U heeft gelijk. Dat zou beneden mijn stand zijn. En Guido zou dat nooit goedkeuren.'

14

TOEN DE TREIN VAN 10.55 UUR NAAR BAZEL WERD OMGEROEPEN
op het station van Lugano, sneeuwde het wat minder hard, maar was het
zo te voelen wel wat kouder geworden. Passagiers met hun bagage drup-
pelden de bedompte wachtkamer uit, rillend en met vertrokken gezichten van de kou. Hammond stond al met Zineta op het perron. Maar er
ging maar een van hen mee met die trein.

Het was makkelijker geweest dan Hammond had gedacht om Zineta zover te krijgen dat ze weer terugging naar Den Haag. Ze was ver
doofd door schuldgevoelens over haar aandeel in de dood van Felltrini, en Piravani's weigering haar te zien had daar geen goed aan gedaan.
Hammond wist dat hij misbruik maakte van haar emotionele kwets-
baarheid, maar hield zichzelf voor dat ze er straks alleen maar baat
bij zou hebben. Wat hielp was het argument van Piravani dat de banden informatie zouden kunnen bevatten over de verblijfplaats van
Gazi's zoon, wat helemaal niet ondenkbaar was. Zineta wist nog niet
van die banden af, natuurlijk. En zou er ook nooit over horen, als
straks bleek dat ze er niet bij zouden kunnen. Ze wist nu dat Piravani
alleen wilde meewerken als Hammond meeging naar Belgrado – en zij
niet.

'Het is moeilijk te geloven dat hij hier maar een paar minuten vandaan
is,' zei ze, en ze keek achter zich naar de daken van de oude stad. Ze schudde verdrietig haar hoofd. 'Zo dichtbij, maar zo oneindig ver weg.'

'Misschien zie je hem over niet al te lang onder aangenamer omstandigheden,' zei Hammond, zonder daar erg in te geloven.

'Hij gaat achter Todorovic aan, hè?' Ze keek hem met een bezorgde blik aan. 'Dat weet je toch wel, Edward?'

Hammond haalde zijn schouders op. 'Ik zou waarachtig niet weten waarom hij anders naar Belgrado wil.'

'Kijk maar goed uit. Die oorlog is nu tien jaar voorbij. Maar het is nog altijd een gevaarlijke stad als je op de verkeerde plaatsen de verkeerde vragen stelt.'

'O, ik kijk heus wel uit. Reken maar.'

'Weet je echt niet waarom hij wil dat je meegaat?'

'Hij is bang te worden herkend. Ik kan me daar makkelijker verplaatsen dan hij.'

'Verplaatsen waarheen, waarvoor?'

Het rommelen van de binnenlopende trein gaf Hammond de kans om die vraag te ontwijken. 'Maak je geen zorgen over mij, Zineta. Ik kan het allemaal wel aan.'

'Maar ik kan je helemaal niet bereiken.'

'Ik bereik jóú wel.' Ze had hem het nummer gegeven van het bureau dat kantoren schoonmaakte waarvoor ze werkte, en waar ze, zodra ze dat had, haar nieuwe mobiele nummer zou achterlaten. 'Als alles misloopt, bel dan mijn assistente, maar alleen als werkelijk alles misloopt.' Ze knikte instemmend.

De trein kwam tot stilstand. De meeste andere passagiers stonden bij elkaar, in de buurt van de wachtkamer. Niemand gebruikte de deur waar Zineta voor stond. Ze drukte op de knop en hij zwaaide langzaam open. 'Hoe laat ben je in Den Haag?' vroeg hij, toen ze instapte.

'Rond elf uur vanavond,' zei ze met een broos glimlachje. 'Later, misschien, met dit weer. Tegen die tijd ben jij in Belgrado.'

'Ik hoop voor je dat het geen barre reis wordt.'

'Ik ben een Servische. Ik ben aan barre reizen gewend. O, ik heb iets voor je.' Ze duwde hem een gevouwen velletje papier in zijn hand. 'Het adres en telefoonnummer van mijn broer Goran. Als je problemen krijgt, kan hij je misschien helpen. Ik zal hem morgen bellen en vragen om alles te doen wat hij kan als hij van je hoort.'

'Dat zal wel niet. Maar bedankt.'

'Hij is altijd een goeie broer voor me geweest.'

Iedereen was ingestapt. Er klonk een fluitje. Zineta leunde naar voren en kuste Hammond op zijn wang. 'Wees voorzichtig,' zei ze zacht.

'Jij ook.'

Piepgeluiden kondigden het sluiten van de deuren aan. Toen die begonnen dicht te klappen, zette Hammond een stap achteruit en wuifde terug naar Zineta achter het glas. De trein zette zich in beweging.

Hij nam de volgende kabelbaan naar de stad en liep meteen door naar het koffiehuis waar hij eerder die dag had ontbeten. Daar zat een wachtende Piravani met een frons op zijn gezicht Hammonds exemplaar van de *Gazzetta dello Sport* van de vorige dag te lezen.

'Is ze weg?' gromde de Italiaan.

'Ja. Ze is weg.'

'Mooi.' Piravani gooide de krant neer en zuchtte diep. 'Guido was nog gekker op voetbal dan ik. Ga maar na. Als hij dit roze vod niet steeds had gekocht, had hij die advertentie nooit gezien. En had u hem waarschijnlijk nooit opgespoord. En dan...'

'Was hij nu nog in leven.'

'Ja.' Piravani knikte nadenkend. 'Nog in leven.'

'We kunnen de klok niet terugdraaien, Marco. Ik zou het graag doen, hoor, net zo graag als jij. Maar we zitten nu eenmaal in het heden.'

'Ja, dat is zo, dokter. O, voor ik het vergeet.' Hij haalde een splinternieuwe mobiele telefoon uit zijn zak en gaf die aan Hammond. 'U kunt er voor maximaal honderd frank mee bellen.'

'Bedankt.'

'Goed. Ik had het plan om hiervandaan te gaan vliegen, maar er zijn een hoop vertragingen door de sneeuw, dus gaan we maar met de trein naar Zürich. We hebben alle tijd. De vlucht naar Zagreb gaat pas om zes uur.'

'Zagreb? Ik dacht dat we naar Belgrado gingen.'

'Dat gaan we ook. Maar ik wil niet dat onze aankomst in Servië wordt geregistreerd. Dus nemen we de nachttrein van Zagreb naar Belgrado. Dat betekent dat onze namen en paspoortnummers niet in een computer belanden.'

'Morgen is het vrijdag.'

'En?'

'Ingrid verwacht het geld dan voor het einde van de dag op de bank.'

'Vergeet het maar. Zeg haar maar dat ze nog wat geduld moet hebben.' Piravani glimlachte even. 'U verzint wel iets. Zeg haar alleen niet waar u naartoe gaat. Of dat u en ik samenwerken. Hoe minder ze weet – hoe minder iedereen weet – hoe beter het is voor ons.'

Een vrouw die hij niet kende nam de telefoon aan op het nummer van de vaste lijn dat Ingrid hem had gegeven. Hij was er inmiddels achter dat dat in Madrid was. Maar meer wist hij niet. De vrouw sprak net genoeg Engels om hem te kunnen zeggen dat Ingrid hem zou terugbellen. Tegen de tijd dat ze dat deed, stonden Piravani en hij op het perron van het station in Lugano te wachten op de trein naar Zürich. Tijdens het gesprek dat volgde, ging Piravani een eindje verderop lopen ijsberen en een sigaret roken.

'U heeft een andere telefoon, dokter,' zei Ingrid, bijna geïmponeerd. 'U begint het te leren, zou ik haast zeggen.'

'O, ja. Ik leer een boel.'

'Waar bent u nu?'

'Zwitserland.'

'Dat klinkt veelbelovend.'

'Dat is het ook. Maar het zal me toch niet lukken je morgen al te geven wat je wilt.'

'Dat moet.'

'Het zal zeker tot maandag duren.'

'Ik ben toch heel duidelijk geweest. Vrijdag voordat de banken sluiten.'

'Moet je horen, Ingrid. Het kan, en ik zal het doen. Maar jouw deadline is niet haalbaar. Ik kan je op dit moment nog niet uitleggen waarom niet. En dat zou je ook niet willen. Ik moet gewoon meer tijd hebben. Niet veel. Een paar dagen. Ik weet zeker dat je vader zo lang nog wel kan wachten.'

'Misschien wel. Misschien ook niet. U zet een hoop op het spel, dokter.'

'Daar kan ik niets aan doen, vrees ik. Zijn we het eens?'

Er kwam geen antwoord. Op de achtergrond hoorde Hammond iemand iets in het Spaans kakelen: zeer waarschijnlijk de vrouw die hij al eerder aan de lijn had. Toen snauwde Ingrid, 'Silencio!' en het kakelen hield op.

'Ingrid?'

'We zijn het helemaal niet eens. Ik zal nadenken over wat u heeft gezegd. Meer niet.'

'Heeft u nù wat extra tijd?' vroeg Piravani, toen Hammond de telefoon in zijn zak stak.

'Ze zei dat ze erover zou nadenken.'

'Dan heeft u tijd,' glimlachte Piravani. 'En met een beetje geluk hoeft u straks geen strafschoppen te nemen.'

Het volgende gesprek dat Hammond moest voeren was voor hem op zichzelf even hachelijk. Hij moest Alice duidelijk maken dat ze zich geen zorgen over hem hoefde te maken, zonder haar te zeggen waar hij naartoe ging en waarom. Zoals altijd kreeg hij meteen de voicemail. Hij hoopte van ganser harte dat ze een college aan het volgen was of in een werkgroep zat. Het bericht dat hij achterliet was goed gerepeteerd, zijn tekst was weloverwogen en zijn toon was bewust opgewekt.

'Hallo, schat. Hoe gaat het nu? Wilde je even laten weten dat ik in Zürich ben voor een spoedgeval. Ik ben weg tot na het weekend. Om het allemaal nog wat ingewikkelder te maken: ik ben mijn telefoon kwijt, vandaar dit andere nummer. Als je van oom Bill hoort, zeg hem dan dat hij van me hoort zodra ik weer van voren weet dat ik van achteren leef. Voorzichtig aan. Alle liefs. Tot gauw.'

Gelukkig had Alice, zoals alle jongelui van twintig, geen enkele belangstelling voor wat haar vader deed. Ze sms'te in de loop van de middag terug: 'Oke paps. Geen prob. Je tel toch oud spul. Nieuwe meer features. A. xx'. Over Bill geen woord. En ze klonk schokkend onbekommerd. En dat was precies zoals hij graag wilde dat ze was. En vooral ook bleef.

De normaliteit voerde nog altijd de boventoon in het leven van Alice, hoewel Hammond zich nog heel goed de tijd kon herinneren dat zoiets ondenkbaar leek. De weken na de moord op Kate waren voor hem een bezoeking geweest, maar voor Alice je reinste marteling, haar kindertijd lamgelegd door het verdriet, ongeloof en onbegrip. Het was al erg genoeg dat haar moeder dood was, maar nog erger dat de een of andere vreemde man, om redenen die niemand in de verste verte maar bevroeden kon, haar op een mooie dag had vermoord op het parkeerterrein van een supermarkt.

Hammond troostte zich met de gedachte dat Alice in elk geval geen getuige van de moord was geweest, wat heel goed had gekund als Kate laat was geweest en pas boodschappen was gaan doen nadat ze haar van school had gehaald in plaats van ervoor. Hoewel ze dan natuurlijk op een andere tijd was gekomen zodat de ogenschijnlijk motiefloze schutter dan vermoedelijk iemand anders had gedood. Hammonds redenering was niet erg logisch, tenzij de schutter wel een motief had gehad, een mogelijkheid die hij nooit helemaal uit zijn hoofd had kunnen zetten.

Misschien ging hij te ver in zijn pogingen Alice af te schermen van de realiteit van wat er met haar moeder was gebeurd, hoewel hij destijds vond dat hij daarin niet ver genoeg kon gaan. Haar oom Bill was wat minder teerhartig in allerlei zaken en deed iets wat Hammond nooit zou hebben aangedurfd. Hij ging tijdens een korte vakantie een week of zes na de moord een dagje met Alice uit. Op de weg terug van de dierentuin in Chessington, maakte hij een stop bij de supermarkt in Colliers Wood. 'Omdat ze me dat vroeg,' had hij later tegen Hammond gezegd.

Ze had haar vader nooit gevraagd daarnaartoe te gaan. Misschien was ze bang dat hij het niet zou willen, of, ironisch genoeg, het niet zou aankunnen. Dan was oom Bill voor haar een veiliger alternatief. Ze wilde zien waar haar moeder gestorven was. Zo eenvoudig lag dat. Zes weken na de moord was er natuurlijk geen verschil meer te zien tussen het ene parkeervak en het andere, behalve in haar verbeelding. Maar ze wilde op de plek zelf staan en om zich heen kijken. Ze wilde zich die kunnen herinneren.

Hammond had haar niet gevraagd hoe ze een en ander ervaren had voor Bill was vertrokken. Alice deed meteen wat ze kon om hem gerust te stellen. 'Maak je maar geen zorgen, pap,' zei ze, en kroop tegen hem aan. 'Je hoeft nergens bang voor te zijn.'

Haar woorden deden hem goed, wat ook de bedoeling was. Het toonde aan dat ze sterk genoeg was om het hoofd boven water te houden. En Hammond had haar geloofd. Hij hoefde nergens bang voor te zijn.

Nu wel. Dat had hij inmiddels wel begrepen.

De deadline van Ingrid was niet het enige wat die vrijdag verliep. Hammonds vakantie, die hij zo graag met Peter en Julie had besteed op de berghellingen van Oostenrijk, liep ook op zijn eind. Maar het zag er bepaald niet naar uit dat hij maandagmorgen zijn normale werkzaamheden in het St. George weer zou kunnen oppakken. Vanuit de vertrekhal op het vliegveld van Zürich belde hij zijn assistente met het verzoek Roy

Williamson te vragen – te smeken, desnoods – of die hem de komende week zou willen vervangen. Maar zelfs dan zouden er nog allerlei consulten verschoven moeten worden. Wat voor heel wat mensen last zou veroorzaken. 'Bied iedereen mijn verontschuldigingen aan, wil je, Fiona? Er heeft zich in mijn privéleven een noodsituatie voorgedaan, waar ik wat aan moet doen.' Nou, dat was tenminste waar. Een noodsituatie mocht je dit toch wel noemen.

'Toen ik tien jaar geleden Belgrado verliet, dacht ik dat ik daar nooit meer zou terugkomen,' zei Piravani, toen het vliegtuig naar Zagreb kruishoogte bereikte. 'Maar ik kan u verzekeren dat dit mijn laatste bezoek wordt.'

'Wanneer was je eerste keer?'

'Mei 1992. Ik had de administratie gedaan voor een luchtvrachtmaatschappij waar Gazi belangen in had. Hij was onder de indruk van bepaalde... belastinginterpretaties... die ik had toegepast. De VN stonden op het punt sancties op te leggen aan Servië en de oorlog in Bosnië was net begonnen. Gazi zag de sancties als een probleem, maar ook als een kans. Met het ontduiken ervan kon groot geld worden verdiend, maar de Amerikaanse dollars en Zwitserse franken moesten wel het land uit om ze te beschermen tegen zijn vijanden en de hyperinflatie van de Servische munt. En ik wist wel hoe.'

'Waarom ging je voor hem werken?'

'Omdat het boekhouden volgens de regels mij niet zo goed lag. Ik wilde rijk zijn en wist dat Gazi me dat kon maken. In het begin was het echt leuk. Vooral het eerste jaar was geweldig. De financiële trucjes. De extraatjes. De hele kick. Pas tegen de tijd dat ik begon te ontdekken wat Gazi's activiteiten eigenlijk inhielden en wat zijn paramilitairen in Bosnië deden, groeide het besef dat ik mijn diensten had verkocht aan een gangster en een moordenaar. En toen was het...'

'... inmiddels te laat om er nog uit te stappen.'

'Hij kon me niet laten gaan, omdat ik inmiddels te veel wist, dokter. Ik was wel rijk. Maar niet vrij. Althans niet totdat Gazi en de andere makkers van Milosevic onderuit waren gehaald. En zelfs toen...'

'Wilde de gedachte aan al die gelden die je uit zijn naam had betaald aan politici en smokkelaars en huurmoordenaars niet wijken.'

'Nee,' zuchtte Piravani. 'Dat lukte niet.'

'En een van die bedragen die je betaalde was aan mij.'

'Inderdaad, ja.'

'Ik vond dat toen gemakkelijk verdiend.'

'Zoiets bestaat niet, dokter.' Piravani schudde zijn hoofd, vol ongeloof, naar het leek, over de stommiteiten die hij had uitgehaald voor het grote geld. 'Dat heb ik van Gazi geleerd. En nu leert u het ook.'

15

HET ZOU HAMMOND NIET MEEVALLEN OM ZICH EEN NOG MIS-
troostiger aankomst waar dan ook voor te stellen dan die van Piravani
en hem in de ijzige duisternis van die vrijdagmorgen in Belgrado. Toen,
in 1996, werden hij en zijn team van het vliegveld gehaald door een twee-
tal limousines met chauffeur en met grote spoed afgevoerd naar het beste en nieuwste hotel van de stad, waar Miljanovic en de directeur van de
Vocnjak Kliniek hen ter begroeting opwachtten. Nu, dertien jaar later,
was alles heel anders, en vooral Hammonds geestestoestand, om van zijn
lichamelijke toestand maar niet te spreken. Piravani had vergeten cou-
chettes te reserveren in de trein van Zagreb en de rit was allesbehalve
gladjes verlopen. Zes uur op een slecht verende zitting hadden het glans-
rijk gewonnen van de maximum dosis paracetamol, en ervoor gezorgd
dat Hammond elke keer als hij eindelijk was ingedut, wakker schrok van
weer een pijnscheut.

Ze stapten vanuit de kille spelonk van het spoorwegstation het half-
duister in dat voorafgaat aan het aanbreken van de dag, en werden door
de scherpe naalden van een ijsregen begroet. De weg langs het station
was al vol verkeer: vrachtwagens, bussen en auto's denderden voorbij
in wolken uitlaatgas die de atmosfeer verpestten en je ogen deden prik-
ken. 'Hoe hadden we zo lang weg kunnen blijven, hè?' grapte Piravani
bitter.

Hij leidde Hammond langs een zwerm hoopvolle taxi's naar het busstation ernaast, en een troosteloos koffiehuis binnen. De meeste klanten zagen eruit alsof ze daar de nacht hadden doorgebracht, of op een van de bankjes buiten. Piravani bracht Hammond naar een tafeltje en liep naar achter om koffie en broodjes te halen, een handeling die tot een langdurige discussie over iets leidde met de stuurse man bij het buffet.

'Gefeliciteerd, dokter,' zei Piravani, toen hij weer bij Hammond terugkwam. 'U ziet er zo slecht uit, dat u hier haast niet meer opvalt.'

'Na een bad, een scheerbeurt, een stevig ontbijt en een kamer in een goed hotel ben ik weer zo goed als nieuw.'

'Sorry, maar dat zit er niet in. Ik moet ergens een privéadresje zien te vinden om te voorkomen dat onze paspoortnummers in handen van de politie vallen. Het comfort daarvan zal wel niet zijn wat u gewend bent. Drink wat koffie. Dat helpt wel. Wilt u roken? Hier in Servië kan dat waar je wilt.'

'Ik pas, dank je.' Hammond nam een slok koffie en Piravani stak een sigaret op. Het hielp – een beetje. 'Wat waren er voor problemen bij de toog?'

'Ik heb nog Servisch geld waar het woord 'Joegoslavië' op staat. Onze vriend wilde dat liever niet hebben. Ik ga wel wat nieuwere biljetten halen als de wisselkantoren opengaan.'

'En dan?'

'Ga ik een plek zoeken waar we kunnen slapen en iets waarin we kunnen rijden. Terwijl u vast een kijkje gaat nemen bij Villa Ruza. Hier…' Piravani haalde een plattegrond van Belgrado tevoorschijn en vouwde die open. 'Hier zijn we nu.' Hij tikte met zijn vinger op de bus- en treinsymbolen in het centrum van de stad, en op een van de bruggen over de Sava, waar de rivier een bocht in westelijke richting maakt, in de richting van waar hij kruist met de Donau. Daarna gleed zijn vinger zuidwaarts, naar de wijk Dedinje. 'Ziet u de x? Dat is de villa.' Daar had hij met een kleine rode x de locatie aangegeven. 'Neem een taxi naar het Tito Mausoleum en ga daarvandaan lopen. Het is niet ver. Kijk er eens rond. Gazi zelf heeft het huis nooit verkocht, maar de staat zal het wel in beslag hebben genomen en hebben doorverkocht. We moeten weten van wie het nu is, of het permanent is bewoond en hoe het is beveiligd. Kunt u me volgen?'

'Dat is een chique buurt, toch?'

'De chicste van Belgrado. Milosevic woonde in Dedinje.'

'Dan zullen de buren vermoedelijk niet veel zin hebben in een praat-je met een vreemdeling, zelfs als ze zich al buiten de deur zouden verto-nen.'

'Kijk maar gewoon een beetje rond. Ook of er ergens in die buurt iets te koop staat. Noteer dan de naam en het telefoonnummer van de ma-kelaar. Daar hebben we dan misschien wat aan.'

'Nou, ik...'

'U heeft beloofd me te helpen, dokter.'

'Ja, maar...'

'Help me dan ook, oké?'

'Ja, Marco. Oké.' Hammond nam nog een slok koffie. 'Ik zal mijn best doen.'

'Neem als u klaar bent een bus terug naar de binnenstad. Ik ben om twaalf uur op de Trg Republike.' Piravani's vinger gleed terug op de kaart. 'Hier. Het grootste plein van de stad. Wacht bij het paard.'

'Het wat?'

'Het standbeeld van Prins Mihailo Obrenovic te paard, tegenover het Nationaal Museum.' Piravani kreeg opeens een peinzende uitdruk-king op zijn gezicht. 'Dat is wat Zineta altijd tegen me zei. *"Kod konja."* "Zie je bij het paard."' Hij keek langs Hammond heen in de onmete-lijke diepten van zijn verleden. 'Maar dat zal ze nu nooit meer zeg-gen.'

Hammond was nu te moe voor woorden van troost. Hij scheurde zijn broodje in tweeën, smeerde de gele smurrie uit een kartonnetje met het woord PYTER op een van de helften en nam een hap. 'Een beet-je jam was wel lekker geweest,' zei hij, meer als een mededeling dan als klacht.

Piravani glimlachte somber. 'Misschien morgen, dokter.'

De welbespraakte taxichauffeur was een nostalgische Tito-fan. De hele weg naar de laatste rustplaats van de grote Joegoslavische leider stak hij de loftrompet over wijlen de president. Bij al het snelle optrekken en he-vige afremmen, en de kleine slippartijen als de ongeprepareerde banden van de auto hun grip verloren op de platgereden stukken ijs, bracht Ham-mond het niet op zich op zijn betoog te concentreren. Hij werd afgeleid door de pijnscheuten in zijn ribben, en was bovendien niet geïnteresseerd in de gaven van Maarschalk Tito om het vroegere land bijeen te houden en wilde ook diens graf niet bezoeken.

Daar kwam bij dat hij er al eens eerder was geweest. In 1996 had Miljanovic hem een keer meegenomen naar het Huis der Bloemen op een middag dat hij gemist kon worden bij de nazorg van Gazi. Het graf zelf herinnerde hij zich als onopgesmukt, om niet te zeggen sober, en het aangrenzende museum van aan Tito gerelateerde kunstvoorwerpen als niet bepaald opwindend. Maar evenals de taxichauffeur refereerde ook Miljanovic aan het tijdperk van Tito als de gouden eeuw van de panslavische eensgezindheid. 'Na zijn dood is alles in het honderd gelopen, Edward. Hij zou huilen, als hij kon zien wat we dit land hebben aangedaan.' Hammond wilde dat graag geloven. Hij kon zelf ook wel huilen toen de taxi wegreed bij de helling die naar het mausoleum leidde, hoewel zijn tranen eerder werden veroorzaakt door de snijdende wind dan door de rampzalige gevolgen van het verleden. De stad lag voor hem, overhuifd door een loodgrijze lucht als een monnikskap. Achter hem lagen de huizen van Dedinje, op ruim bemeten stukken grond en achter hagen van coniferen. Hij keek op de plattegrond om te zien waar hij nu stond in relatie tot de rode x en ging op pad.

Een geleidelijke klim langs door sneeuw bedekte parkgrond bracht hem in een lange, stille straat met hoog ommuurde woonhuizen. Een informatief praatje met een loslippige buurtbewoner zat er bepaald niet in. De enige mensen die hij zag, waren bewakers die zich in wachthokjes bij de hekken van sommige tuinen stonden te vervelen.

Het wereldje daar was eigenlijk niet helemaal nieuw voor hem. Op weg naar of van het Huis der Bloemen had Miljanovic hem door een soortgelijke straat van de wijk Dedinje gereden, en hij had negatieve commentaren geleverd op de kitscherige buitenissigheden waarin sommige architecten zich in opdracht van de nieuwe rijken van Milosevics Servië hadden uitgeleefd. Een aantal villa's die Hammond tijdens zijn wandeling in het trage tempo van een bejaarde boven de omheiningen zag uitsteken, getuigden inderdaad van grote smakeloosheid, en sommige gebouwen begonnen al tekenen van verval te vertonen. Al dat nieuwe geld had uiteindelijk weinig zoden aan de dijk gezet.

Villa Ruza was daarbij vergeleken een triomf van sierlijkheid, een zalmroze neoklassiek herenhuis, ruim voorzien van pilaren en balkons, dat breed en hoekig aan het eind van een door gazons geflankeerde oprijlaan stond. De muren die het afschermden van de weg waren van eenzelfde kleur roze en in het midden van elk van de stevig gesloten smeedijzeren hekken zat een knap uitgewerkte gelijkenis van een wolf. Gazi had zijn sporen nagelaten.

Aan een van de palen van het hek zat een soort intercom, maar verder waren er geen wachthuisjes of andere herkenbare tekenen van beveiliging te zien. Verontrustend was, vond Hammond tenminste, dat er geen auto's op de oprijlaan stonden en dat de luiken voor alle ramen van het huis gesloten waren. Het pand maakte de onmiskenbare indruk onbewoond te zijn, maar was wel keurig onderhouden Hij zou niet kunnen beweren dat het onmogelijk was om het op illegale wijze te betreden. En dat was vermoedelijk precies wat Piravani wilde horen.

Toen Hammond langzaam verder wandelde, reed er traag een Range Rover met geblindeerde raampjes voorbij, waardoor hij het gevoel kreeg tijdens het observeren te worden geobserveerd. Er hing iets van een gespannen stilte in de hele wijk, hoewel hij wel wilde toegeven dat zijn eigen onrust daar de oorzaak van kon zijn. Meer dan ooit werd hij zich ervan bewust dat hij zich nooit in een situatie had moeten laten manoeuvreren waarbij hij met een man als Piravani in Belgrado rondliep om een inbraak voor te bereiden. Maar hoe hij die dan had moeten vermijden, wist hij ook niet. Een man die gebeurtenissen niet in de hand heeft, wordt er het slachtoffer van. En zo'n man was hij nu beslist.

Tijdens de afdaling naar het voetbalstadion van Crvena Zvezda, waar hij wel een bus zou kunnen nemen naar de binnenstad, herkende hij een bocht in de straat waar die langs een laag flatgebouw liep, en realiseerde hij zich dat dit de weg naar de Vocnjak Kliniek was, die hier nog geen halve kilometer vandaan lag. Hij keek even in de richting die hij zou moeten nemen om daar te komen, en vond het ellendig dat dit bezoek aan Belgrado zo anders was dan het vorige. Temeer omdat niet alleen hij daar verantwoordelijk voor was. Maar hij droeg zijn kruis. Waardoor hij zich nog ellendiger ging voelen.

Een rit in een bus door Belgrado was een ervaring die hem in 1996 bespaard was gebleven. Nu, na een hele tijd wachten bij het voetbalstadion, klauterde hij er een binnen, zag al snel af van het idee om te proberen een kaartje te bemachtigen tussen de op elkaar gepakte passagiers en stelde zich zo goed hij kon op tegen een leuning. De bestemming die in cyrillische letters geschreven stond, zei hem niets, maar de bus reed voor zover hij kon nagaan in elk geval wel de goede kant op.

De rit eindigde ergens in de buurt van de Trg Republike, maar Hammond was vroeg en probeerde eerst weer wat tot leven te komen in een café voor hij naar het plein liep, waarbij hij onderweg daarnaartoe nog een stop maakte om iets voor op zijn hoofd te kopen – waar hij hard aan toe was –, een bontmuts met oorkleppen.

Toen hij op de Trg Republike aankwam, realiseerde hij zich dat hij daar al eens eerder was geweest, hoewel er niets was wat het bijzonder maakte. Het was een plein met besneeuwde plantsoenen, bevroren fonteinen, langsrazend verkeer en gebouwen die gevangenzaten tussen negentiende-eeuwse grandeur en twintigste-eeuwse platvloersheid. Piravani was nergens te bekennen en voor andere mensen aan de voet van het grote ruiterstandbeeld tegenover het Nationaal Museum was het te koud. Hammond sloeg de flappen van zijn oorkleppen neer, liep een rondje om het standbeeld, en hoopte dat hij niet zo lang zou hoeven wachten. Toen hij halverwege het vierde rondje was, werd zijn aandacht getrokken door het luidruchtige claxonneren van een wit busje vol roestvlekken dat aan de noordkant van het plein op de stoep was gaan staan. Vanachter het stuur wuifde Piravani hem toe.

Hammond holde naar het busje en stapte in. Nog voor hij het portier dichtsloeg, reed Piravani al weg. 'Ik had u bijna niet herkend, met die muts,' klaagde hij. 'Wat heeft u me te vertellen?'

'De villa is afgesloten,' antwoordde Hammond, en hij zette zijn muts af. 'Is goed onderhouden en kort geleden geschilderd, maar er zitten luiken voor de ramen.'

'Heel goed. En de beveiliging?'

'Niets. Geen wachthuisje. Geen bewakers. Maar vast wel een alarm.'

'Ja, dat zal best. Ik ga straks wel kijken, als het donker is. Verder nog iets ontdekt?'

'Babbelzieke buren waren er niet, Marco. En ook geen makelaarsborden. Of bouwwerken. Het is een doodstille buurt. Er kwam maar één auto voorbij, in al die tijd dat ik er was.'

'Stil is goed.'

'Blij dat je er zo over denkt. Waar gaan we nu heen?'

'Naar uw nieuwe knusse onderkomen, dokter. Dat u zeker niet zal bevallen, neem dat maar van me aan.'

Ze staken de brug over de modderige bruine Sava over naar Nieuw-Belgrado, lieten de oude stad achter zich, en reden een onbarmhartige uitgroei van saaie grijze naoorlogse flatgebouwen binnen. De natte sneeuw slierde er horizontaal voor langs: hier was geen bescherming tegen de wind.

Het weer was in feite niet veel anders dan in maart 1996, toen Hammond en zijn team hier waren, maar ze hadden daarvan en van de vreugdeloosheid van hun omgeving toen niet zoveel last gehad. Nu, dertien jaar later, was de buffer van zijn professionele onverschilligheid weg. En stond hij buiten, in de wereld, onbeschut en onvolmaakt. Neerkijkend op de woonbarakken aan de waterkant bij de brug, voelde hij zich plotseling en beangstigend verbonden met hen wier levens geen enkele vorm van voldoening of geborgenheid bevatten.

Maar Nieuw-Belgrado had, behalve zijn visuele tekortkomingen, ook twee moderne, exclusieve hotels: het Inter-Continental en het Hyatt Regency. In het laatste hadden Hammond en zijn team gelogeerd. Hij herkende in het voorbijrijden de puntige voorgevel, en de zekerheid dat hij de luxueuze inrichting van dat hotel dit keer zou moeten missen, maakte de herinnering eraan extra zwaar.

'Sorry, dokter,' zei Piravani, die zijn gedachten raadde. 'Dit keer zult u moeten afzien.'

Ze stopten bij een gebouw dat even troosteloos was als alle andere eromheen – geometrisch gerangschikte uitsteeksels in een architectonische woestijn. Een lugubere met graffiti vol gekliederde ingang leidde naar een nog luguberder betonnen trappenhuis waar de lucht nog kouder leek dan buiten. Ze klommen naar boven, waarbij Piravani bij elke overloop moest wachten tot Hammond hem weer had ingehaald. Ze moesten naar de derde verdieping. Piravani haalde een sleutel tevoorschijn en liep een kleine flat met twee slaapkamers binnen. Die was eigenlijk beter gemeubileerd en frisser geschilderd dan Hammond had gevreesd, hoewel het uitzicht door de deur die naar het balkonnetje leidde, en waar een kledingrek te rotten hing, werd gedomineerd door de hoog oprijzende grijze flank van een naburig gebouw.

Piravani gooide de plastic tas die hij uit het busje had meegenomen op het stoffige aanrecht in de keuken. 'Bier, koffie, sinaasappelsap, melk, boter, brood, kaas, jam,' verklaarde hij. 'Genoeg om ons in leven te houden.'

'Voor hoe lang?'

'Een paar dagen. Meer hebben we niet nodig. Om te winnen of te verliezen.'

'Ik begrijp nog steeds niet hoe je die banden te pakken wilt krijgen, Marco.'

'Ik heb mijn plan nog niet rond, oké?' Piravani stak een sigaret op en zwaaide daarmee naar Hammond alsof hij een vlieg wegjoeg. 'Maar het kan wel. Nu gaan we eerst eten. Daarna gaan we slapen.' Hij gaapte. 'Ik ben te oud om te denken met een moe hoofd.'

16

TOEN HIJ WAKKER WERD, WAS HET DONKER. IN DE KEUKEN floepte een oranje licht als een hartslag aan en uit. Toen hij ging kijken, zag hij op enige afstand een reusachtig neonverlicht bord dat het een of andere bericht uitzond in het Servisch, waar hij niets mee aankon. Beneden hem raasde het verkeer voorbij over de grote weg die de stad in liep: een nevelig mengsel van wit, rood en oranje, waarover sneeuw viel vanuit een onzichtbare lucht.

Hij deed een paar lichten aan en keek hoe laat het was: bijna zeven uur. Hij had bijna vijf uur geslapen. Piravani was kennelijk minder moe geweest. Onder een in het oog vallend leeg bierflesje uit stak een briefje met de woorden: 'Ben naar Dedinje. Misschien laat terug. Doe maar rustig aan.'

Een douche en een scheerbeurt in de badkamer zonder tierelantijnen brachten Hammond voor zijn gevoel weer een beetje terug in de normale wereld, hoewel alles wat hij deed veel langer duurde dan gewoonlijk vanwege de omstandige manier waarop hij te werk moest gaan om zijn ribben te ontzien. Hij trakteerde zichzelf daarna op wat extra paracetamol en een kop koffie, en zette intussen het raam open om de lucht van Piravani's sigaretten te lozen.

Rustig aan doen was nu zo langzamerhand geen optie meer. Het briefje van Piravani gaf aan dat het wel eens uren kon gaan duren voor hij terug was. Het vooruitzicht om die uren te gaan doorbrengen in dit konijnenhok met niets om hem af te leiden van de afschrikwekkende situatie waarin hij verkeerde, was onacceptabel. Hij moest gevoelsmatig weer eens terug naar de rust en orde die zijn leven de afgelopen jaren hadden beheerst. Toen herinnerde hij zich dat hij niet ver van het Hyatt Regency was, dat zich beroemde op een goed restaurant zowel als een sfeer van kosmopolitische verfijning. De wandeling erheen zou geen onverdeeld genoegen zijn – het sneeuwde nog steeds – maar in elk geval de moeite waard.

Het binnenlopen van het Hyatt Regency had een grote louterende uitwerking op Hammond, en was een les in hoe afhankelijk hij was geworden van de afsluiting van de wrede realiteiten van de wereld die alleen voor geld te koop is. Marmer en licht hout voerden de boventoon in de ruime lobby, waar een in nette uniforms gestoken staf zich inzette om in een sfeer van vanzelfsprekende doelmatigheid aan de wensen van de goed geklede gasten te voldoen. Water klaterde kalmerend in de verzonken goudvissenvijver van het atrium. Gedempte zoefgeluiden en belletjes kondigden het komen en gaan van de liften aan. Hij had op dit moment in elk tophotel in elk van de tientallen hoofdsteden van de wereld kunnen zijn. En dus kon hij, al was het maar voor even, net doen of hij helemaal niet in Belgrado was.

Hij wandelde de Metropolitan Grill binnen, kreeg een tafeltje voor één persoon, en bestudeerde zo goed en zo kwaad als hij kon het menu en de wijnkaart. Het bleek verrassend eenvoudig. Gerookte zalm, biefstuk van de haas en een lekkere rode wijn voldeden voorlopig aan zijn behoeften. Bij elke hap ging hij zich meer de oude voelen.

Het was natuurlijk maar een illusie, een overgave tegen beter weten in aan alcohol en haute cuisine. Toen hij na het eten het restaurant uit liep dacht hij er serieus over om in de bar een sigaar te gaan roken, met een glaasje cognac erbij. Maar deze gedachten zou hij al spoedig uit zijn hoofd moeten zetten.

Aan de andere kant van het atrium stroomde een groepje mensen dat vergaderd had de lobby in. Het waren bijna allemaal mannen in pakken met een Slavisch uiterlijk. Hun blozende gezichten, harde gelach en kameraadschappelijke schouderklopjes deden vermoeden dat er al een stevig glas was genuttigd. Maar dat weerhield de meesten van hen er niet van om direct koers te zetten naar de bar.

Wie de ander als eerste zag en herkende kon Hammond achteraf niet zeggen. Het enige wat hij wist, was dat hij opeens recht in de lachende ogen van Svetozar Miljanovic keek.

'Edward! Ben jij het echt?'

'Goeie genade, Svetozar.' Hammond forceerde een grijns. 'Wat leuk je te zien.'

Miljanovic zei iets in het Servisch tegen zijn twee metgezellen, die vervolgens naar de bar liepen. Daarna greep hij Hammond bij de schouder en schudde hem krachtig de hand. 'Wat doe jij nou in Belgrado, Edward? En waarom heb je me niet laten weten dat je kwam?'

Goeie vragen, allebei, waar Hammond geen direct antwoord op had. 'Ik ben eigenlijk... op doorreis. Was op een conferentie in... Athene.' Athene? Waarom zei hij dat nou? Als Miljanovic vroeg waar die conferentie over ging en door wie die was georganiseerd, was hij de klos. 'En wilde van de gelegenheid gebruikmaken om Belgrado nog eens te bekijken.'

'Reden temeer om me dat te laten weten.' Miljanovic leek echt blij hem weer te zien – en kwam gelukkig niet achterdochtig over. 'Hoe gaat het met je, beste vriend?' Zijn gezicht betrok even, alsof Hammonds voorkomen hem reden tot zorg gaf.

'O, een beetje moe. Maar verder best. En met jou?'

'Ook goed.' En Miljanovic zag er inderdaad goed uit: grijzer en met wat meer rimpels, misschien, maar verder zo slank en levendig als altijd. 'Logeer je hier?'

'Nee, in... het Inter-Continental.' Het was het enige andere hotel dat hij van naam kende, en het leek hem beter dat hij niet deed of hij in het Hyatt verbleef. 'En wat heb jij...' – hij gebaarde naar de vergaderzaal – '... net gedaan?'

'Ah. *Sledeci Novi Beograd.* het Volgende Nieuw-Belgrado. Een consortium met plannen voor bouwprojecten langs de route van de geplande metro naar het vliegveld. Dit keer hebben ze een geïnviteerde groep zakenlieden proberen te overtuigen van de voordelen van het reserveren van een ruimte daar – voor een stevig bedrag, natuurlijk. Een boel computeranimatics, statistieken, en champagne. Ik moest van de directeur de Vocnjak vertegenwoordigen. We zijn net zo'n beetje bezig naar huis te gaan.'

'Nou, dan zal ik je niet langer afhouden... van je vrienden.'

'O, dat zijn mijn vrienden niet, hoewel ze genoeg gedronken hebben om te denken dat het wel zo is. Ik heb mijn plicht gedaan. Waarom gaan wij samen niet even ergens heen? De bar van jouw hotel, misschien?'

'Nou, dat weet ik niet, Svetozar. Het punt is…'

'Je hebt gelijk. Daar is het natuurlijk net zoals hier – vol zakenlieden die zitten te pimpelen. Ik weet wel een betere plek. Kom. Ik rij wel. Mijn auto staat voor.'

'Nee. Ik val alleen maar in slaap. Ik denk echt…'

'Het is dertien jaar geleden, Edward. Eén cognacje op vroeger tijden?'

Weigeren, zo bleek wel, had geen zin. 'Goed. Eéntje dan.'

Ze haalden hun jassen en liepen naar de uitgang, waar ze tegen een grote groep potentiële investeerders in Sledeci Novi Beograd aanliepen, die zich hadden geschaard rond een lange, gezette man met een schallende stem, in een opvallend goed zittend pak dat gemaakt was van een of ander glinsterend en ongetwijfeld zeer kostbaar materiaal. Hij had een grote bos pikzwart haar wat, gezien het verweerde uiterlijk van de man, zeer waarschijnlijk niet zijn natuurlijke kleur was, en de indruk van ijdelheid die dat opriep werd nog eens versterkt door zijn houding en optreden. Het kruiperige gedrag van de mensen om hem heen toonde aan dat zij in elk geval geloofden dat hij genoeg had om ijdel over te zijn.

'Onze belangrijkste gastheer van vanavond,' fluisterde Miljanovic. 'Branko Todorovic.'

Hammond was blij dat Miljanovic op dat moment niet naar hem keek. Anders was zijn geschokte en ontstelde reactie hem zeker niet ontgaan. Hij treuzelde een beetje en zorgde ervoor dat hij buiten het gezichtsveld van Todorovic bleef.

'Ik moet hem even bedanken. Dat zal de directeur zeker willen. Neem me niet kwalijk.'

'Nee, hoor. Ik wacht buiten wel.'

Toen Hammond zich door de draaideur naar buiten spoedde keek hij toch nog even achterom. Miljanovic schudde Todorovic de hand en knikte. Todorovic reageerde met een kneepje in zijn schouder en een waarderende glimlach. Toen keek hij opzij en kruiste zijn blik even die van Hammond.

'Is alles wel goed met je, Edward?' vroeg Miljanovic toen hij even later aan de andere kant van de draaideur bij hem kwam staan. 'Je lijkt op de een of andere manier niet helemaal jezelf.'

'Ik heb onlangs een rib gebroken. Meer niet. Je weet hoe dokters omgaan met pijn.'

'Ah, ja. Hypochonders zijn we, stuk voor stuk. Maar je moet toch voorzichtig aan doen. Hierheen.' Miljanovoc leidde hem omzichtig naar het parkeerterrein.

'Een welgesteld man, die Todorovic?'

'Zou je wel zeggen, ja. Hij en zijn financiers smijten midden in de recessie met geld, dus... moet dat er ook wel zijn. Maar geloof maar niet dat iemand ze durft te vragen waar het vandaan komt. De corruptie is na de oorlog niet gestopt. En heel wat mensen die rijk werden onder Milosevic zijn rijk gebleven.'

'Zoals Todorovic?'

'Precies. Vroeger smokkelde hij benzine. Nu verkoopt hij de toekomst. Waar ik in moet leven. Wees blij dat je niets met hem te maken hoeft te hebben.'

'Ik heb vaak aan je gedacht, door de jaren heen, Edward,' zei Miljanovic toen hij zijn bescheiden Skoda het parkeerterrein afreed. 'Ben je nog... hertrouwd?'

'Nee.'

'Het spijt me dat te horen. Een liefhebbende vrouw is het beste wat een man zich wensen kan.'

'Heb je er inmiddels zelf eentje?'

'Nee, ik citeer in dit geval alleen mijn moeder maar. Mijn vader was de grootste bofkont van Joegoslavië, volgens haar. Hij speelde het zelfs klaar dood te gaan voor het land uit elkaar viel.'

'Maar alles hier is nu toch gestabiliseerd, niet?'

'Gestabiliseerd? Och, ja. Het lijkt er tenminste op. Maar het is niet meer zoals het vroeger was.'

'Je klinkt als de taxichauffeur die me naar het Huis der Bloemen bracht.'

'Daar ben je toch met mij geweest?'

'Ja, inderdaad.' Verdorie. Eén onnadenkende opmerking was al een stap in een mijnenveld. 'Ik, eh... wilde het nog eens zien.'

'O, ja?'

'Is dat zo vreemd?'

'Eerlijk gezegd, Edward, is jouw hele aanwezigheid hier vreemd. Hoewel ik een theorie heb waarom je hier bent.'

'Ik zei je toch al dat...'

'Genoeg.' Miljanovic klopte hem op zijn arm. 'Ik zal je straks, met een glas *slijvovica* in je hand, wel vertellen wat ik denk. Dan moet je me daarna maar tegenspreken. Als je durft.'

'Dragan Gazi.'

Miljanovic glimlachte wrang bij het uitspreken van de naam van hun voormalige patiënt. Hij had gewacht tot na hun toost op mooiere tijden voor hij zijn uitleg op Hammonds aanwezigheid in Belgrado prijsgaf. Ze zaten aan een hoektafeltje in een van de drijvende nachtclubs aan de oever van de Donau. De keus was in deze tijd van het jaar beperkt, maar de African Queen was stil en comfortabel, stijlvol gemeubileerd en opgesierd met zwart-witfoto's van Hollywoodsterren uit vervlogen tijden. Eén daarvan, Errol Flynn, uitgedost als Captain Blood, en vereeuwigd in een sierlijke zwaai met een degen, hing boven Miljanovic' hoofd.

'Laat me dit, voor je zegt dat ik onzin zit uit te kramen, Edward, even uitleggen. Gazi wordt berecht in Den Haag. Je zal je meer met dit proces hebben beziggehouden dan de meeste mensen, omdat jij en ik... persoonlijk betrokken zijn bij deze zaak. Zijn misdaden zijn vreselijk, veel vreselijker dan ik dertien jaar geleden dacht, toen ik toezegde jou te benaderen voor hulp bij zijn behandeling. En we hebben zijn leven gered, nietwaar, jij en ik? Dus vraag jij je af en vraag ik me af: hoeveel mensen zijn dood omdat wij Gazi een nieuwe lever hebben bezorgd? Hij wordt beschuldigd van de moord op zevenhonderd Kosovaarse Albanezen tussen de herfst van 1998 en het voorjaar van 1999, en het antwoord is dus... veel te veel. Is dat onze fout? Zijn deze doden onze verantwoordelijkheid? Nee. Natuurlijk niet. Wij zijn artsen. Wij behandelen iedereen die ziek is, ook als het moordenaars zijn. Maar, maar, maar. Het zit je dwars. Het zit mij dwars. Als het ons niet zoveel geld had opgeleverd, zou het misschien makkelijker zijn. Maar dat heeft het wel. En we namen dat geld graag aan. En nu... vreet het aan je. Aan mij ook. En daarom ben je nu in Belgrado. Er is geen logische reden. Gazi is hier niet. En zijn slachtoffers waren hier nooit. Maar je herinnering aan hem – je link met zijn misdaden – wel. En dus... ben je nu hier. Zit het niet zo, Edward?'

Nee. Zo zat het niet. En toch besefte Hammond, toen hij over het een en ander nadacht, dat het in zekere zin wel zo zat. Omstandigheden hadden hem gebracht naar waar zijn geweten hem op den duur zou hebben geleid. De redenatie van Miljanovic klopte wel, ook al was hij onwaar. Maar van een uitleg waarom hij onwaar was, kon geen sprake zijn. 'Ja. Je hebt gelijk Svetozar. Daar komt het, denk ik, wel zo ongeveer op neer.'

'Nou, beste vriend, wat dacht je hier dan van? Als Gazi die Kosovaar-se Albanezen niet had vermoord, had iemand anders dat wel gedaan. Ar-kans Tijgers, bijvoorbeeld. Wij hielpen Gazi voor het gerecht te brengen door zijn leven te redden. Arkan werd neergeschoten in de lobby van het hotel waar jij verblijft en met militaire eer begraven. Hij zal nooit te-rechtstaan. Zijn vroegere volgelingen stellen hem voor als een gevallen held. Maar met Gazi zal dat anders liggen. Als al zijn misdaden gecatalo-giseerd zijn, en onderzocht, moeten de mensen hem wel zien als massa-moordenaar en als iemand die de rest van zijn leven in de gevangenis hoort. Troost jezelf nou maar met die gedachte.'

'Is die troost wel voldoende, Svetozar?'

'Voor mij wel. En voor jou zou dat ook zo moeten zijn. Natuurlijk heb ik het voordeel, als dat een voordeel is, dat ik een Serviër ben. Ik weet uit ervaring dat niets volmaakt is. We kunnen niet elk kwaad straffen. De vrede berust op pragmatisme. Toen we van Milosevic af waren, dacht ik, zoals veel andere Serviërs, dat alles waar hij voor stond voorbij was. Maar wat gebeurde er? We kozen een premier die probeerde een einde te ma-ken aan de criminaliteit en corruptie, die zelf twee jaar later werd ver-moord. Nadat Dindic was doodgeschoten, hebben we allemaal wat... re-alistischer moeten worden. Er gaan geruchten dat Todorovic vroeger voor Gazi werkte. Dat klopt waarschijnlijk wel. Maar dat weerhield al die za-kenlieden er niet van om zijn champagne te drinken en hem de hand te schudden, vanavond. Dat weerhield mij er ook niet van. Begrijp je wel, Edward? Er zijn meer oorlogsmisdadigers in Belgrado dan in Den Haag. Maar hier zijn geen rechtszaken. Maar alleen koehandeltjes en compro-missen. We kunnen niet hollen voor we kunnen lopen. We kunnen niet lopen voor we rechtop kunnen staan. En we zijn net pas aan het ont-dekken waar onze voeten zitten.'

'En dat maakt Todorovic onaantastbaar, nietwaar?'

'Ja. Vermoedelijk wel.'

'Blijft natuurlijk altijd nog de mogelijkheid dat het Internationaal Ge-rechtshof ook met iets tegen hem komt.'

'Na al die jaren?' Miljanovic lachte Hammond lankmoedig toe en schudde zijn hoofd. 'Dat, mijn vriend, is meer dan waarop je mag hopen.'

'Ga je echt morgen weer weg, Edward?' vroeg Miljanovic toen ze een uur later uit de African Queen naar buiten kwamen in de schokkend koude winternacht. 'Je bent hier nog maar zo kort.'

'Ik moet maandagmorgen weer aan het werk,' legde Hammond uit, en hij vond het ellendig dat hij Miljanovic moest voorliegen. 'En ik heb de zondag nodig om weer wat op verhaal te komen.'

'Ik heb meer dan genoeg werk voor je hier, als je dat wilt, hoewel niemand je zo goed zal kunnen betalen als Gazi. Ik heb heel wat leverpatiënten. Veel meer dan dertien jaar terug.'

'Drankgerelateerd?'

'Veel natuurlijk wel. Maar de grote toename die ik zie is in kanker.'

'O, ja? Hoe kan dat?'

'Wijt het maar aan de oorlog, Edward. Net als al het andere. De NAVO heeft bij zijn bombardementen bommen gebruikt met verarmd uranium en door hun aanvallen op olieraffinaderijen en petrochemische fabrieken zijn er veel andere giftige stoffen vrijgekomen en opgelost in de atmosfeer. De branden in fabrieken hebben dagenlang geduurd. De regen was zwart geworden. We zijn nog altijd bezig de gevolgen van de "humanitaire" ingreep van de NAVO te behandelen.'

'Hier heb ik nog nooit van gehoord.'

'Waarom zou je? Wij zijn de badguys.' Miljanovic lachte.

'Waar lach je om?'

'Ik dacht opeens: al die vervuiling kan Gazi's lever ook geen goed hebben gedaan.'

'Nee, maar ironisch genoeg zag hij er heel goed uit, toen ik...'

Ze stopten. Miljanovic staarde hem door de duisternis aan, waarbij de rimpels op zijn voorhoofd flauwtjes werden verlicht door de lantaarns van een nabijgelegen boot. 'Heb je hem dan gezien?'

'Nou, ik... Ja, ik ben in Den Haag geweest, Svetozar. En heb een tijdje een zitting bijgewoond. Hij zei geen woord. Hij bewoog zich nauwelijks, in feite, en hij heeft mij niet gezien. Het was allemaal nogal... ontgoochelend.'

Miljanovic gaf met een knikje aan dat hij hem begreep. 'Ik heb zelf ook overwogen te gaan. Niet alleen om Gazi te zien. Maar om weer eens te beseffen wat ze allemaal hebben gedaan. Soms moet dat even, vind ik. Zodat ik weer wat beter begrijp waarom we inderdaad de badguys waren.'

'Maar dat was jij toch niet, Svetozar?'

'Echt niet? Ik heb toch niets gedaan om het te voorkomen?'

'Hoe had je dat dan moeten doen?'

'Dat is de smoes die alle Serviërs altijd gebruiken. Hoe hadden we dat dan moeten doen? Maar soms denk ik wel eens dat dat de verkeerde vraag is. Ik denk soms dat we moeten vragen: hoe konden we het niet doen?'

Miljanovic bood natuurlijk aan hem naar het Inter-Continental te rijden, maar Hammond hield vol dat hij liever ging lopen. 'Ik moet mijn gedachten op een rijtje zetten, Svetozar.'

'Met dit weer bevries je die alleen maar, Edward.'

'Ik heb mijn muts.'

'Oké. Ga dan maar lopen. Maar onthoud dat de dokter je dat heeft afgeraden.' Hij schudde Hammond warm de hand en omhelsde hem zo stevig dat zijn ribben kraakten. 'O, sorry hoor,' zei hij toen Hammonds gezicht vertrok. 'Ik was vergeten dat je gewond was. En ik vergat ook te vragen hoe dat is gebeurd.'

'Dat is een lang verhaal.'

'Kwam er seks aan te pas?'

'Helaas niet.'

'Oké. Dan hoor ik het de volgende keer wel.'

'Dat beloof ik je.'

'Voorzichtig, beste vriend.'

'Jij ook.'

Ploeterend door de sneeuw, die niet meer viel, maar in een dikke laag op het trottoir was blijven liggen, en over de stoepranden in verraderlijke hopen met modder, voelde Hammond zich een stuk schuldiger dan hij had verwacht over de manier waarop hij Miljanovic een rad voor ogen had gedraaid. Was hij maar echt naar Belgrado gekomen om zijn geweten te sussen. Maar hij was hier om zijn reputatie hoog te houden. Misschien dat het nog iets goeds opleverde, in de vorm van bewijslast tegen Todorovic waar de rechtbank iets mee kon doen, maar het feit dat hij wilde meehelpen ervoor te zorgen dat Gazi's onrechtmatig verkregen rijkdommen in handen zouden vallen van zijn onwaardige familie, bleef onveranderd. Hij vroeg zich af of Alice daar de reden van was, of dat ze alleen een smoes was. Wilde hij haar beschermen? Of zichzelf? Geen van de antwoorden dekte de lading meer.

Hij was veel langer uit de flat weggebleven dan hij van plan was geweest. De kans was groot dat Piravani inmiddels terug was. Hammond bereidde zich voor op een kregelige ontvangst.

Die kwam al voor hij het gebouw binnenliep, toen er bij het oversteken van het parkeerterrein driftig werd geclaxonneerd. Daarna flitste het licht van koplampen aan, en herkende hij het busje.

Piravani draaide het raampje naar beneden en riep nors: 'Waar heeft ú in godsnaam gezeten, dokter?' Hij klonk niet bepaald vrolijk. 'U heeft me buitengesloten.'

'Ik ging ervan uit dat je een sleutel had.'

'Ik had gezegd dat u binnen moest blijven.'

'Dat kan ik me niet herinneren.'

'Waar wás u?'

'Ik heb gegeten in het Inter-Continental.'

'Niet in het Hyatt Regency?'

'Nee. Hoezo?'

'Nou, dat scheelt. Kom op, we gaan naar binnen. Ik vries hier dood.'

Piravani zei niets meer tot ze in de flat waren. Hij trok een flesje bier open, nam een paar slokken en gooide toen een Servische krant op de keukentafel. De tekst was in cyrillische belettering, waardoor Hammond er totaal niets mee kon. 'De *Politika* van vandaag,' gromde Piravani. 'Die ik nu in elk geval grondig heb kunnen lezen.'

'Sorry. Maar ik bracht het niet op om de hele dag binnen te blijven.'

'Jammer. Maar u zat in elk geval in het Inter-Continental. Volgens de krant gaf onze vriend Todorovic een receptie in het Hyatt Regency voor de lancering van een bouwproject.'

'Nou, en? Ik zou daar toch nooit zijn opgevallen, zelfs als ik er geweest was. Bovendien weet hij helemaal niet hoe ik eruitzie.'

'Hoe weet u dat?'

'Nou… ik ga ervan uit… dat hij…'

'U gaat van heel wat uit, vanavond, dokter. Doe me een lol, en hou daarmee op.'

Hammond zuchtte. 'Goed dan. Jij bent de baas. Hoe is je bezoek aan Dedinje geweest?'

'Het ziet ernaar uit dat de villa nog altijd hetzelfde alarmsysteem heeft dat Gazi heeft laten aanbrengen. Waardoor we naar binnen kunnen.'

'Hoe dan?'

'Dat leg ik later wel uit. Er staat nog iets anders in de krant, wat u eerst moet weten.' Piravani sloeg hem open bij een pagina en wees op een foto van de bovenste helft van een man met een kaalgeschoren hoofd en een stierennek, met ogen die dicht bij elkaar stonden en een stuurs voor-uitgestoken kin. 'Herkent u hem?'

'Nee. Moet dat?'

'Niet echt. Het was donker toen u hem aanreed.'

'Bedoel je... dat dit de man is die ik...'

'Ja. Guido's moordenaar. Door de Milanese politie geïdentificeerd als Branislav Jelicic. Hij blijkt de afgelopen twee jaar al door de Servische po-litie te zijn gezocht als eventuele medeplichtige bij de samenzwering voor de aanslag in 2003 op Zoran Dindic.'

'Dindic? De Eerste Minister?'

'Inderdaad, dokter. Todorovic huurt alleen de beste in.' Piravani keek naar de foto. 'U boft dat u hem voor was.'

'Wordt Guido in dat artikel genoemd?'

'Ja. De politie denkt dat Jelicic hem heeft vermoord, voor hij zelf het loodje legde. Maar verder... tasten ze in het duister. Zeggen ze tenmin-ste. Zijn uw vingerafdrukken ooit genomen, dokter?'

'Nee.'

'Mooi. In dat geval hebben ze geen match voor de afdrukken die ze in de auto hebben gevonden. Maar dat is niet ons enige probleem. Ze zul-len over niet al te lang verbanden gaan leggen tussen Guido, mij en Ga-zi, als ze dat niet allang hebben gedaan, en misschien ook nog wel met Todorovic. Dus we moeten opschieten.' Piravani lachte even naar Ham-mond. 'Ik zou maar gauw gaan slapen, dokter. We moeten morgen vroeg op.'

17

DE OPKOMENDE ZON WIERP LAAGHOEKIGE PIJLEN DOOR HET wielende wolkendek, toen Hammond door het Kalemegdan Park liep. Zijn schoenzolen knarsten over de met ijskorsten bedekte sneeuw, en zijn adem wolkte op in de stille, koude lucht. Hij volgde de route die Piravani hem beschreven had, hield links aan rond de borstweringen van Fort Belgrado, liep voorzichtig een lange trap af en klom even voorzichtig weer omhoog naar het Pobednik Monument.

Het geplaveide plateau rond het monument was verlaten. De Brenger van de Overwinning, op zijn zuil, was alleen, en keek uit over de Sava naar de torengebouwen van Nieuw-Belgrado. Hammond had zijn vertrouwde houvast bij zich – het nu wat gehavende exemplaar van de *Gazzetta dello Sport*. Hij liep naar de reling aan de rand van het plateau en leunde ertegenaan. Hij sloeg de krant open alsof hij inderdaad geïnteresseerd was in het verouderde nieuws over de serie A en keek naar beneden, naar een boot die langzaam maar zeker de Sava op voer naar de plek waar die samenvloeide met de Donau.

Piravani's plan om ongemerkt Villa Ruza binnen te komen, draaide om wat hij nog wist van het alarmsysteem. Er was een oplaadbare zware accu als back-up voor het geval de stroom uitviel. Piravani wist waar die stond en ging ervan uit dat hij die binnen een paar minuten na de inbraak buiten werking kon stellen. Als de stroomvoorziening in de buurt uitviel, zou niemand ervan opkijken als het alarmsysteem even afging.

Het enige wat er gebeuren moest, was dat die toevoer inderdaad onderbroken werd. Het losmaken van de accu zou het systeem dan stilleggen. En om de man te ontmoeten die voor het onderbreken van de stroom kon zorgen, was Hammond naar Kalemegdan gekomen.

Aan de ene kant zag hij zijn meedoen aan de inbraak als een volslagen idiote onderneming. Maar aan de andere kant kon hij de kans op een directe oplossing van zijn problemen die daardoor ontstond – en die achteraf bezien haast chirurgisch van directheid leek – niet weerstaan.

Terwijl hij naar het schip ver beneden hem stond te kijken, hoorde hij opeens een geluid: het ratelende geluid van een koord dat werd gevierd. Hij draaide zich om en zag dat er een man het plateau was opgekomen met een hond aan een rollijn. De terriër snuffelde aan de voet van het monument en trok zich van Hammond niets aan. Maar zijn baasje keek hem recht in het gezicht.

De man gaf zijn hond wat meer lijn en liep naar Hammond bij de reling. Hij was gedrongen, grijs en rond de zestig, ingepakt in een gewatteerde jas, sjaal en pet. Een getrimde snor en een bril met een zwaar montuur gaven hem een goedaardig, bureaucratisch uiterlijk. Hij leek sprekend op de beschrijving die Piravani gaf van Radomir Plessl, de hoofddirecteur van Elektrodustribucija Beograd, die erop had toegezien dat Gazi het ongemak van de stroomonderbrekingen die zo veelvuldig voorkwamen onder het bewind van Milosevic bespaard was gebleven in ruil voor royale aanvullingen op zijn povere inkomen. Piravani had contact met hem opgenomen en had vastgesteld dat hij nog altijd even uitgesproken corrupt was. Het enige werkelijke verschil was dit keer dat hij de stroomtoevoer naar Villa Ruza zou afsluiten in plaats van aanhouden. De ironie hiervan verklaarde misschien de glimlach die om zijn lippen speelde.

'*Dobar dan*,' zei Plessl. '*Hladno je, ne?*' Zijn glimlach verbreedde zich bij het zien van de uitdrukking van onbegrip op Hammonds gezicht. 'Koud hè, zei ik.'

'Ja. Ja, dat is het zeker.'

'Maar Trinko hier moet toch wandelen, dus daar zijn we dan.'

'Meneer Plessl?'

'*Da.* Ik ben Plessl.'

'Dit is voor u.' Hammond gaf hem een dikke, volle envelop, die deels verborgen zat in de *Gazzetta dello Sport*.

Plessl trok een handschoen uit, maakte de envelop open, waaierde door de stapel bankbiljetten die erin zat, leek tevredengesteld, en stopte hem weg in de binnenzak van zijn jas. 'Bedank Marco voor me,' zei hij.

'Dat zal ik doen.'

'Hoe laat wil hij de stroomonderbreking?'

'Morgennacht om één uur. Twee uur lang.'

'Oké. Dan begin ik een paar minuten eerder. Dat lijkt wat… normaler.'

'Ik zal het hem zeggen.'

Plessl kreeg een ruk aan zijn arm toen Trinko het eind van de lijn had bereikt. Hij keek naar zijn hond, en toen weer naar Hammond. 'Ik moet weer verder. Is het duidelijk, wat we hebben afgesproken?'

'Ja.'

'Ik weet niet wat Marco van plan is, maar… succes.'

'Bedankt.'

'*Dovidenja.*' Plessl tikte tegen zijn pet en wandelde vervolgens weg, achter Trinko aan.

Hammond wachtte tot Plessl achter het fort verdween, vouwde toen zijn krant op en liep de weg terug die hij gekomen was.

Het was niet realistisch te veronderstellen dat Plessl en hij de enige bezoekers van het park zouden zijn, hoe vroeg en steenkoud het ook was, dus was er niets uitgesproken verdachts aan de man die links van Hammond opdoemde toen hij de uitgang naar Pariska naderde: een breedgeschouderde lange man met een zwarte overjas en niets op zijn hoofd, ondanks de kou, die stevig doorliep. Maar Hammond was toch achterdochtig – en bang.

Zijn angst nam toe toen hij meteen na de uitgang een min of meer identiek geklede man met eenzelfde soort houding op het voetpad zag rondhangen. Hij stopte, ging aan de kant staan, zwaaide met zijn krant en vroeg zich af of de man achter hem gewoon zou doorlopen en zou blijken dat hij zich ten onrechte ongerust had gemaakt.

Maar zijn ongerustheid bleek niet onterecht. Toen hij om zich heen keek, zag hij de twee mannen op hem afkomen. Het was te laat om het nog op een lopen te zetten en hij kreeg het gevoel dat zich eruit bluffen het beste was wat hij kon doen. Ze hadden iets van politieagenten in burger en hij moest onder de omstandigheden maar hopen dat ze dat ook inderdaad waren.

Zijn vermoeden werd algauw bevestigd toen een van de mannen een politiepenning uit zijn zak haalde en die omhooghield, zodat Hammond die kon zien. '*Policija*,' zei hij bars, en voegde daar nog van alles aan toe in het Servisch waar Hammond geen antwoord op kon geven.

'Sorry, hoor,' zei hij. 'Maar ik weet niet wat u zegt.'

'*Engleski*?'

'Ja, ik ben Engels. Ik ben Brits onderdaan.'

'Paspoort?'

Met tegenzin haalde hij dat tevoorschijn. De man met de penning nam het aan en keek naar de laatste pagina. 'Meekomen, alstublieft,' zei hij, en hij wees naar de weg. Hij maakte geen aanstalten het paspoort terug te geven.

'Wat is er aan de hand?'

'Meekomen, alstublieft.'

'Wat wilt u?'

Toen pakte de andere man hem stevig bij de elleboog en zei iets in het Servisch wat onverzettelijk en vasthoudend klonk.

'Ik adviseer medewerking,' zei zijn collega. En ergens voelde Hammond aan dat dit een goede raad was.

Hij werd het park uit gemanoeuvreerd. Langs de kant van de weg stond een grote grijze door zout en sneeuw bevuilde Mercedes geparkeerd. Toen ze dichterbij kwamen werd er een achterportier opengedaan en een dwingende hand op zijn schouder duwde Hammond erheen.

'Instappen.'

Hij gehoorzaamde, met het licht misselijkmakende gevoel dat het vermoedelijk meer was dan een auto, waarin hij nu terechtkwam. Dit was het moment, dat was hem nu wel duidelijk, waarop het leven dat hij zo lang en zelfgenoegzaam had geleid een andere koers nam. Dit was het moment waarvan hij zichzelf altijd had voorgehouden dat het nooit komen zou. En nu was het er.

De versleten leren achterbank was groot, maar bleek toch krap toen hij terechtkwam tussen de Engelssprekende politieman en de wachtende passagier – met eenzelfde overjas, maar een al met al tengerder figuur, jonger, knapper, met donker, kortgeknipt haar en een jongensachtig gezicht. Hij zei iets tegen de chauffeur, die Hammond geen blik waardig keurde. Ze reden weg met een schok en een schuiver. De politieman die geen Engels sprak zat naast de chauffeur. Hij keek ook strak voor zich uit. Voor hen was het pure routine, voor Hammond het begin van een nachtmerrie. Het hing er maar van af, dacht hij, hoe je ertegen aankeek.

De Engelssprekende politieman boog zich voor Hammond langs en gaf diens paspoort aan de jongere man, die het zorgvuldig, pagina voor pagina, ging zitten doorbladeren.

'Wat is er aan de hand?' vroeg Hammond op hoge toon, hoewel het in zijn eigen oren allemaal nogal slapjes klonk.

'Een ogenblikje.' De bestudering van het paspoort ging verder.

'Ik heb recht op...'

'U heeft recht op niets, meneer Hammond.' De jongeman lachte vluchtig naar hem. 'Geloof me maar, ik ken onze wetten beter dan u.'

'Het is dokter Hammond, om precies te zijn.' Op het moment dat hij dit zei, betreurde hij deze poging om zijn status te benadrukken.

'O ja?' De jongere man haalde een identiteitsbewijs uit zijn zak en liet dat aan Hammond zien. Er stonden een hoop cyrillische letters op, een of ander insigne en een gelamineerde portretfoto. 'Mijn naam is Uzelac. Radmilo Uzelac. Deze heren zijn politieagenten die me helpen bij mijn onderzoek.'

'U bent zelf geen politieman?'

'Nee. Ik ben van de ICEFA, een speciaal aangestelde staatscommissie. Misschien heeft u wel eens van ons gehoord.'

'Volgens mij niet.' Maar Hammond had wel van ze gehoord, natuurlijk. Het was iemand van de ICEFA – en misschien wel Uzelac zelf – die de tip van Zineta had doorgespeeld aan Todorovic. Hij vroeg zich af of de vrees voor een tussenkomst als deze de reden was geweest waarom Piravani had gewild dat híj het geld aan Plessl zou geven.

'Wij hebben tot taak de naar schatting dertig miljard dollar op te sporen die van de staat zijn gestolen door Milosevic en de misdadigers die onder zijn bewind hebben gefloreerd.'

'Nou, succes daarmee, zou ik zeggen.'

'Met die goede wensen van u komen we niet zo ver, dokter Hammond.'

'Meer heb ik u niet te bieden, vrees ik.'

'Ik dacht van wel.'

'Waar gaan we heen?'

'Nergens. We rijden wat rond door de stad, terwijl u en ik bespreken wat u kan doen om de ICEFA te helpen.'

'U heeft de verkeerde man, meneer...'

'Uzelac.'

'Ik weet niets over fondsen die zijn weggesluisd onder Milosevic. Ik ben een gewone Britse toerist.'

'Werkelijk? Dan bent u wel in het verkeerde land. Volgens uw paspoort zit u in Kroatië, niet in Servië.'

'O, ik ben met de trein gekomen en niemand heeft een stempel in mijn pas gezet, dat is alles.'

'Wat trekt u zo aan in Belgrado, in februari? Ons beroemde milde winterweer, misschien?'

'Dat weet ik niet. Ik wilde gewoon… de stad zien.'

Uzelac zuchtte en stak een sigaret op, wat het sein was voor de twee politiemannen om er ook een op te steken. Hammond overwoog te vragen of het raampje open kon, maar zag daar toch maar van af. 'Ik kan u er eentje aanbieden, dokter,' zei Uzelac tussen twee rookwolken door, 'maar ik weet zeker dat u zo verstandig bent om die af te slaan. Slecht voor de gezondheid. Heel slecht. Maar toch lang niet zo slecht als betrokken zijn bij mensen als Dragan Gazi en Branko Todorovic.'

'Wie?'

'Geen stomme vragen, alstublieft. We hebben foto's van u waarbij u een envelop met vijfduizend dinar overhandigt aan een leidinggevende medewerker van de stedelijke elektriciteitsmaatschappij. Niet iemand die u wilde inhuren voor een rondleiding door de stad. Hij heeft ons trouwens al verteld waar het geld voor was bedoeld. U heeft zich daarom schuldig gemaakt aan een poging tot omkoping zowel als aan sabotage.'

'Sabotage?'

'Van de stroomvoorziening van een deel van de stad. Ernstige delicten, dokter Hammond. Als u schuldig bevonden wordt betekent dat heel wat jaartjes in de gevangenis.'

Zoals Uzelac dit zei, klonk het helemaal niet zo gek als het misschien wel leek. Hammonds keel trok dicht. 'Het was… de terugbetaling van een schuld. En had met omkoperij niets te maken.'

'Plessl beweert iets anders. En men zal Plessl geloven. Daar zorgen wij wel voor. Als dat moet. Maar misschien hoeft het niet. Ik bied u de kans schoon schip te maken.' Uzelac keerde zich naar Hammond, en bekeek hem eens goed. 'Weet u waarom we dit niet in mijn kantoor doen – of in een verhoorruimte van het hoofdbureau van politie?'

'U wilt ons gesprek onofficieel houden.'

'Ja. Maar waaróm?'

Hammond haalde hulpeloos zijn schouders op. 'Dat weet ik niet.'

'Dan zal ik u dat vertellen. We hebben een mol bij de ICEFA, dokter

Hammond. Een van onze mensen – en we weten nog niet wie – speelt informatie door aan een van onze belangrijkste doelwitten, Branko Todorovic, de voormalige compagnon van de beruchte Dragan Gazi die op het moment op beschuldiging van oorlogsmisdaden terechtstaat in Den Haag. Als gevolg daarvan werd een recente operatie om Gazi's boekhouder, Marco Piravani, aan te houden op fatale wijze doorkruist door de moord op Piravani's voormalige partner Guido Felltrini in zijn kantoor in Milaan, afgelopen woensdagavond, om te voorkomen dat hij de verblijfplaats van Piravani zou prijsgeven. We weten nu, eigenlijk dankzij Plessl, waar Piravani is, hier in Belgrado. Hij heeft gisteren contact opgenomen met Plessl en toen voor vanochtend met hem afgesproken. Dat maakt u de koerier van Piravani zowel als medesamenzweerder.'

'Ik weet niets van samenzweringen.'

'Alstublieft, dokter, hou nou toch op. Laten we redelijk zijn. U bent met Piravani naar Belgrado gekomen om een strafbare handeling te verrichten. Waarom u hem helpt hoef ik nu nog niet te weten. Hij weet iets over u. Todorovic weet iets over u. Gazi weet iets over u. Wat dan ook. Dat maakt niet uit. Wat wel wat uitmaakt is de strafbare handeling – en de gevolgen daarvan.'

'Ik ben geen misdadiger. Ik ben een...'

'Toerist. Ja, dat weet ik. Door het nog eens te zeggen, wordt het er echt niet geloofwaardiger op.'

Uzelac zei iets in het Servisch tegen de chauffeur die meteen een scherpe bocht naar rechts maakte. Hammond had geen idee waar ze na hun vertrek van Kalemegdan heen waren gereden. En de met rommel bezaaide betonvlakte die ze nu overstaken onder een snelwegviaduct bood verder geen aanwijzingen. De auto reed achter een van de grote pilaren die het viaduct steunden en stopte. Boven hen klonk het gedruis van het verkeer, maar binnen het gezichtsveld van Hammond bewoog niets, behalve een geplette kartonnen doos die lag te slierten en te flappen in de wind.

'De situatie ziet er als volgt uit, dokter. U betaalde Plessl vijfduizend dinar om vanavond de stroomtoevoer van Villa Ruza af te sluiten. Villa Ruza was vroeger het eigendom van Dragan Gazi. Volgens mij zijn Piravani en u van plan in de villa in te breken. Of heeft u wat mensen ingehuurd om dat voor u te doen. Om het even. De stroomonderbreking is nodig om het alarm af te zetten. De huidige eigenaar is in het buitenland en heeft voor zover bekend geen connecties met Gazi. Dus waar bent u op uit?'

Hammond zei niets. Hij wist waarachtig niet wat hij moest zeggen.

'Volgens mij,' ging Uzelac verder, 'wil Piravani reageren op de moord op Felltrini met een directe aanval op Todorovic. Om dat te kunnen doen, moet hij iets hebben wat in de villa verstopt werd in de tijd dat Gazi daar nog woonde. Documenten. Verslagen. Belastend materiaal. Iets waar alleen hij van weet. En u, natuurlijk – zijn medeplichtige. Wat het ook is, wij willen het zien. En we willen het inzetten tegen Todorovic – en wie er verder nog allemaal door worden belast. Dus waarom vertelt u me niet, dokter, wat het precies is wat u zoekt?'

'Ik kan u verzekeren, meneer Uzelac. Dat ik geen…'

'Verzekert u me alstublieft niets, dokter. Dat is zinloos en… te laat. Ik heb geen tijd meer om geduldig te zijn. Praat. Of mijn twee vrienden hier nemen u mee naar die plek daar' – hij wees naar de volgende pilaar – 'en slaan u verrot.

U praat heus wel, dat beloof ik u. De enige vraag is hoeveel tanden u overheeft als u dat doet. O, wat voor soort dokter bent u eigenlijk?'

'Ik ben een leverspecialist.'

'Juist, ja. Opereert u mensen?'

'Ja. Ik ben ook chirurg.'

'Nou, dat is dan voorgoed voorbij, of in elk geval voor heel lang, als deze twee klaar zijn met het vertrappen van uw vingers. *Pravi, Franko?*'

Franko, de Engelssprekende politieman, reageerde door Hammonds linkerhand beet te pakken in een vermorzelende greep. Hammonds gezicht vertrok van pijn toen zijn knokkels werden samengeperst. 'Laat me los,' hijgde hij. Maar Franko liet niet los.

'*Dosta*,' zei Uzelac. Toen pas verzachtte Franko zijn greep.

'Ik ben een Brits ingezetene,' zei Hammond schor. 'Zo kunt u niet met me omgaan.'

'Maar dat doen we toch, als het moet. We kunnen niet toelaten dat Todorovic ons in het gezicht blijft spugen. Hij moet worden gestopt. Maar nu heb ik ook wat goed nieuws, dokter. We kunnen ook samenwerken. Want wij kunnen niet in Villa Ruza inbreken en op zoek gaan naar wat Piravani daar heeft verstopt. Dat zou tegen de wet zijn. Maar Piravani en u wel. En als u me ervan kunt overtuigen dat het materiaal dat u daar wilt weghalen Todorovic kan vernietigen, staan wij u niet in de weg. Wij wachten u dan natuurlijk wel buiten op om het materiaal van u over te nemen. Maar u zult nergens voor worden aangeklaagd. We zetten u op een vlucht naar Londen of waarheen u maar wilt, en daarmee is de kous dan af. En dat geldt ook voor Piravani. Zodra hij het geld van Gazi heeft overgemaakt naar het ministerie van Financiën. Een nieuw begin, voor u allebei.' Uzelac glimlachte. 'Wat vindt u daarvan?'

18

HAMMOND PLOETERDE KOPPIG DOOR DE UITLAATGASSEN VAN het trage zaterdagverkeer heen de brug over de Sava over. De torenflats van Nieuw-Belgrado doemden voor hem op en in een daarvan zat Marco Piravani te wachten tot hij terugkwam. Wat Hammond precies tegen hem zou gaan zeggen, wist hij nog niet. Het maakte veel goed dat de deal die hij met Uzelac had gesloten onvermijdelijk was geweest. Wat had hij anders kunnen doen? Hij had er niets bij gewonnen als hij hen had gedwongen de waarheid uit hem te slaan. Ze hadden toch al grotendeels uitgewerkt hoe die in elkaar zat en hoefden alleen nog maar de villa in de gaten te houden om te voorkomen dat Piravani de geplande inbraak toch zou uitvoeren.

Maar meer leverde deze nuchtere gedachtegang hem niet op. De deal hield in dat Gazi's geld nooit bij zijn familie terechtkwam. Het enige houvast dat Hammond nog had, was de hoop dat de banden zouden bewijzen dat hij niet medeplichtig was aan Gazi's besluit om Kate te laten vermoorden. Uzelac had ermee ingestemd dat een door Hammond aan te wijzen advocaat te zijner tijd een transcriptie van de banden kreeg, wat wel iets was, maar toch niet veel. Ook was er nog de kans dat Gazi, als zijn geld eenmaal in beslag was genomen door de Servische regering, zou besluiten dat zijn bedreiging jegens Hammond geen zin meer had. Misschien dat de listige oude Wolf alleen maar blufte. Misschien.

Maar Uzelac blufte niet. Hij had Hammond en Piravani precies waar hij hen hebben wilde. Maar tot nu toe wist Piravani dat nog niet. En worstelde Hammond nog met het probleem of hij het hem moest vertellen, of niet. Het zou hem niets verbazen als de Italiaan dan zou zeggen dat Uzelac niet te vertrouwen was, af zou zien van de inbraak, en het land zou ontvluchten. Hij wist immers wat het was om altijd op de vlucht te zijn. Maar Hammond wist dat niet, en had er ook geen behoefte aan. Om de orde en regelmaat waar zijn bestaan tot voor kort op was gebaseerd weer terug te brengen, moest hij ervoor zorgen dat de banden in handen van Uzelac kwamen. En alleen Piravani wist waar ze te vinden waren. Zodat zijn uiteindelijke conclusie was, dat het te riskant was om hem over een en ander in te lichten.

'Ben je altijd eerlijk tegen je patiënten, Edward?' had Kate hem eens gevraagd.

'Ik lieg ze in elk geval niet voor,' had hij geantwoord.

'Maar houd je wel eens dingen voor hen achter?'

'Als ik denk dat dat beter voor hen is.'

'En dat maak jij uit?'

'Ja, daar komt het wel op neer.'

'Waar heeft u al die tijd gezeten?' vroeg Piravani bij wijze van begroeting toen Hammond de flat binnenliep. 'Ik begon me al zorgen te maken.'

'Ik ben tussen Kalemegdan en de brug verkeerd gelopen,' antwoordde Hammond, en hij plofte neer in een van de weinig comfortabele leunstoelen.

'Geen omwegen via het Inter-Continental of het Hyatt Regency?'

'Nee.'

'Goed om te horen. En, hoe is de ontmoeting verlopen?'

'Volgens plan. Plessl sluit kort voor één uur de stroom af.'

'Mooi.'

'Heb jij alles gekocht wat we nodig hebben?'

'O ja. We zijn volledig uitgerust. Maakt u zich maar geen zorgen.'

'Dat zal niet meevallen.'

'Waar. Maar…' Piravani hield een exemplaar van de *Politika* van die ochtend omhoog. 'Het zal u genoegen doen te horen dat u nog niet wordt genoemd in connectie met de moord op Guido en de dood van Branislav Jelicic.'

'En nu maar hopen dat dat zo blijft.'

'Ik zou niet weten waarom niet, dokter. Als vanavond alles gaat zoals het moet gaan, zal de vraag wie Jelicic heeft gedood al snel niet meer van belang zijn. We stoppen dan op weg naar Den Haag in Lugano, waar ik het geld van Gazi zal overmaken op de rekening van Ingrid, waarna u niets meer te vrezen heeft.'

'Zoals jij het zegt, klinkt het allemaal heel simpel.'

Piravani glimlachte. 'Dat komt omdat het dat ook is.'

Ze bleven de rest van de dag in de flat. Piravani had van alles te eten en te drinken gehaald, evenals wat dvd's om naar te kijken. Steven Seagal en Sylvester Stallone die overal een grote puinzooi van maakten waren wat Hammond betrof niet erg vermakelijk, maar Piravani, op stoom gebracht door talrijke flesjes bier, vond hen uitermate amusant. Na de film ging hij een paar uur slapen, wat Hammond ook probeerde, maar zonder resultaat. De inbraak was niet langer die onbezonnen onderneming die hij eerst had geleken en had nu in zeker opzicht een officieel tintje gekregen. Maar hij was doodsbenauwd voor het moment waarop Piravani zou merken wat er werkelijk aan de hand was. Deze nacht liep, wat er ook gebeurde, slecht af.

Piravani verrees uit zijn siësta voor een kop sterke koffie en diverse sigaretten en kwam daarna met de mededeling dat hij voor een uurtje of zo – alleen – de deur uit ging.

'Er is iets wat ik moet nagaan,' legde hij uit, waarmee hij niets uitlegde. 'Blijf nou wel hier, oké? Ik ben lang voor we weg moeten weer thuis.'

Hij was in feite al binnen het uur weer terug. Hammonds subtiele vragen over waar hij was geweest, werden even subtiel omzeild. Hij was verwonderlijk ontspannen die avond, en controleerde het gereedschap dat hij had gekocht kalm en grondig.

Ze gingen kort na middernacht de deur uit, gekleed in identieke zwarte overalls en handschoenen. Een korte rit via de snelweg bracht hen over de Gazellebrug naar Dedinje. Om kwart voor een stonden ze in positie in een zijstraat bij Villa Ruza. De surveillance van Uzelac was zo goed geregeld dat daar nergens iets van te bespeuren viel. Als hij niet beter wist, zou Hammond hebben gedacht dat ze de inbraak zonder enige interventie zouden kunnen uitvoeren en dat ze hem daarna zouden kunnen smeren. Maar veel dingen waren anders dan ze leken, wist hij. In een van de talrijke geparkeerde auto's of busjes waar ze langs waren gereden, zat waarschijnlijk een politieteam klaar om aan te vallen als de tijd rijp was.

'Ik ben onder de indruk, dokter,' zei Piravani tijdens het roken van een sigaret, in afwachting van het moment dat de dichtstbijzijnde straatlantaarn zou doven. 'Ik had nooit gedacht dat u aan boord zou blijven.'

'Ik ook niet. Maar je liet me weinig keus.'

'Dat is zo. Maar als je de moed verliest... ben je uitgepraat.'

'Je hebt me duidelijk gemaakt dat het risico de moeite waard was.'

'We hebben geboft. Als de villa bewoond was geweest...'

'Maar dat is hij niet.'

'Nee. Dus krijgen we misschien inderdaad wat we hebben willen.'

'Ik geloof erin, Marco. Jij toch ook?

Piravani grinnikte binnensmonds. 'Jazeker, ik ook.'

Van de zijweg liep tussen de achterschuttingen van de naast elkaar gelegen huizen een in onbruik geraakt dienstpad, overwoekerd door onkruid dat soms wel een meter hoog stond, en nog eens extra volume kreeg door aangekoekte sneeuw. De eerste meters daarvan werden verlicht door de zwakke natriumglans van de ver uit elkaar staande straatlantaarns. Toen die om een paar minuten voor één verbleekten en doofden, viel de duisternis als een cape over alles heen. En mompelde Piravani vastbesloten: 'We gaan.'

De nacht was iets minder koud dan de dag was geweest. De wind was gaan liggen en allerlei druppel- en tikgeluiden wezen op dooi. Piravani deed de rugzak om waarin het gereedschap zat en liep als eerste het pad op. De sneeuw lag hier en daar kniehoog en de ondergrond was oneffen. Van haast kon geen sprake zijn. Het beetje maanlicht dat er was, zwaar gefilterd door de wolkenlaag, werd door de sneeuw gereflecteerd en tekende de omgeving af in flauwe gradaties van zwart en wit.

Na een minuut of vijf gaf Piravani aan dat ze moesten stoppen. Ze hadden de achtermuur van Villa Ruza bereikt. Die was deels bedekt door de verstrengelde takken van een welig tierende doornstruik. Piravani gebruikte een draadschaar om de weg vrij te maken, bevestigde toen een touwladder om boven op de muur te klimmen waar drie strengen prikkeldraad waren die moesten worden doorgeknipt. Hij voerde dit alles uit met een grotere behendigheid dan Hammond ooit van hem had verwacht.

Hammonds eigen afdaling verliep langzaam en pijnlijk. Maar uiteindelijk waren ze over de muur en waadden ze door een dikke laag sneeuw naar de door bosjes geflankeerde rand van een gazon. Daarachter, op een hoger gelegen stuk grond, lag het huis. Piravani koerste daar direct op af over het gazon en leek zich nauwelijks zorgen te maken over de voetaf-drukken die ze achterlieten in de sneeuw. Hij had dan misschien geen haast, maar hij was duidelijk wel een man met een missie. Op enige af-stand ging een alarm tekeer dat in werking was gesteld door het uitval-len van de stroom, wat, besefte Hammond, beter was voor hun bezighe-den dan stilte. Het had ook een hond aan het blaffen gezet, wat nog meer hielp om het lawaai dat zij zelf maakten te overstemmen. Maar de hei-melijkheid van hun operatie had niet veel zin, wist hij, omdat ze straks toch tegen de lamp zouden lopen.

Ze bereikten de directe omgeving van het huis en Piravani koerste naar links, waar met enige moeite in de schaduw van het hoofdgebouw een vleugel van één verdieping hoog te bespeuren viel. Hij stopte even om zich te kunnen oriënteren en liep toen voorzichtig over het met sneeuw bedekte grind naar een deur met twee vuilnisbakken ernaast die onder een schuifraam zonder gordijn stonden opgesteld. Hij scheen met zijn zaklantaarn naar binnen en mompelde met duidelijke voldoening bin-nensmonds: 'Oké, oké.'

'Alles nog hetzelfde als vroeger?' fluisterde Hammond.

'Zo te zien wel, ja. Breek het glas en we zijn binnen. Ik weet niet precies waar de dichtstbijzijnde bewegingssensor zit, maar dat ik het alarm in werking zet voor ik het bedieningspaneel heb bereikt, is wel ze-ker. U wacht hier tot het stilvalt, duidelijk?'

'Duidelijk.'

'Mooi.' Piravani deed de rugzak af en haalde er een hamer uit. Hij leg-de de voorste vuilnisemmer op zijn kant en duwde die tot onder het raam. Toen sloeg hij een gat in het glas van een van de panelen, stak zijn hand naar binnen en schoof het raam omhoog. 'Makkelijk, hè, dokter?'

'Kijk nou maar uit.'

'Oké. Hou die bak even tegen.' Dat deed Hammond. Piravani klom erop, werkte zich door het raam naar binnen, en verdween het donkere huis in. Even later begon het alarm te piepen. Dat gaf Piravani volgens zijn eigen berekening dertig seconden om het uit te zetten voor het af-ging.

Hij ging daarbij niet al te omzichtig te werk. Hammond zag binnen overal lichtflitsen van de zaklantaarn heen en weer schieten, hoorde hoe er een deur werd opengewrikt, en daarna allerlei ondefinieerbaar gebonk en geratel. Toen klonken er diverse harde klappen van de hamer en het geluid van versplinterend hout of plastic.

Het alarm ging af met een oorverdovend gehuil, maar werd bijna meteen het zwijgen opgelegd. Het was weer stil in huis. Piravani kwam bij het raam staan. 'Komt u binnen, dokter,' zei hij. 'We hebben het huis voor onszelf.'

Hammond gaf de rugzak door naar binnen en kroop er toen, met ingehouden adem om de pijn in zijn ribben te minimaliseren, achteraan. Ze bevonden zich in een bijkeuken, waar in de schaduw vaag de hoekige vormen van een vaatwasser en een paar wasmachines te zien waren.

'Loop maar achter me aan,' zei Piravani. Hij hield zijn zaklantaarn op de vloer gericht en loodste hen een gang door langs een paar gelijkvormige ruimtes en de keuken voor ze uitkwamen in een hoek van de ruime hal. Ze liepen naar de grote voordeur, waar het maanlicht melkachtig door de uitbundige sierkrullen van het waaiervenster erboven naar binnen viel, sloegen af bij de voet van de brede trap met marmeren balustrade, en liepen die op.

Piravani wist boven aan de trap meteen in welke kamer ze moesten zijn. Ze stapten een grote, vierkante ruimte binnen met ramen die uitkeken op de achterkant van het huis. Er lagen stoflakens over allerlei soorten meubels, en daar waar er een was weggegleden, was een enorme breedbeeld-tv zichtbaar geworden. De muren waren versierd met een paar sombere oude schilderijen.

'Gordijnen sluiten,' zei Piravani. Hij zette de rugzak neer en trok de rits open. Hammond schoof de gordijnen dicht en zag toen hij zich omdraaide, dat zijn metgezel met de lantaarn op een van de schilderijen scheen. Daar stond een hert op afgebeeld dat door jachthonden aan stukken werd gescheurd, op een met dikke verflagen aangebrachte berghelling. 'Ik mag de nieuwe eigenaar nu al niet,' gromde Piravani. 'En verheug me bij voorbaat op de indrukwekkende rekening voor de opknapbeurt die hij straks dankzij mij gaat krijgen.'

Hij tilde het schilderij van de haak, gooide het op de met een stoflaken bedekte zitting van een leunstoel, haalde daarna een houweel uit de rugzak en begon doelbewust op de muur in te hakken. Het pleisterwerk scheurde en viel geleidelijk aan in steeds grotere stukken weg, terwijl de klappen als donderslagen door het huis galmden. Niet lang daarna kwam het metselwerk eronder bloot te liggen.

'Schijn eens met de lantaarn over de bakstenen,' hijgde hij.

Hammond deed wat hem werd gezegd. Piravani stapte achteruit en be-

studeerde de muur in het licht van de lamp dat langzaam over de vrijgekomen metsellagen voortbewoog.

'Daar,' zei hij opeens.

'Wat?'

'De nieuwere metselspecie. Die is lichter van kleur.' Van dichterbij zag
Hammond dat over een oppervlak van ongeveer een halve vierkante me-
ter inderdaad een lichtere metselspecie tussen de stenen zat dan elders.
'Daar zit de safe.'

Ze pakten allebei een hamer en een beitel en begonnen de specie uit te
steken. Het was een moeizaam en bewerkelijk proces. Op het metselwerk
van Gazi viel in elk geval niets aan te merken. Er verstreken bijna tien minuten voor ze de eerste steen konden loswrikken. Maar ze werden beloond
door het zicht op het gehamerde metaal van de safe erachter.

Toen er één steen uit was, konden de andere eromheen met een koe-
voet worden losgemaakt. Die vielen een voor een weg en daar, voor hen,
was de deur van de safe. Hammond had een grotere verwacht. Maar voor
Gazi was hij kennelijk groot genoeg geweest.

'Ik maak me sterk dat hij in Scheveningen heel wat nachtjes wakker
heeft gelegen uit angst dat iemand dit ooit zou vinden,' zei Piravani. 'Nou,
daar hoeft hij dan nu niet meer bang voor te zijn. Daarvoor niet.'

'Weet jij de combinatie, Marco?'

'O ja. De geboortedatum van zijn zoon Nikola. Tweeëntwintig, elf,
tachtig. Schijn eens met de lamp op de draaiknop.'

In de safe lag een grote schoenendoos die bijna de hele ruimte in beslag nam. Piravani haalde hem eruit, trok een stoflaken weg van een kof-
fietafeltje in de buurt en zette hem neer. Toen hij de deksel eraf haalde
scheen Hammond met de lamp op de inhoud: stapels audiocassettes die
met grote elastieken banden bij elkaar werden gehouden. Piravani licht-
te er eentje uit en zette zijn bril af om de kleine met potlood geschreven
notitie op het label van de bovenste cassette te lezen, deed toen hetzelfde met de volgende stapel, en de daarop volgende.

'Op de labels staan de data die elke cassette beslaat,' verklaarde hij. 'Ze
lopen van december vijfennegentig tot maart tweeduizend. Elk gesprek
dat Gazi hier in die periode heeft gevoerd waarvan hij een geheime opname wilde. Dit is de complete verzameling.' Hij deed de deksel er weer
op en stopte de doos in zijn rugzak. 'We hebben waarvoor we gekomen
zijn, dokter.' Toen hij lachte glinsterde het licht van de zaklamp op zijn
tanden en brillenglazen. 'Goed werk, niet?'

'We kunnen elkaar feliciteren, Marco. Zullen we dan nu maar gaan?'

'Best. Maar… er is een kleine verandering in het plan.'

'Hoe bedoel je?'

'Dokter, dokter. Denkt u nou echt dat ik gek ben?' Piravani klakte afkeurend met zijn tong. 'U bent toen u van Kalemegdan vertrok door de politie opgepakt. Plessl heeft het me allemaal verteld. Hij wilde helemaal geen dubbel spel met me spelen, weet u. Maar werd gedwongen door de politie. Die hield hem al lang in de gaten als voormalig knechtje van Gazi voordat ik contact met hem opnam. De enige reden voor u waarom u niets tegen me heeft gezegd over uw arrestatie door de policija, is volgens mij dat u de een of andere deal met ze heeft gesloten. Wat ik u niet kwalijk neem. Ze gaven u waarschijnlijk niet veel onderhandelingsruimte. Maar u had het me wel moeten vertellen. Echt. Omdat ze ons vermoedelijk staan op te wachten bij het busje, niet? Om ons van de bandjes af te helpen. Nou, ik ben niet van plan dat te laten gebeuren. Wat verklaart waarom we niet naar het busje teruggaan.'

'Moet je horen, Marco. Ik wilde alleen…'

'Laat maar, dokter.' De stem die hem in de rede viel was niet die van Piravani. Hij kwam van de overloop. Beiden draaiden zich onwillekeurig naar die kant. 'Hij heeft het helemaal bij het rechte eind. U gaat niet terug naar het busje.'

Toen herkende Hammond met de schok van een mokerslag de stem. Die was van Radmilo Uzelac.

Een zaklantaarn veel sterker dan die van hen overspoelde het deel van de kamer waar zij stonden met licht van een duizelingwekkende felheid. Het enige wat ze tot nog toe van Uzelac hadden kunnen zien was een glimp: een donkere gestalte in de deuropening. Ook die was nu weg.

'Ik heb een wapen en ik schiet zodra een van jullie mijn kant op komt. Is dat duidelijk?'

'Duidelijk,' siste Piravani, die zijn ogen probeerde af te schermen.

'U hebt nooit gezegd dat u het huis zou binnenkomen,' protesteerde Hammond, beschaamd omdat hij zo dom was geweest om de man te vertrouwen. 'U zei zelfs dat… de ICEFA zoiets helemaal niet mocht.'

'Wat ik gezegd heb is niet van belang. Wat ik nu zeg, wel. Ik wil de bandjes.'

'Ik, niet wij,' grauwde Piravani. 'Snapt u het nu, dokter? Dit is niet de politie of een actie van de ICEFA. Deze vent werkt voor Todorovic.'

'Ik werk voor mezelf.'

'Oké. Dan wil je de banden aan Todorovic verkopen. Zoals je hem de informatie verkocht die Guido het leven heeft gekost. Het maakt uiteindelijk allemaal niets uit.'

'Geef me die bandjes nou maar.'

'Waarom kom je ze niet halen?'

'Omdat ik dat niet hoef. Haal de doos uit de rugzak en schuif die naar me toe. Als je dat niet doet, schiet ik jullie allebei neer. En kom ik ze daarna wel halen.'

'Je schiet ons toch wel neer. Anders vertellen we je bazen dat je de boel belazert.'

Toen Piravani dat zei, realiseerde Hammond zich dat hij ongetwijfeld gelijk had. Dit was waar de hele deal van het begin af aan al om had gedraaid. De twee politiemensen en de chauffeur van de auto kregen allemaal een deel van het bedrag dat Uzelac Todorovic afhandig zou gaan maken. De ICEFA had nooit van de inbraak af geweten. En zou ook nooit iets over de bandjes te horen krijgen.

'De enige reden waarom je ons nog niet hebt neergeschoten,' zei Piravani, 'is dat je de bandjes nog niet met je eigen ogen hebt gezien. Je wilt zeker zijn, toch? Voor het geval ik misschien de een of andere streek uithaal. Je wilt helemaal zeker zijn.'

'Geef me die doos.'

'Doet u het maar, dokter,' zuchtte Piravani. 'Ik breng het zelf niet op.' Hij duwde Hammond met een zacht duwtje in de rug naar voren, alsof hij te kennen gaf dat het spel voorbij was.

Hammond liep langzaam naar de rugzak en boog zich eroverheen. Hij trok de half dichtgetrokken rits open en haalde er de schoenendoos met de bandjes uit.

En toen viel het eerste schot.

19

DE KAMER VULDE ZICH MET LAWAAI EN HAMMOND DOOK NAAR
de vloer. Een schot, toen nog een, daarna een derde, vierde, vijfde –
in hoog tempo na elkaar. De lichtstraal van Uzelacs lamp zwierde kriskras over de muren en het plafond. Toen viel er iets in de buurt van
Hammond met een dreun die door de vloer heen voelbaar was. Achter
hem klonk gekreun. Hij rolde opzij en zag Piravani op zijn knieën, die
zich vastklampte aan de rand van de koffietafel. Al het licht scheen
nu langs de vloer, waardoor de schaduwen reusachtig en grotesk werden.

Hammond richtte zijn zaklantaarn op Uzelac. De Serviër lag met opgetrokken benen op zijn zij, duwde met zijn ene hand tegen een wond
en probeerde met de andere zijn wapen te pakken dat een eindje verderop lag.

'Maak hem af,' hijgde Piravani naar adem snakkend. 'Vlug.'

Zelfbehoud is een krachtig instinct. Het verjoeg de paniek en de twijfel uit Hammonds geest waardoor er slechts een keiharde mentaliteit van
doden-of-gedood-worden overbleef. Hij greep de hamer, sprong overeind en nam gebukt twee grote stappen de kamer door.

Uzelac lag nu voor hem en klauwde nog steeds naar het wapen. Hammond schopte dat buiten zijn bereik en zag toen pas de plas bloed waarin hij stond. Die werd snel groter en er borrelde ook bloed uit de mond
van de Serviër, die met gierende teugen probeerde adem te halen. Ham-

mond realiseerde zich met een schok dat hij de hamer zou hebben gebruikt, als dat nodig was gebleken. Dat was wel duidelijk. Maar het hoefde niet. Uzelac lag voor zijn ogen te sterven.

'Wees maar niet bang,' zei hij, en hij draaide zich om naar Piravani. 'Hij is...' Maar de Italiaan lag niet meer tegen het tafeltje aan. Hij was languit op de vloer gezakt. Hammond holde naar hem toe. 'Marco?'

'Ik voel me niet zo best, dokter,' zei Piravani tussen zijn samengeklemde tanden door. 'Hij heeft me geraakt.'

'Waar? Ik zie geen bloed.' Hammond scande Piravani met de zaklamp, angstvallig, maar zonder resultaat. Hij kon geen wond vinden, hoewel zijn donkere kleding en de verwarrende wisselwerking van de schaduwen geen absolute zekerheid boden.

'Ergens in mijn buik. Gesù, wat doet dat pijn.'

Als hij inwendig bloedde, kon Hammond alleen maar wat voor hem doen in een ziekenhuis. Hij pakte zijn telefoon. 'Ik bel een ambulance. Wat is het alarmnummer?'

'Gelukkig weet u dat niet.'

'Doe niet zo stom, Marco. Wat is het nummer?'

'We bellen niemand, dokter. Als er een ambulance komt, is de politie niet ver. Wie dacht u dat er verder nog op de loonlijst van Todorovic stonden? Die bandjes moeten absoluut naar Den Haag.'

'Zonder een behoorlijke medische behandeling, red je het niet. Wat dacht je van de Vocnjak Kliniek? Ik kan contact opnemen met Miljanovic.'

'Kunnen we die vertrouwen, volgens u?'

'We moeten wel, denk ik.'

Piravani dacht hier even over na. Toen begon er een telefoon te rinkelen, in de zak van Uzelac. 'Dat zullen zijn kornuiten wel zijn. Die schoten hebben gehoord en willen weten of alles in orde is. We moeten hier wegwezen voor ze hem komen zoeken. Misschien kunnen we Miljanovic bellen als we het huis eenmaal uit zijn.'

'Kan je lopen?'

'Ik moet wel.' Piravani ging weer op zijn knieën zitten. Hammond knielde naast hem en steunde hem onder zijn armen. De lichtstraal toon de bloeddruppels op de grond. Hij bloedde wel, maar niet overvloedig. Elke zware inspanning kon daarin verandering brengen, maar dat was een risico dat ze moesten nemen. 'Pak de revolver. Achter me.'

'Ik wist niet eens dat je een wapen had,' zei Hammond, en hij tastte met één hand om hen heen, terwijl hij met de andere Piravani overeind hield.

'Gisteravond gekocht. Een wapen is een verstandige voorzorgsmaatregel in deze stad, dokter. Zoals u hebt gemerkt.'

'Heb jij als eerste geschoten?'

'O ja. Ik ging ervan uit dat hij u in de gaten hield, en niet mij. Hem neerschieten was onze enige kans.'

Hammond vond het wapen en pakte het voorzichtig op. Het was kleiner dan dat van Uzelac, een revolver met een extra korte loop die het in de ogen van Piravani makkelijker moest maken hem rond te dragen in de zak van een overall.

'Hebbes.'

'Mooi. Stop hem in uw zak.' Op dat moment hield de telefoon op met overgaan. 'Ze vragen zich vast af waarom hij niet heeft opgenomen. Nu wachten ze waarschijnlijk nog vijf minuten om te zien of hij naar buiten komt, maar langer zeker niet. Met hoeveel zijn ze?'

'Bij Kalemegdan waren er behalve Uzelac nog drie.'

'Oké. Dan zeggen we drie. Eentje blijft bij het busje. Een tweede neemt dezelfde weg als Uzelac – die vermoedelijk onze sporen door de sneeuw heeft gevolgd naar het open raam beneden. De derde bewaakt het voorhek. Op die manier hebben ze ons dan in het nauw gedreven, denken ze.'

'En is dat niet zo?'

'Nee. Omdat Gazi een paranoïde klootzak was, zoals ik u al zei. Milosevic was een gevangene in zijn eigen huis, tegen het eind. Gazi zag het gevaar dat hem dat ook zou overkomen en groef...' Piravani huiverde en viel stil, en ademde toen langzaam en zachtjes in. 'Groef een tunnel. Die van de kelder naar de toegangsschacht van een rioolbuis onder de volgende zijstraat loopt. Toen ik vanavond weg was, heb ik de deksel van het mangat losgehaald. Langs die weg had ik willen ontsnappen. Er is een tweede busje, dokter. Dat in de buurt staat. We moeten nu alleen nog maar hopen... dat de nieuwe eigenaar van dit pand... de tunnel niet heeft geblokkeerd.'

'Je bent helemaal niet in staat om door een tunnel te kruipen, Marco.'

'Ik kan het proberen. Help me op.'

Om Piravani overeind te krijgen was een hele klus, maar Hammond kreeg het voor elkaar, terwijl hij probeerde zich zo min mogelijk aan te trekken van de pijn in zijn ribben. De Italiaan leed duidelijk veel meer pijn en leek alleen nog te functioneren op zijn wilskracht. Ze wankelden langs het levenloze lichaam van Uzelac door de kleverige plas bloed naar de deur, waar Hammond Piravani even tegen een muur aan liet zitten, terwijl hij de rugzak haalde, waarin de doos met bandjes zat weggestopt. Daarna strompelden ze over de overloop naar de trap en begonnen aan de afdaling. Piravani leunde bij elke trede zwaar op de leuning. Tot opluchting van Hammond was hij zo op het oog niet harder gaan bloeden. Maar die opluchting was maar heel voorwaardelijk, omdat het aannemelijk was dat zijn buik volliep met bloed. Er was een grens aan hoe ver zijn wilskracht hem zou brengen.

De toegang naar de kelder was onder de trap in de hal: een deur die uitkwam op een steilere trap die in een golf van duisternis verdween. Piravani rustte nu bijna met zijn hele gewicht op Hammond. De Italiaan moest eerst stoppen om op adem te komen en wat kracht te verzamelen voor ze verder konden.

Ze daalden af in een kou als van een graf en een lucht die zo vochtig was, dat hij op de keel sloeg. Hammond scheen met de lamp voor hen uit en zag een grote ruimte met een betonnen vloer die voornamelijk diende voor de opslag van overtollig meubilair. Tegen een muur stond een wijnrek dat maar voor een kwart was gevuld met flessen. Tegen een andere muur stond alleen een lege metalen kast.

'Als ik nu niet ga zitten, val ik om,' zei Piravani buiten adem, leunend tegen de omhoogstekende poten van een stapel eetkamerstoelen. 'Zet eentje hiervan bij de kast.'

Hammond tilde een stoel van de stapel, zette die neer, en bracht Piravani erheen. De Italiaan slaakte een zucht van opluchting toen hij zich liet zakken op het kussen, wat klonk als de lucht die ontsnapt uit een lekke band. Hij hield zijn hoofd achterover alsof dat voor hem de enige manier was om te voorkomen dat hij naar voren zou kiepperen.

'Hoe voel je je, Marco?' vroeg Hammond, die door de stofdeeltjes in het licht van de zaklamp niet kon zien hoe bleek hij was.

'Slap. Zo voel ik me, dokter. Maar we hebben geen tijd om te...'

Boven hen klonk een geluid: gekraak van de vloer uit de richting van de keuken. Hammond deed meteen de lamp uit. Totale duisternis sloot hen in. Geen van de mannen bewoog of sprak. De korte, aarzelende stootjes van Piravani's ademhaling waren het enige geluid in de kelder.

Hammond spitste zijn oren om te horen of er meer lawaai van boven kwam en hoopte elke seconde vuriger dat het gekraak een toevallig uitzetten of inkrimpen van het houtwerk van het huis was geweest. Hij wilde er gewoon niet aan dat een van de handlangers van Uzelac nu al het huis was binnengedrongen.

Maar dat was wel zo. Want daar klonk even later opnieuw het gedempte piepen van Uzelacs telefoon, dat werd gevolgd door de overduidelijk voetstappen van iemand die op het geluid afging.

Piravani pakte Hammonds schouder en trok hem dicht genoeg naar zich toe om in zijn oor te kunnen fluisteren. 'Vlug. Aan het andere eind van de kast zit een opening waar je een hand in kan steken om hem weg te trekken van de muur. Hij is aan de achterkant gescharnierd. De deur naar de tunnel zit erachter.'

'Maar dan hoort hij me natuurlijk, Marco.'

'Dat weet ik. Geef me de revolver. Dan houd ik hem tegen, terwijl u de benen neemt.'

'Ik laat je hier niet achter.'

'U moet wel. Ik kan niet verder. De tunnel is zo'n honderd meter lang en leidt naar een luik in de toegangsschacht van de rioolbuis. Daarvandaan is een ladder naar het mangat.'

'Ik laat je hier niet achter, Marco.'

'Er is er blijkbaar hier maar één die zijn hoofd erbij houdt, dokter. Als u bij me blijft, komen de bandjes bij Todorovic terecht. U moet ze naar Den Haag brengen. Anders is dit allemaal voor niets geweest. Probeer niet het land uit te komen per trein of door de lucht. Hier is de sleutel voor de flat. En het sleuteltje voor het andere busje.' Hij worstelde om ze uit zijn zak te krijgen en duwde ze in Hammonds hand. 'Er zit een recorder waarop u de bandjes kunt afspelen in mijn tas. Neem die mee, en mijn geldgordel voor het geval er iemand omgekocht moet worden. Rijd naar de Roemeense grens. Via de E 70 bent u daar in...'

Het gepiep van Uzelacs telefoon was gestopt en er hing een doodse stilte in het huis. Toen hoorden ze een andere vloerplank kraken.

'Hij heeft het lijk gevonden,' ging Piravani verder, kalm maar hardnekkig. 'En gaat zo direct de rest van het huis doorzoeken. Het kan wel even duren voor hij hier beneden komt, maar ik heb straks de kracht niet meer om de kast na uw vertrek weer op zijn plaats te duwen, dus moeten we nu aan de gang.'

Hammond probeerde uit alle macht om een goede oplossing voor de situatie te verzinnen, maar dat lukte gewoonweg niet. Of hij liet Piravani in de steek, of hij moest niet langer proberen te ontsnappen. De kans dat ze het beiden zouden redden, werd met de minuut kleiner. Hij was bang, maar hij was ook boos. Hij verdiende het niet om dit soort besluiten te moeten nemen. Maar hij zat er maar mee. Hier en nu.

'Beloof me dat u de bandjes aflevert in Den Haag, dokter. Dat is alles wat ik van u vraag.'

'Marco, ik…'

'Beloof me dat.'

En daar, op dat moment, werd de keuze bepaald. Hij vormde zich als iets hards en scherps in Hammonds geest. Hij kneep in Piravani's hand. 'Ik doe alles wat ik kan.'

'Geef me de revolver.'

'Hier.' Hammond vouwde Piravani's vingers rond de kolf van het wapen.

'Geen zorgen over mij, ik bel een ambulance zodra ik met onze vriend boven heb afgerekend.'

'Doe dat.'

'Bedankt dat u niet naar het geld hebt gevraagd.'

'Welk geld?'

'Van Gazi, natuurlijk. Daarom staat u nu hier, weet u nog?'

Dat was Hammond inderdaad ontschoten. Het geld. Hoe armzalig kwam zijn poging om Gazi's zwijgen af te kopen nu over. Hoe armzalig – en hoe zinloos. 'Het geld kan me niet meer schelen, Marco.'

'Ik ben blij dat u dat zegt, dokter.'

'Het is zo.'

'Mooi. Ga nu.'

'Weet je het zeker?'

'O ja. Heel zeker.'

'Tot kijk, Marco.'

'Dat hoop ik ook, dokter. *Buon viaggio.*'

Hammond knipte de zaklantaarn aan, wachtte even tot zijn ogen aan het heldere licht van de lamp waren gewend, liep toen naar het eind van de kast en stak zijn hand in de opening tussen de kast en de zijmuur. Hij wist zijn vingers achter de kast te krijgen, legde de lantaarn neer, pakte hem met beide handen beet en begon te trekken.

Eerst was er geen beweging in te krijgen. Hij ademde, ondanks de pijn in zijn ribben, diep in en probeerde het nog eens. Dit keer verschoof de kast, hij schraapte luidruchtig over de vloer en draaide naar buiten aan de verborgen scharnieren aan de andere kant. Hij scheen met de lamp in de ruimte erachter en zag de deur van de tunnel: van dik staal en met twee grote grendels.

Hij keek om naar Piravani die hem wegwuifde met een driftig zwaaien van zijn arm. Hammond stak een hand op als reactie – en ten afscheid. Toen dook hij weg achter de kast en liep naar de deur.

Hij schoof de grendels opzij en scheen met de lamp in de tunnel. Die was ruim een meter breed en bijna twee meter hoog, en liep kaarsrecht voor hem uit de duisternis in. De wanden, vloer en het dak waren van ruw cement en bedekt met spinnenwebben. Een mens moest inderdaad wel erg in het nauw zitten om dit als ontsnappingsroute te gebruiken.

Hij stapte de tunnel in, trok de deur achter zich dicht en tikte er drie keer tegen als signaal voor Piravani. Toen begon hij te lopen.

Hij moest zich een beetje bukken om zijn hoofd niet te stoten, en met de enig aanwezige lichtbron in zijn hand was het moeilijk om afstanden te schatten. Hij hield de vaart erin, en probeerde er niet aan te denken dat de uitgang misschien wel geblokkeerd zou blijken te zijn. Van claustrofobie had hij nooit last gehad. Hij wist dat de angst die hij voelde niet meer dan redelijk was. Een gedempte bonk achter hem moest de kast zijn, die weer terugschoof tegen de deur. Een geluid dat elke andere kans die hij nog had letterlijk en figuurlijk afsloot.

Uiteindelijk weerkaatste de lichtstraal voor hem tegen iets van staal. Hij ging nog wat sneller lopen en zag wat het was: een rond luik, met een diameter van ongeveer zestig centimeter in de muur aan het eind van de tunnel.

De hendel van het luik ging nog zwaarder dan de grendels. Tegen de tijd dat hij daar beweging in kreeg, was hij ondanks de vrieskou in de tunnel bedekt met zweet en leek de pijn in zijn ribben zich door zijn hele lijf te hebben verspreid. Voor hij het luik kon opentrekken, moest hij eerst op adem komen. En wat hij daarna zag, aan het eind van een korte kruipruimte, was een tweede luik.

De pijn kon hem nu niet meer schelen. Hij wilde hier weg. Hij wilde de nachtelijke lucht boven zijn hoofd zien. Hij klauterde de kruipruimte in en zocht steun tegen de muur. Toen pakte hij de hendel en trok. Die gaf mee.

Uit de golf van smerige, zwavelachtige lucht die hem overspoelde begreep hij dat hij de toegangsschacht van het riool had bereikt. Het luik kwam daarop uit, naast een metalen ladder die een meter of vier, vijf naar boven liep, naar de deksel van het mangat. Als hij met de zaklantaarn in de schacht leunde, kon hij de deksel zien, waarvan de vingergaten in de cirkelomtrek hem toelonkten. Bang dat het licht de aandacht zou trekken, deed hij de zaklamp uit, stak die in een zak van zijn overall en maakte zich op voor de weg omhoog.

Hoe hij precies van de kruipruimte bij de ladder kwam, werd versluierd door een nevel van pijn. Maar nu stond hij er toch, en trok hij zichzelf op, hand voor hand, sport voor sport, in de verstikkende duisternis. Hij had de sporten geteld voor hij de lantaarn wegstak, en nu telde hij ze tijdens de klim af.

Maar hij had zich blijkbaar vergist. Er was er eentje minder dan hij had verwacht. Toen hij de bovenste sport beetpakte sijpelde het zwakke maanlicht door de vingergaten op zijn knokkels. Hij had het gehaald.

Hij wist niet wat Piravani had gedaan om de deksel van het mangat los te krijgen, maar het had gewerkt. Het kostte weinig moeite om hem uit de rand te tillen. Hammond keek uit in een lange, verlaten straat. Waar nergens een busje te bekennen was. Hij keek de andere kant op.

En daar stond het, op nog geen tien meter bij hem vandaan. Een gedeukte oude Transit, die veel weg had van het busje waarmee ze eerder die nacht naar Dedinje waren gekomen. Hij duwde de deksel opzij, zette alles op alles, en hees zich toen omhoog.

Hij kroop de weg op, waar hij eerst weer op krachten moest komen. Hij had zichzelf altijd als een fitte man gezien, maar daar merkte hij nu niet zoveel van. Hij vroeg zich af wat zich daarbinnen, in Villa Ruza, afspeelde. En besloot toen om dat van zich af te zetten. Piravani wilde dat hij veilig ontsnapte en geen tijd verloor met allerlei zorgelijke gedachten.

Hij stond op, duwde met zijn voet de deksel terug in het mangat, haalde het sleuteltje uit zijn zak en liep naar het busje. Hij kwam bij het portier van de auto, pakte de hendel, en probeerde het sleuteltje in het slot te steken. Maar dat paste niet. Hij pakte zijn zaklamp en scheen op het slot, in de veronderstelling dat hij het sleutelgat had gemist. Maar nee. Dat was het probleem niet.

Het probleem was ijs. Het busje had daar sinds vrijdag bij temperaturen onder nul in de kou gestaan en het slot was bevroren. Dat er ook nog een spuitbus met een ijsbestrijdingsmiddel nodig zou kunnen zijn, had Piravani niet voorzien. Hammond vloekte binnensmonds, trok een van zijn handschoenen uit en wreef over het slot, vouwde toen zijn handen samen en blies er warme lucht tegen. Maar het mocht niet baten. Het slot was stijf bevroren.

Het slot aan de passagierskant ook. Hij had zijn vluchtauto, maar kon er niets mee als hij er niet in kon.

Er bleef hem maar één ding over. Hij pakte de hamer uit de rugzak en sloeg met een paar klappen een gat in het raampje aan de passagierskant, reikte toen naar binnen en opende het portier met de hendel binnenin.

Net stond hij heel trots op zichzelf te zijn dat hij de tegenwoordigheid van geest had gehad om van die kant in te breken, in plaats van glas te strooien over de stoel van de bestuurder, toen hij ergens achter zich iemand iets hoorde schreeuwen. Hij keek om en zag het licht van een zaklamp.

'*Stanite!*' riep een bulderende stem uit de richting van het licht.

Op datzelfde ogenblik ging er in een aantal huizen en wachthuisjes aan de weg die tot nog toe in het duister waren gehuld opeens het licht aan, kwamen straatlantaarns flikkerend tot leven en begon er hevig een alarm – dat vast van Villa Ruza was – te loeien.

'Stanite!'

Hammond hoefde bepaald niet te weten wat dat woord betekende. Hij klauterde in de auto, waarbij de rugzak hem helemaal over het stuur naar voren duwde, en ging op zoek naar het contact. Maar het dashboard was zo donker dat hij het niet kon vinden.

Toen zag hij het toch, dankzij de lichtstraal die in de cabine scheen. De man die hem had toegeroepen liep naar het gebroken raampje. Hammond stak het sleuteltje in het contact en draaide het om. De motor sputterde en viel stil.

'Stanite sada!'

Hij draaide het sleuteltje weer om. Dit keer sputterde de motor en startte. Hij zette de versnelling in naar hij hoopte zijn één en drukte met zijn voet op het gaspedaal.

Pas toen het busje slippend naar voren schoot, realiseerde hij zich dat de voorruit bedekt was met ijs. Zelfs als hij het knopje voor het grote licht gevonden had, zou hij er niet veel baat bij hebben. Hij draaide zijn raampje naar beneden en leunde naar buiten. De weg voor hem was leeg en de banden hadden grip gekregen. Het sturen ging vreemd, maar hij durfde niet langzamer te gaan.

Het licht van de straatlantaarns hielp wel, maar vormde ook een gevaar. Het kon de man met de zaklamp helpen zijn nummerbord te zien. Als hij, wat Hammond dacht, een bewaker van een van de huizen was, zou hij vermoedelijk binnen een paar minuten de politie bellen. Waarmee zijn vlucht meteen al in het honderd liep.

Hammonds gevoel voor oriëntatie speelde hem ook parten. Toen hij aan het eind van de straat rechtsaf zwierde, in de hoop dat hij zo Villa Ruza achter zich liet in plaats van dat hij er weer naartoe reed, was dat vooral op goed geluk. De licht dalende weg leek te bevestigen dat hij de juiste keus had gemaakt, maar hij wist dat hij zo niet veel langer kon doorrijden. Hij moest stoppen en de ruit schoonmaken.

Maar nu kon dat nog niet. Hij moest wat meer afstand scheppen tussen de villa en zichzelf. Hij keek naar de verlichte snelheidsmeter. Hij reed maar vijftig, hoewel het veel sneller aanvoelde door de koude wind die in zijn gezicht woei. Hij trapte het gaspedaal nog wat dieper in.

Toen begon het stuur opeens mee te geven. Hij slipte over een ijslaag, de helling werd sterker, en er doemde een zijweg op waarachter geen gebouwen te zien waren. Hij trapte op de rem, maar slipte daardoor nog harder. Het busje raakte stuurloos, schoof over de kruising heen, over een stoeprand en denderde een met gras begroeide glooiing af.

Toen takken en struiken tegen de zijkant van de cabine begonnen te slaan, trok Hammond zijn hoofd terug. De wielen trilden en het hele voertuig danste op en neer. Instinctief liet hij het stuur los en wierp zich languit over de voorstoelen heen, voor het geval hij zo direct tegen een boom of een ander groot ding aan vloog.

Maar een botsing bleef uit. Het busje verloor vaart op de besneeuwde grond en de struiken waar het doorheen daverde remden het nog meer af tot het uiteindelijk met horten en stoten tot stilstand kwam.

Hammond krabbelde overeind en stak zijn hoofd uit het raampje. De wielen van het busje zaten hopeloos vast in sneeuw en modder en het was duidelijk dat er geen beweging meer in het voertuig te krijgen zou zijn. De motor was afgeslagen, waarschijnlijk omdat de uitlaatpijp verstopt zat. Hij vloekte vermoeid, trok een handschoen uit en wreef over zijn gezicht. Wat moest hij nou in vredesnaam doen?

Hij klom uit het busje en keek naar de weg waar hij vandaan was gekomen. Er zat zo te zien niemand achter hem aan. Nog niet. Hij scheen met zijn lamp om zich heen: een besneeuwd veld vol struiken liep naar de straatlantaarns van een verderop gelegen weg. De rivier – en Nieuw Belgrado – lagen ergens die kant op. Hij legde het gereedschap in het busje om de rugzak lichter te maken en begon te lopen.

20

TOEN HAMMOND EENMAAL DE FLAT HAD BEREIKT KON HIJ NIET
meer op zijn benen staan. Zijn geest was even uitgeput als zijn lichaam,
wat in zeker opzicht een zegen was, omdat hij zich daarom niet al te levendig kon bezighouden met wat er allemaal met Piravani kon zijn gebeurd. Het was even over vieren en hij wist dat als hij nu ging liggen, hij
meteen in slaap zou vallen. Maar van slaap kon geen sprake zijn. In het
plan van Piravani was hij nu onderweg naar de Roemeense grens, of daar
zelfs al overheen, maar in werkelijkheid was hij nog in Belgrado, zonder
middel van transport om de stad binnen afzienbare tijd te kunnen verlaten.

Hij ontdeed zich van de overall en stak zijn hoofd in een wastafel met
koud water, in de hoop dat zijn hersenen daarvan wakker schrokken en
hij weer normaal zou kunnen denken. Hij was tegenover Piravani ver
plicht – en tegenover zichzelf – te doen wat hij kon om de bandjes in Den
Haag te krijgen. Maar wat zou de Italiaan doen onder deze omstandigheden? Waar zou hij voor kiezen?

Hij had hulp nodig. Heel hard, en wel meteen. Aan wie zou hij die
kunnen vragen? Toen hij een stapel dinars uit Piravani's geldgordel in
zijn portefeuille stak, zag hij het papiertje waarop Zineta het adres en telefoonnummer van haar broer had geschreven. 'Als je problemen krijgt,
kan hij je misschien helpen.' Nou, problemen had hij nu. Dat leed geen
twijfel.

Hij belde het nummer zonder eerst te overdenken wat de gevolgen konden zijn. Hij had nu zo langzamerhand zijn buik wel vol van gevolgen.

De meest voor de hand liggende mogelijkheid was, dacht hij toen de telefoon alsmaar bleef overgaan, dat Goran gewoon niet antwoordde. Het was tenslotte midden in de nacht.

Maar toen werd de telefoon opgenomen en zei een barse, slaperige stem: '*Da?*'

'Goran Perovic?'

'*Ko je to?*'

'Spreek ik met Goran Perovic?'

'Da. Ja.'

'Het spijt me dat ik u zo overval, maar Zineta…'

'Bent u Zineta's Engelse vriend?'

'Ja. Ik ben…'

'Geen namen noemen. Luister goed. Ik word sinds vrijdag door de politie in de gaten gehouden. Het kan zijn dat deze lijn wordt afgetapt.'

'Ik heb je hulp nodig, Goran.'

'*Zvinite.* Sorry. Ik kan u niet helpen. Te gevaarlijk. Voor u én mij. Sorry.'

'Maar…'

'Sorry.'

De verbinding werd verbroken.

Hammond begon het nu toch wel benauwd te krijgen. Als Gorans telefoon inderdaad werd afgetapt was het heel goed mogelijk dat het gesprek dat hij zojuist had gevoerd kon worden nagetrokken. Hij moest nu meteen weg. Verder nadenken kwam dan later wel. Hij liet zijn reistas voor wat die was, stopte zijn toiletspullen en kleren in de rugzak, samen met de bandjes en de cassetterecorder, en vertrok. Hij had behalve zijn eigen paspoort ook dat van Piravani bij zich. En de geldgordel, waarin meer dan genoeg ponden, euro's en Zwitserse franken zaten om probleemloos kriskras door heel Europa te kunnen reizen.

Tijdens zijn moeizame voettocht van het flatgebouw naar de oostelijk gelegen binnenstad vormde zich geleidelijk aan een soort van plan. Piravani had hem waarschijnlijk afgeraden per trein of door de lucht te reizen omdat het station en het vliegveld makkelijk bewaakt konden worden en er trouwens voor de ochtend toch geen verkeer mogelijk was. Maar hij had geen idee hoeveel politiemensen onder één hoedje speelden met Uzelac. Zij die hem hadden moeten dekken bij Villa Ruza waren nu waarschijnlijk bezig hun bazen uit te leggen wat daar was gebeurd. Alleen Uzelac had Hammonds paspoort in handen gehad. Anderen wisten niet van hem af. Hij zou zo de grens moeten kunnen oversteken. Als hij eenmaal in Roemenië was, waren de problemen voorbij.

Die grens was wel een heel eind weg, natuurlijk. En hij had geen enkele vorm van transport. Maar wat hij wel genoeg had, was geld. En bij het Hyatt Regency of het Inter-Continental was vast wel een taxichauffeur te vinden die hem zou willen brengen waar hij heen wilde.

Hij probeerde eerst het Inter-Continental. Dat daar geen taxi's stonden te wachten was gezien het uur niet zo vreemd, maar na een minuut of vijf kwam er een aanrijden die een kwartet van dronken mannen in smoking en vrouwen in avondjurken afleverde die kennelijk een veel zorgelozer zaterdagavond hadden doorgebracht dan hij.

De taxichauffeur, een zelfstandige met een sluw gezicht en een voertuig dat niet bepaald luxueus kon worden genoemd, begroette Hammonds voorzichtige benadering met een mengeling van opportunisme en onverschilligheid.

'Ik moet een rit de stad uit.'

'Waar moet u heen?'

'Roemenië.'

'*Rumunija*? Het land?'

'Ja. Het land.'

'Dat is een eind weg.'

'Dat weet ik. Zet me maar af aan de grens.'

'Nog altijd een eind weg. Dus duur.'

'Hoeveel?'

Hammond van top tot teen bekijken leek voor het vaststellen van het bedrag even belangrijk als de afstand. De beslissing werd gebracht met een schouderophalen en een gebaar van graag-of-niet. 'Duizend dinar.'

Graag, wat Hammond betrof.

De taxichauffeur volgde een route dwars door het stadscentrum naar de brug over de Donau. Er was vrijwel geen verkeer. De straten waren grotendeels leeg. Het was te laat nu voor zelfs de laatste der boemelaars en te vroeg voor alle anderen. Ze reden langs het standbeeld van Prins Mihailo Obrenovic op de Trg Republike. Hammond kon zich haast niet voorstellen dat het minder dan achtenveertig uur geleden was dat hij daar naast dat standbeeld had staan wachten om door Piravani te worden opgehaald. Hij had toen nog het doel aan de eisen van Ingrid te voldoen. Nu had hij iets veel eervollers als taak, hoewel het nog onduidelijk was wat de gevolgen daarvan voor hem zouden zijn. Maar hij had Piravani beloofd dit naar eer en geweten af te ronden en dat was dan ook precies wat hij nu wilde doen.

De taxichauffeur ontdooide tijdens de reis voldoende om Hammond bij de grens een dienst te bewijzen. Ze stopten achter een rij vrachtwagens die wachtten om de grens over te kunnen en hij wist bij een daarvan voor Hammond een lift te regelen naar Timisoara.

'Timisoara heeft vliegveld,' verklaarde hij. 'Kunt u naar Boekarest vliegen.'

Hammond had Boekarest als eindbestemming opgegeven, om de eenvoudige reden dat hij geen andere stad in Roemenië kende. 'Geweldig. Zeer bedankt.'

'Fooi waard, denk ik.'

En Hammond kon het daar wel mee eens zijn.

De Servische grenspolitie was nauwelijks in hem geïnteresseerd. Zijn paspoort werd vluchtig bekeken en kreeg een wazig uitreisstempel. Het was duidelijk dat er geen jacht op hem werd gemaakt. Wat de politie in Belgrado dan ook mocht hebben aangetroffen in Villa Ruza – en hoe het was afgelopen voor Piravani – had kennelijk met hem niets te maken.

Maar dat bleef natuurlijk niet zo. Als Todorovic te horen kreeg over de inbraak, kon hij wel raden wat daarbij was weggehaald. En zou hij ernaar op zoek gaan. Dat zat er dik in.

Het was daarom vreemd dat Hammond er zo van overtuigd was dat het allemaal wel goed kwam. Dat hij van het idee om Gazi af te kopen had afgezien, had een zware last van zijn geweten getild. Hij deed wat goed was – en om de goede reden. Hij voelde een pervers gevoel van bevrijding, daar in de cabine van de vrachtwagen, de rugzak bij zijn voeten, rijdend over die donkere weg naar het noorden, vlak voor het aanbreken van de dag. Hij had na zijn studententijd niet meer gelift en de gevaren en de spanning die hij de afgelopen tijd had doorstaan hadden hem vreemd genoeg het gevoel teruggegeven van de jongeman die hij toen was – zonder status en bezittingen, pretentieloos, geen naam van belang, maar zijn principes in zekere mate in ere hersteld.

Later die dag zat hij in de wat vertrouwdere omgeving van de clublounge op het vliegveld van Boekarest, waar hij een paar uur moest wachten op de volgende vlucht van de KLM naar Amsterdam. Hij had een nieuwe telefoon gekocht en durfde het nu eindelijk aan om de mensen te bellen die hij al sinds zijn vertrek uit Belgrado op zijn lijstje had staan; om de gesprekken te gaan voeren die hem voorbij het punt zouden voeren waarna er geen weg terug meer was van het pad dat hij voor zichzelf had uitgezet.

Miljanovic had zijn telefoonnummer thuis achter op een kaartje van de Vocnjak Kliniek gekrabbeld. Hammond ging ervan uit dat hij op zondag niet zou werken. En dat bleek te kloppen.

'Zo gauw had ik niet verwacht van je te horen, Edward. Heb je besloten mijn aanbod te accepteren?'

Pas toen herinnerde Hammond zich Miljanovic' half serieuze voorstel om in Belgrado te komen werken. 'Moet je horen, Svetozar, het spijt me, maar dit is erg belangrijk. Ik moet je om een enorm grote gunst vragen.'

'Zit je in de problemen, Edward?' Miljanovic was een en al bezorgdheid.

'Nee. Nu even niet. Maar… ik was in wat rare dingen verwikkeld geraakt in Belgrado, waarover ik je niets kon zeggen. En nog steeds niet, eigenlijk. Het is veiliger voor je als je niet weet wat er aan de hand was.'

'Heeft het iets te maken met Gazi?'

'Ja. En niet alleen met Gazi. Maar ook met andere… oorlogsmisdadigers die nog rondlopen in Servië. Als alles goed afloopt, hoop ik je gauw meer te kunnen vertellen.'

'Dit is heel…'

'Dat weet ik, Svetozar. Maar luister. Kan jij uitzoeken of er gisteravond een man met een kogelwond is opgenomen in een ziekenhuis in Belgrado?'

'Een kogelwond? Waar ben je in hemelsnaam mee bezig, goede vriend?'

'Ik kan echt niets zeggen. Nog niet. Maar kan je dat?'

'Natuurlijk. Dat is niet… zo moeilijk. Maar…'

'Italiaan van middelbare leeftijd. Ze weten misschien niet hoe hij heet. Onder ons gezegd en gezwegen, het is Marco Piravani.'

'Piravani? Dat was Gazi's…'

'Precies. Maar hij staat nu aan de goeie kant. Ik wil dat hij een topbehandeling krijgt. Ik betaal.'

'Ik begrijp het niet. Hoe is het met jou en…'

'Ik weet dat je het niet begrijpt, Svetozar. Maar dat komt nog wel. En als het zover is, zal je… denk ik… blij zijn dat je hebt geholpen.'

Miljanovic moest daar even over nadenken, en zei toen: 'Op mij kan je rekenen, Edward. Je weet dat je dat kan.'

'Dank je. Dit is geweldig. En, eh, check de mortuaria ook maar.'

'Denk je dat Piravani dood kan zijn?'

'Dat is aannemelijker dan dat hij nog leeft, eerlijk gezegd.'

'Ik ga bellen.'

'Laat me horen wat je te weten komt, oké?'

'Natuurlijk. Op dit nummer?'

'Voorlopig wel, ja.'

'En ik krijg inderdaad het hele verhaal, zodra dat kan?'

'Dat beloof ik je.'

'Hallo?'

'Ha, Bill. Met Edward.'

'Grote genade. Ik dacht dat ik nooit meer van je zou horen.'

'Sorry. Het leven liep even niet zo… op rolletjes.'

'Dat had ik al begrepen. Hoe is het in Zürich?'

'Zürich?'

'Daar zit je nu toch? Dat denkt Alice tenminste.'

'Nee. Ik… Moet je horen Bill, ik heb de laatste tijd even wat geheimzinnig moeten doen. Als ik zeg dat het leven niet zo op rolletjes loopt, meen ik dat ook.'

'Maar je kan me niet zeggen wat er aan de hand is, hè?'

'Integendeel. Dat wil ik nou juist wel. Je precies vertellen wat er allemaal aan de hand is.'

'Brand maar los, dan.'

'Dat gaat niet via de telefoon, Bill. Veel dingen liggen nogal gevoelig.'

'Had Kendall gelijk, Edward? Heb je iets ontdekt over de moord op Kate?'

'Ja.'

'Godallemachtig. Waarom heb je me dat niet verteld?'

'Omdat dat niet kon. Maar nu wel. Of binnenkort bedoel ik, als we elkaar morgen in Den Haag kunnen zien.'

'Den Haag? Heb je daar al die tijd gezeten?'

'Nee. Maar morgen ben ik daar wel. Ik boek een kamer in het Kurhaus Hotel, dat aan de strandboulevard ligt in Scheveningen. Zal ik daar twee kamers van maken?'

'Goed.'

'Ik betaal.'

'Nou dat mag dan verdomme ook wel, onder deze omstandigheden. Waarom moet ik…'

'Kom nou maar Bill, oké?'

'Oké, maar…'

'Geen gemaar. Ik zie je morgen. Dag.'

Het contact opnemen met Ingrid ging gepaard met het langzamerhand vertrouwde gedoe van praten met een tussenpersoon die maar een paar woorden Engels sprak en ging regelen dat hij zou worden teruggebeld. Als gevolg daarvan wist hij niet waar Ingrid eigenlijk zat. Maar dat wist ze van hem natuurlijk ook niet. Wat wel zo goed was, met het oog op wat hij haar te zeggen had.

'Alweer een andere telefoon, dokter? U wordt wel erg voorzichtig, dezer dagen.'

'Zelfs nu er voor mij geen reden meer is om voorzichtig te zijn.'

'Hoe bedoelt u?'

'Je vaders geld zal niet naar de Cayman Eilanden worden overgemaakt, Ingrid. Dat bedoel ik.'

Ze zweeg een tijdje geschokt. Toen zei ze: 'Bent u gek geworden? Ik heb u gewaarschuwd voor wat er gaat gebeuren als u er niet voor zorgt dat het geld wordt overgeboekt.'

'Zeg maar tegen je vader dat hij over me kan zeggen wat hij wil. Ik waag het erop. Ik help je verder niet om zijn geld binnen te halen. Zo simpel ligt dat.'

'Maar… u zei dat u nog tijd nodig had tot maandag.' Hij kon niet anders dan toegeven hoeveel genoegen het hem schonk om de consternatie in haar stem te horen.

'Nou, dan is het toch heel aardig van me dat ik je niet langer op dit slechte nieuws heb laten wachten, niet?'

'Waar bent u?'

'Dat gaat je niet langer aan.'

'En waar is de Boekhouder?'

'Adieu, Ingrid.'

In het vliegtuig voelde hij zich bijna van alle zorgen bevrijd. Hij dronk te veel gratis champagne en keek monter over de rollende wolken van Europa uit. Pas toen hij wakker schrok uit een korte, diepe slaap drong het goed tot hem door wat hij zichzelf had aangedaan. Hij had zijn schepen achter zich verbrand. Hij kon niet meer terug.

En Piravani? Wat had die niet allemaal moeten doorstaan om voor Hammond de weg vrij te maken om te doen wat gebeuren moest? Miljanovic had hem tijdens de vlucht gebeld. Zodra hij de douane op Schiphol was gepasseerd, belde Hammond terug.

'Piravani leeft nog, Edward.'

'Goddank.' Op de een of andere manier, tegen alle verwachtingen in, had Piravani toch levend – op het randje – Villa Ruza uit weten te komen.

'Hij ligt onder zware verdoving op de intensive care van de Centrale Kliniek. Ze zeiden dat hij… onder politiebewaking staat.'

'Dat zit er wel in, ja.'

'Hij was gisteravond betrokken bij een schietpartij in Villa Ruza, het huis in Dedinje waar Gazi vroeger woonde. Weet je wat de ICEFA is?'

'Ja.'

'Dat vermoedde ik al. Was jij… daar bij hem, Edward?'

'Wil je dat echt weten?'

'Misschien.'

'Vertel me dan maar hoe groot de kans is dat hij het haalt.'

'Zo'n vijftig procent.'

'Weten ze al wie hij is?'

'Nee.'

'Dat wou ik graag zo houden, zo lang mogelijk.'

'Ik zeg niets, Edward. Geen woord.'

'Dank je.'

'Geen dank. Maar vergeet niet, als Piravani het redt, krijgt hij een hoop vragen te beantwoorden.'

'Ik ook, Svetozar. En als het eenmaal zover is, zal ik dat ook graag doen.'

Het was zondagavond en Hammond kon geen contact opnemen met Zineta tot het schoonmaakbureau voor kantoren waarvoor ze werkte op maandagmorgen openging. Hij schoot er niets mee op om die avond nog naar Den Haag te gaan, dus nam hij een kamer in het Hilton op Schiphol. Pas daar, verborgen in een van de honderden identieke kamers, durfde hij wat van de bandjes te draaien.

Hij begreep praktisch niets van de willekeurige stukjes die hij hoorde. Knarsende mannenstemmen, waarvan hij er een als die van Gazi herkende, die spraken en debatteerden en discussieerden. Hij ving losse woorden op, als Milosevic, Kosovo, en NAVO. De rest was voor hem onbegrijpelijk. Maar voor Zineta – en iedere andere Serviër – natuurlijk niet. Hij ging er dan ook van uit dat de bandjes de uitwerking zouden hebben waarop Piravani had gehoopt – en meer dan dat.

21

HAMMOND CHECKTE METEEN DE VOLGENDE MORGEN NA EEN
vroeg ontbijt uit uit het Hilton en vertrok naar Den Haag. Hij belde het
schoonmaakbureau vanuit de trein. Zoals afgesproken had Zineta hun
gevraagd hem haar nummer door te geven.

Haar eerste reactie toen ze zijn stem hoorde was opluchting dat hij nog
gezond van lijf en leden was. 'Waar zit je, Edward? Ik heb de afgelopen
dagen zo over je ingezeten. Goran belde me gisteren vanuit een telefooncel
en zei dat de politie hem in de gaten hield, zodat hij je niet had kunnen
helpen toen je contact met hem zocht. Maar je zou hem nooit hebben
gebeld, als je niet in moeilijkheden zat. Gaat het echt wel goed met je?'

'Prima. Ik ben over een halfuur in Den Haag. Ik zit in de trein vanaf
Schiphol.'

'Is Marco bij je?'

'Nee. Ik heb je een hoop te vertellen, Zineta.'

'Goed nieuws?'

'Voor een deel wel.'

'Ik woon maar een paar minuten van station Hollands Spoor. Ik wacht
daar op je.'

'Geef me je adres, dan zie ik je zo.'

Zineta's appartement was tegenover een goedkoop buurtwinkeltje waarvan de mistroostige Aziatische eigenaar met nieuwsgierige zwarte kraal-

oogjes toekeek hoe Hammond bij het naamplaatje van Zineta op de bel drukte.

Hij hoorde het roffelen van haar voetstappen op de trap. Toen ging de deur open. 'Edward.' Ze zag er moe en wat holler uit dan hij zich haar herinnerde. Maar haar lach was warm en gemeend. Ze omhelsde hem. En Hammond was zich ervan bewust dat de winkelier dit ook zou zien en zou noteren voor toekomstig gebruik. 'Wat ben ik blij dat je ongedeerd bent.'

Ze liep voor hem uit drie trappen op naar de zolderverdieping: een zit-slaapkamer, kitchenette en badkamer, met een geringe oppervlakte, en door het schuin aflopende dak leek het nog kleiner. Door de dakvensters viel een flauw licht naar binnen dat niet veel bijdroeg aan Zineta's pogingen om een beetje fleur te geven aan haar huis ver van thuis: een rubberplant naast de bank, een gestreept tapijt voor de suizende gashaard en een kleurig geborduurd kleed op de tafel. Hier, op deze plek, werd de verbanning uit haar eigen land nog eens extra benadrukt.

'Waar is Marco?' vroeg ze meteen.

'In een ziekenhuis in Belgrado.'

'Wat is er gebeurd?'

'Hij is... neergeschoten.'

'Neergeschoten? Goeie god, Edward, wat...' Ze hield haar handen tegen haar gezicht. 'Hoe is het met hem?'

'Dat weet ik niet precies. Het kan een dubbeltje op zijn kant zijn.'

'Bedoel je...'

'Ik heb Svetozar Miljanovic gevraagd te regelen dat hij de beste medische verzorging krijgt.'

Ze stak met een trillende hand een sigaret op. 'Dit is eigenlijk wat ik verwacht had te zullen horen vanaf het moment dat je me in Lugano op de trein zette. Ik wist dat hij alles in het werk zou stellen om Todorovic te grazen te nemen.'

'Je had gelijk.' Hammond huiverde van pijn toen hij de rugzak afdeed en op de grond liet zakken. 'Mag ik gaan zitten?'

'Ja. Natuurlijk. Alsjeblieft. Neem me niet kwalijk.' Ze dirigeerde hem naar een leunstoel. 'Kan ik je iets aanbieden? Koffie, misschien?'

'Een glas water graag, voor mijn paracetamol.'

'Komt eraan.' Ze haalde water uit het keukentje en keek toe terwijl hij zijn pil innam. 'Je ziet eruit... alsof je heel wat hebt doorgemaakt, Edward.'

'Nou, dat mag je wel zeggen, ja. Je contactpersoon bij de ICEFA, Zineta. Heette die Radmilo Uzelac?'

'Ja.' Ze kwam tegenover hem zitten. 'Hoe weet je dat?'

'Die zijn we in Belgrado tegen het lijf gelopen. Toen ik Marco hielp in te breken in Villa Ruza.'

'Toen je Marco hielp... wát?'

'Luister nou eerst maar even. Marco was op zoek naar iets wat Gazi in een muursafe in zijn huis had achtergelaten – iets wat hij tegen Todorovic kon gebruiken. Uzelac was daar ook op uit. Maar in zijn geval wilde hij dat aan Todorovic verkopen, net als de informatie die jij hem gaf die tot de dood van Felltrini heeft geleid. Het kwam eigenlijk door mij dat hij van de inbraak wist.' Hij zuchtte. 'Ik zal proberen het je uit te leggen.'

Er werden geen feiten ontweken, verzwegen of vergoelijkt. Hij wilde dat Zineta precies begreep hoe en waarom de dingen waren gegaan zoals ze waren gegaan. Ze wilde op het moment dat hij erover vertelde meteen weten wat Gazi in de safe had verstopt, maar pas toen hij haar had verteld over al het andere wat er was gebeurd, gaf hij aan haar nieuwsgierigheid toe.

Hij haalde de schoenendoos uit de rugzak, zette die op de koffietafel tussen hen in en haalde de deksel eraf. Zineta keek wat erin zat. 'Wat staat erop?' vroeg ze.

'Gazi heeft elke belangrijke bijeenkomst of bespreking vastgelegd die tussen december 1995 en maart 2000 in zijn werkkamer in zijn huis heeft plaatsgehad. En hier zijn ze, op deze bandjes: honderden uren bewijsmateriaal dat er volgens Marco voor zal zorgen dat Todorovic bij zijn oude baas in de gevangenis van Scheveningen belandt.'

'Weet Todorovic dat je die hebt?'

'Hij moet nu wel weten dat iemand ze heeft.'

'Wat ga je ermee doen?'

'Ze aan het ICTY geven. Het is niet alleen bewijsmateriaal tegen Todorovic, maar ook tegen Gazi. Maar het punt is, Zineta, dat er ook informatie op kan staan over...'

'Monir.' Ze sprak de naam van haar zoon uit alsof het een soort talisman was. Opeens blonk er wat hoop in haar ogen. Ze stak een arm uit en legde haar hand op het eerste stapeltje bandjes. 'Mijn god,' fluisterde ze. 'Hier zou het antwoord kunnen zijn.'

'Daarom heb ik ze bij jou gebracht. Ik heb Marco beloofd ze af te leveren bij het ICTY. Maar eerst...' Hammond haalde de recorder uit zijn rugzak en zette die naast de schoenendoos. 'Jij moet ze afluisteren. Omdat iedereen op die banden Servisch spreekt, kan ik er niets mee, maar het kan zijn dat er iets op staat, wat mij een hoop ellende bespaart.'

Zineta keek hem verbaasd aan. 'Dat begrijp ik niet.'

'Ik had je verteld dat ik Ingrid had beloofd te helpen om het geld van haar vader te pakken te krijgen omdat ze had gedreigd Alice kwaad te doen. Dat was niet helemaal waar.'

'Nee?'

Hij schudde zijn hoofd. 'Nee.'

Toen vertelde hij haar de waarheid. Het verraste hem hoeveel beter hij zich daardoor voelde. Het was hem nu wel duidelijk dat hij dat veel eerder had moeten doen. Net zoals hij vanaf het begin af aan Ingrid had moeten uitdagen om te doen wat ze niet laten kon. De ironie was dat als hij haar voor het blok had gezet, de geheime voorraad bandjes van Gazi nu nog in de muur van Villa Ruza had gezeten.

'Ik weet nu nog steeds niet waarom Gazi Kate heeft laten vermoorden,' sloot hij zuchtend zijn verhaal af.

'Maar deze bandjes kunnen je dat vertellen.'

'Kunnen jou dat vertellen.'

'O, ik denk dat ik het al weet, Edward. Ik heb lang genoeg met de man geleefd om te weten hoe hij denkt. Hij wil absoluut niemand iets schuldig zijn. Hij moet altijd de man zijn die alleen staat. Dat hij zijn leven aan jou te danken heeft, schaadt zijn… onafhankelijkheid.'

'Hij heeft me vorstelijk beloond. Meer dank hoefde ik niet.'

'Hij zag dat waarschijnlijk anders. Wist hij dat je vrouw je had verlaten voor een andere man?'

'Svetozar wist dat. En alle leden van mijn team. Het kan heel goed zijn dat een van hen daarover iets heeft gezegd waar hij bij was. Mensen gaan nooit zo voorzichtig met je vertrouwelijkheden om als je wel zou willen.'

'In Gazi's wereld moet een vrouw die ontrouw is sterven. Begrijp je wel? Hij wilde je een dienst bewijzen.'

'Een dienst?'

'Hij betaalde zijn schuld aan jou met gelijke munt. Een leven voor een leven.' Het klonk geschift, maar het klonk ook afschuwelijk geloofwaardig. 'O god. Het was dus toch echt mijn fout dat ze gestorven is.'

'Nee. Het was door toedoen van Gazi. Jij hebt daar geen schuld aan.'

'Ik betwijfel of Kates broer dat ook zo ziet.'

'Ga je het hem zeggen?'

'Ja. Later vandaag, zelfs. Ik heb hem gevraagd om naar Den Haag te komen.'

'Kan je niet beter wachten tot we weten of er iets op die banden staat wat bewijst dat je Gazi niet hebt gevraagd om Kate te vermoorden?'

'Nee. Er staat iets op, of er staat niets op. En Bill gelooft me, of hij gelooft me niet. Voor mij is dit nu de waarheid – waartoe die ook leidt.'

'Dat is een moedig besluit. Als Todorovic weet dat de bandjes bestaan, is hij al naar je op zoek.'

'Maar hij weet niet wie ik ben. Uzelac is dood. En hij krijgt niets uit Marco los, zolang die nog onder de kalmerende middelen zit. Dus hebben we even wat tijd.'

'Maar niet veel. Hij kan op zijn vingers natellen dat je ze aan het ICTY wilt geven.'

'Dat klopt. Dus is dat het eerste wat we morgenochtend gaan doen.'

'Maar ik kan niet in één dag al die banden afluisteren, Edward. Dat moeten honderden uren zijn, zoals je al zei.'

'Gazi heeft de verhuizing van Monir niet op poten gezet voor hij besloot zelf onder te duiken. Dat beperkt je zoektocht tot de laatste set bandjes: januari tot maart 2000. En Kate is vermoord op de derde april 1996. Dat beperkt het zoeken ook.'

'Ja.' Zineta knikte en overdacht de taak die haar wachtte. 'Ik begrijp het.'

'Het is toch de moeite van het proberen waard, dacht je niet?'

Ze spreidde haar armen en lachte hem toe. 'Natuurlijk. Ik had alleen nooit verwacht...' Toen begon ze opeens te huilen. 'Sorry, neem me niet kwalijk. Het is alleen...'

Hij reikte over de tafel en pakte haar hand. 'Je had alleen nooit verwacht dat je de kans zou krijgen te ontdekken waar Gazi hem heen had gestuurd?'

'Nee. Ik...' Ze slikte moeilijk. 'Dat had ik inderdaad nooit verwacht.'

'Als er iets op deze bandjes staat waar je wat aan hebt, Zineta, is het al de moeite waard geweest – ongeacht wat ze verder wel of niet bewijzen.'

'Fijn dat je dat zegt, Edward, dank je wel.' Ze stond op, liep naar het raam waar ze haar tranen droogde met de rug van haar hand, weer een sigaret opstak, en naar de stad keek die zich voor haar uitstrekte naar de zee. 'Zou Marco het halen, denk je?'

'Geen idee. Ik hoop het maar.'

'Ik ook. Ik zou... hem ook graag bedanken.'

'Misschien komt Monir wel helemaal niet op die bandjes voor. Dat besef je toch ook wel, hè?'

'O, ja. Daar is geen enkele zekerheid over. Maar de enige manier om daarachter te komen, is...' Ze draaide zich naar hem om en produceerde een lachje. 'Is door naar de bandjes te luisteren.'

'Waar wel van alles op kan staan wat je liever nooit had willen horen.'

'Maak je maar geen zorgen Edward. Ik weet wat voor man Dragan Gazi is. Ik weet wat me te wachten staat.'

'Dan...'

'Moest ik maar eens beginnen, hè?'

Zineta belde het bureau en zei haar dienst voor die avond af. Ze spraken af dat Hammond de bandjes om negen uur zou komen afhalen, waardoor ze bijna twaalf uur de tijd had om bij elkaar te sprokkelen wat ze kon. Toen hij wegging luisterde ze al naar de eerste door de koptelefoon van de recorder, over de koffietafel gebogen, met een frons op haar gezicht van de concentratie. Ze wuifden naar elkaar, en hij liep de deur uit, de trap af naar beneden.

Het was een koude, grijze dag in Den Haag, hoewel lang niet zo koud als het in Belgrado was geweest. Hammond liep langzaam door de stad en genoot van de opgewekte gedachten die door zijn hoofd speelden. Alles was nu zo simpel als wat: bandjes afleveren; Gazi's beschuldigingen ontzenuwen, als hij die ooit zou inbrengen; erop vertrouwen dat de mensen die hem het meest na stonden hem zouden geloven als hij de waarheid sprak.

Hij stopte voor een koffie in de arcade van de Passage. Zijn telefoon had een sms'je ontvangen dat Miljanovic het afgelopen uur had gestuurd. 'Je vriend is stabiel en buiten kennis. Binnen afzienbare tijd geen verandering verwacht. Prognose onzeker.' Hij zond een stil schietgebedje met de hoop dat Piravani het zou redden. Hij verdiende het meer dan ieder ander te zien dat Todorovic zou worden berecht door het ICTY.

Hammond sms'te hem terug om hem te bedanken, dronk zijn koffie op, en liep daarna verder, in de richting van Scheveningen. Hij kwam langs de gotische kolos van het Vredespaleis, waarin het Internationaal Gerechtshof gevestigd was, en kwam toen, aan de andere kant van het park dat erachter ligt, bij de dependance die gebruikt werd voor de aangelegenheden van het voormalige Joegoslavië.

Hij staarde vanaf de straat naar de bescheiden ruimte van het ICTY, en ging ervan uit dat de zitting van vandaag rond het proces van Gazi inmiddels wel begonnen zou zijn. Hij kon naar binnen gaan, als hij wilde, en vooraan op de publieke tribune gaan zitten, en wachten tot zijn vroegere patiënt hem zou zien. Hij vroeg zich af of Ingrid hem intussen al had verteld dat het geld uiteindelijk niet zou komen: dat dokter Hammond geweigerd had mee te spelen. Waarschijnlijk niet. Maar op een gegeven moment zou ze wel moeten. Want dokter Hammond bleef bij zijn besluit.

Bill arriveerde halverwege de middag. Hammond kwam terug in het Kurhaus na een late lunch in een restaurant in de buurt en kreeg te horen dat zijn zwager op hem wachtte in de bar. Bill had zich na zijn vertrek uit het leger nooit helemaal de kunst van het dragen van vrijetijdskleding eigen gemaakt. De snit van zijn broeken en de plooien in zijn overhemden hadden een zekere militaire scherpte behouden. En de baard die hij zich had aangemeten was even perfect bijgehouden als de gazons waarvoor hij verantwoordelijk was. Er verstreken enkele seconden voor hij Hammond de bar in zag komen en in die seconden overdacht Hammond hoe flinterdun hun relatie eigenlijk was. Hun smaken, opvattingen en karakters waren erg verschillend. Hoewel ze geen hekel aan elkaar hadden, was er wel altijd een zekere sfeer van wantrouwen tussen hen geweest, die zich meer uitte in wat niet werd gezegd, dan wat wel werd uitgesproken. Maar met terughoudendheid was in de huidige situatie niemand gebaat. Het was tijd geworden voor openheid.

'Bill. Goed je te zien.'

Bill zette zijn biertje neer en klom van zijn barkruk af. Ze schudden elkaar de hand. Bills greep was nog altijd vermorzelend. Hij had een behoedzame blik in zijn ogen, merkte Hammond op. Van het soort dat hij moest hebben gehad in zijn dagen van actieve dienst, als hij een gebied met sluipschutters binnentrok. 'Ook goed jou te zien, Edward. Ik heb de afgelopen week wel eens gedacht dat die tijden voorbij waren.'

'Het spijt me dat ik zo ontwijkend was, de laatste tijd.'

'Voortvluchtig bijna, kun je wel zeggen.'

'Kamer in orde?'

'De kamer is eersteklas. Maar omdat ik eigenlijk niet uit was op een wintervakantie aan de Noordzeekust, zou ik er geen bezwaar tegen hebben als je me wilde uitleggen waarom je me hier ontboden hebt.'

'Nou, ontbieden is wel wat zwaar.'

Bill keek hem schuins aan. 'Als je iets te weten bent gekomen over de dood van mijn zuster, zou ik dat graag willen horen.'

'Mijn zuster.' Dat klonk alsof de band tussen broer en zus voortaan voorrang zou hebben boven die van het huwelijk. Hammond besefte dat hij niet in de positie verkeerde om daarover in discussie te gaan. 'Zullen we naar buiten gaan? Op de promenade hebben we met dit weer alle privacy die we willen.'

'Best.' Bill keek even naar de bewolkte lucht. 'Ik zal even mijn jas halen.'

'Oké. Dan zie ik je buiten.'

Hammond had nu een paar minuten voor zichzelf, hij leunde tegen de reling en keek, in afwachting van de terugkomst van Bill, naar het door de wind geschuurde strand. De relingen naast die waar hij stond waren om de een of andere reden weg. Twee strips van rode en witte tape waren diagonaal voor het gat gespannen om te waarschuwen voor gevaarlijke situaties. Maar Hammond hoefde niet gewaarschuwd te worden. Hij wist precies wat hij deed.

'Daar ben ik,' riep Bill, die achter hem opdook in een duffelse jas.

'Mooi.' Hammond draaide zich om en glimlachte. 'Zullen we dan maar?'

22

'DAT IS ME GODDOMME NOGAL WAT,' ZEI BILL. HIJ SCHUDDE
zijn hoofd nadenkend en keek Hammond aan.

Ze zaten aan een tafeltje op het overhuifde en verwarmde terras van
een van de cafés aan de Strandweg waar de afwezigheid van andere klanten hun de zekerheid verschafte dat ze zo vrijuit konden spreken als ze
wilden. Hammond dronk koffie, maar Bill had voor whisky gekozen, en
niet alleen omdat hij aan een opwarmertje toe was. Hij was duidelijk geschokt door wat hij allemaal had gehoord – geschokt en verward. Wat hij
ook had verwacht of gevreesd te horen over hoe Kate aan haar einde was
gekomen, de verklaring van Hammond sloeg alles.

'Wou je nou echt beweren dat Gazi haar heeft laten vermoorden als
een soort van gestoord bedankje voor het redden van zijn leven?'

'Daar lijkt het wel op. Wat zijn motief is geweest, weet ik niet. Maar
dat hij het heeft geregeld, wel.'

'Kate is gestorven… omdat jij met een Servische krijgsheer omging?'

'Ik wist niet dat ik "met hem omging". Hij was voor mij gewoon een
patiënt als alle andere, Bill. Lucratiever dan de meeste, dat geef ik toe,
maar in die tijd dacht ik dat geld goed te kunnen gebruiken.'

'Vanwege de scheiding?'

'Precies.'

'Ik wist helemaal niet dat je naar Servië was geweest.'

'Nee, maar dat heb ik dan ook niet aan de grote klok gehangen. Ik schond geen voorschriften, maar wist dat het in zekere kringen gevoelig zou liggen. Maar wat ik niet wist, natuurlijk, was dat...'

'Het Kate het leven zou gaan kosten.'

'Luister Bill. Ik...'

'En hoe kon Gazi weten dat ze bij je was weggegaan?'

'Iemand van mijn team moet zich hebben versproken. Of Miljanovic, zijn specialist in Belgrado.'

'De hele wereld moest van je scheiding weten, hè?'

'Natuurlijk niet. Maar er waren tijden dat ik vanwege alle spanning... wat minder goed op dreef was. Ik kon mensen niet in het ongewisse laten. En dingen blijven nu eenmaal niet geheim. Je weet hoe dat gaat.'

'Nee. Ik denk van niet. Als ik mijn persoonlijke leven had toegelaten in mijn werk, zou ik geen beste militair zijn geweest, dat kan ik je verzekeren.'

Hammond had de neiging te vragen over welke persoonlijke zaken hij het had. Bills leven leek altijd vrij te zijn geweest van smetten op dat gebied. Dat dat van hem een soort censor van de foutjes van anderen had gemaakt, was Hammond een beetje vergeten. 'Ik heb de afgelopen week elk uur betreurd dat ik Gazi indertijd heb behandeld. Als ik kon teruggaan en het veranderen, deed ik dat meteen. Maar dat kan niet. En ik had op geen enkele manier kunnen voorzien wat de gevolgen van die behandeling zouden zijn. De meeste transplantatiepatiënten die ik heb gehad zijn gewoon dankbaar dat ze een nieuwe levenskans kregen.'

'Nou, dankbaar was hij zo te zien ook, Edward. Alleen op zijn eigen manier.'

'Ja. Maar hoe had ik dat kunnen weten?'

'Je had de kranten kunnen lezen. In de tijd dat het leger werd ingezet in Bosnië, deed ik geen frontdienst meer, maar de verhalen die ik hoorde van de mannen die wel gingen, maakten het wel verdomd duidelijk dat die Servische commandanten een stel psychopaten waren. Dat was niet bepaald een geheim.'

'Nou, ik wist daar allemaal niet zoveel van, Bill.'

'Omdat dat je wel goed uitkwam. Hoeveel heeft hij je betaald?'

'Een hoop.'

'Hoeveel?'

Hammond zuchtte. De weg van de waarheid bleek moeilijker te bewandelen dan hij zich had voorgesteld. 'Tweehonderdvijftigduizend pond.'

'Een kwart miljoen?'

'Ja. Een kwart miljoen.'

Bill snoof afkeurend. 'Dat is mooi meegenomen.'

'Dat dacht ik ook – toen.'

'Toen Kendall je beschuldigde van het inhuren van iemand om Kate te vermoorden, dacht ik dat hij gek was. Maar wat je nu zegt is dat hij er eigenlijk niet zo ver naast zat.'

'Ik heb Gazi niet gevraagd haar te vermoorden. Dat bezweer ik je. Ik ben arts. Ik probeer levens te redden, niet kapot te maken. Ik was kwaad en overstuur toen ze bij me wegging. Maar gehaat heb ik haar nooit. Als ik ooit iemand had willen vermoorden, was dat Kendall geweest, niet Kate.'

Bill zakte onderuit in zijn stoel en keek Hammond fronsend aan, op zoek naar een teken dat hij zat te liegen, waarvan alleen Hammond zeker wist dat hij dat niet deed. 'Goed dan, Edward. Ik geloof je. Maar Kendall gelooft je nooit. Dat kan ik je wel verzekeren.'

'Met hem praat ik wel als het aan de orde komt – als het al aan de orde komt.'

'Wat bedoel je met "als het al aan de orde komt"?'

'Het is nog maar de vraag of Gazi zijn dreigement uitvoert, bedoel ik.'

'En als hij dat niet doet… laat je dan alles verder maar gewoon op zijn beloop?'

'Dat weet ik niet. Dat hangt af van wat er over Kate op de bandjes staat.'

'Als Gazi opdracht heeft gegeven voor de moord op mijn zuster, wil ik dat hij daarvoor berecht wordt.'

'Ik ook. Maar als er geen bewijs voor is…' Hammond haalde zijn schouders op. 'Hij zit de rest van zijn leven toch al vast.'

'Dat is niet voldoende.'

'Het moet misschien wel.'

Bill schoof ongemakkelijk heen en weer in zijn stoel. De mogelijkheid dat hij wist wie Kate had vermoord zonder dat te kunnen bewijzen verstoorde zijn gevoel voor de natuurlijke loop der dingen. 'Het spijt me, Edward, maar ik ben niet bereid het aan Gazi over te laten of dit bekend wordt of niet.'

'Je moet doen wat je zelf het beste vindt. Maar ik zou dit wel graag zelf aan Alice willen vertellen.'

'En wanneer wilde je dat doen?'

'Zodra ik weer thuis ben.'

'En wanneer zal dat zijn?'

'Over een paar dagen. Nadat ik de bandjes heb afgegeven bij het ICTY.'

'Oké. Dan houd ik me nog even gedeisd. Maar over die bandjes, zou Gazi werkelijk zo stom zijn geweest om dingen op te nemen die hem kunnen belasten?'

'Piravani dacht dat hij ze als chantagemateriaal wilde gebruiken om zich vrij te pleiten na de val van Milosevic, maar dat hij overhaast had moeten vluchten en daarom maar hoopte dat ze nooit gevonden zouden worden.'

Bill knikte somber en leek op dit gebied tevredengesteld. 'Je hebt me nu toch alles verteld, hè?'

'Alles.'

'Dan sta ik achter je.' Bill stak zijn hand uit over het tafeltje, een gebaar dat Hammond verraste. Ze zaten op één lijn, zo te zien. En dat moest met een handdruk bezegeld.

'Dank je.'

'Maar ik wil die Perovic-mevrouw nog wel even wat vragen voor je de bandjes overdraagt.'

Die Perovic-mevrouw, dacht Hammond in stilte verontwaardigd. De voormalige vriendin van een Servische krijgsheer was een minderwaardig schepsel in Bill Dowlers visie, en zonder twijfel in die van vele anderen. Ze kon de komende weken een hoop onwelkome en weinig vleiende aandacht verwachten. Dat gold voor hen allebei.

'Wanneer kan ik haar zien?'

'Vanavond. Ik heb afgesproken de bandjes om negen uur op te halen.'

'Weet je zeker dat je haar kunt vertrouwen?'

'Ook zij is, net als alle anderen, een slachtoffer van dit alles.'

'Mmm.' Bill leek niet erg overtuigd. 'Ik zie straks wel wat ik van haar denk.' Hij schoof zijn stoel naar achteren. 'Hoor eens, Edward. Ik... ga een stukje lopen. Alleen. Begrijp je wel? Ik moet alles wat je me hebt verteld eens even op een rijtje zetten.'

'Natuurlijk.'

Bill stond op en had even wat moeite met het aantrekken van zijn jas. Hammond schoot overeind om hem te helpen, maar kromp ineen van de pijn in zijn ribben. 'Dank,' zei Bill, en hij bekeek hem met een vreemde uitdrukking op zijn gezicht. 'Ik red het wel. Beter dan jij, zo te zien.'

Hammond lachte geforceerd. 'Dat zou heel goed kunnen.' Hij zakte terug in zijn stoel. 'Tot straks.'

Na het vertrek van Bill bleef Hammond alleen aan het tafeltje achter en hij vroeg zich af wat er precies omging in het hoofd van zijn zwager. Bill potte altijd zoveel op, dat zijn reacties moeilijk te peilen waren. Hij geloofde kennelijk wat Hammond had gezegd, maar stelde hem tot op zekere hoogte toch verantwoordelijk voor Kates dood.

Hebzucht en een gebrek aan inzicht leken de voornaamste vergrijpen die Hammond voor de voeten werden geworpen en hij verkeerde niet in een positie om welke van de twee dan ook te weerleggen. Het enige wat hij kon doen, was proberen ervoor te boeten. Het vertellen van de waarheid aan Bill – en later, maar nog pijnlijker, aan Alice – was nog maar het begin. Waar het proces zou eindigen, wist hij niet.

Hij zag Bill pas weer toen ze die avond naar Zineta gingen. Ze reisden per taxi naar station Hollands Spoor, waarbij Hammond zelf verbaasd stond over hoe instinctief hij de voorzorgsmaatregel nam om niet meteen naar haar appartement te gaan. Het gespannen zwijgen tussen hen nam tijdens de rit door de stille, rustige stad alleen maar toe. Geen van beiden had zin in een praatje voor de vaak en het enige onderwerp waarover ze wél wilden praten kwam niet aan bod in de nabijheid van de taxichauffeur. Bills constant gefronste voorhoofd gaf aan dat hij in gedachten nog altijd druk bezig was met Hammonds onthullingen van eerder die dag.

Maar toen ze waren afgezet bij het station en te voet verder gingen naar het appartement van Zineta, bleek dat hij meer had gedaan dan alleen maar denken.

'Ik ben vanmiddag naar het gerechtshof geweest, Edward,' zei hij opeens. 'Ik wilde Gazi in levenden lijve zien.'

Hammond had kunnen weten dat Bill de zitting zou willen bijwonen. 'Heb je hem gezien?'

'Ja. Een lekker stuk vreten is dat, zeg. Koud. Arrogant. Grof.'

'Kon je dat zien?'

'Het zit in zijn ogen. Ik heb die blik vaker gezien. Sommige Provo's in Noord-Ierland hadden die ook. Mensen afmaken om het afmaken haalt iets weg uit je ziel. Het is dat ontbreken van wat het dan ook is – menselijkheid, neem ik aan – wat je terugziet in hun manier van kijken.'

'Nou, hij heeft heel wat afgemoord om het moorden alleen. En daar zal hij nu voor boeten.'

'Ik heb de beknopte tenlastelegging gelezen. Niet best.'

'Ik weet het.'

'Echt? Je weet van al die moorden waarvan hij beschuldigd wordt in Kosovo? Die allemaal zijn gepleegd nadat je hem het leven hebt gered. Vele honderden, als je ze bij elkaar optelt. En hoe voel je je daar dan over?'

'Toen ik hem behandelde, dacht ik dat de oorlog voorbij was. Dat die daarna weer zou oplaaien, wist ik natuurlijk niet.' Tot Hammonds opluchting waren ze nu vlak bij Zineta's appartement.

'Daar woont Zineta.'

'Daar doe ik het niet voor.'

'Wat?'

'Je uitleg, Edward.' Bill stopte en dwong Hammond hem aan te kijken. 'Daar doe ik het gewoon niet voor.'

Hammond had noch tijd noch zin om op dit moment een sluitende verdediging op te bouwen voor zijn aanvechtbare daad. Ze waren bij het helder verlichte pand van PRAWIRO EN ZOON aangekomen. Het was stil in het winkeltje, waardoor de mistroostige eigenaar de kans kreeg een onderzoekende blik op Hammond te werpen toen die op Zineta's bel drukte.

Bij de tweede keer bellen voelde hij een misselijkmakend gevoel van onheil in zich opkomen. Na de derde keer ging hij aan de rand van de stoep staan en keek omhoog naar de zolderramen. Waar geen licht te zien was.

'Ik dacht dat jullie een vaste afspraak hadden gemaakt,' zei Bill die naast hem was komen staan.

'Dat was ook zo.'

'Op welke verdieping woont ze?'

'De bovenste.'

'Ze is er niet, zo te zien.'

'Maar dat moet wel.'

'Maar ze is er toch niet.'

'Verdomme.' Hammond liep weer naar de deur en belde opnieuw. Nog steeds geen reactie.

'Je zei dat je haar kon vertrouwen.'

'Dat is ook zo. Dat kan ik ook.'

'Nou, waar is ze dan?'

'Dat weet ik niet.' Hij haalde zijn telefoon tevoorschijn en toetste haar nummer. Geen antwoord. Toen keek hij of er berichten waren. Niets. De misselijkheid had nu plaatsgemaakt voor pure angst.

'Edward.'

'Wacht nou even.'

'Edward!'

'Wat nou!?'

'Die man van het winkeltje wuift naar ons.'

Hammond keek om en zag dat Prawiro, hij nam tenminste aan dat hij het was, inderdaad naar hem stond te wenken. Hij liep het winkeltje in, met Bill pal naast hem.

Van dichtbij had Prawiro's mistroostigheid eerder iets weg van een gemaakte wereldmoeheid. Het was een kleine, kale man van onbepaalde leeftijd, van een normaal postuur, maar met een bolle buik, die achter een toonbank stond vol snoepgoed, tijdschriften en elektriciteitsspulletjes. Hij had een blik die deels van onderdanigheid, deels van minachting getuigde.

'Zoekt u juffrouw Perovic?'

'Ja.'

'Hoe heet u?'

'Hammond.'

'Dókter Hammond?'

'Ja. Dat ben ik.'

'Hier.' Prawiro haalde een envelop van onder de toonbank vandaan. 'Voor u. Van juffrouw Perovic.'

Hammond pakte de envelop aan – waarop zijn naam in grote, wat onzekere hoofdletters geschreven stond – en scheurde die open. Er zat maar één enkel vel papier in. Hij kon nergens nagaan of het handschrift wel van Zineta was, maar hij twijfelde er niet echt aan.

'Edward, het spijt me. Ik kan je de bandjes niet teruggeven. Ze zijn mijn enige kans. Het spijt me erg. Z.'

23

'WAT IS ER AAN DE HAND?' WILDE BILL WETEN, DIE OVER HAM-
monds schouder meekeek.

'Dat weet ik niet. Ik snap het niet.'

'Laat eens zien.' Hij griste het briefje weg en las het voor.

'Ik weet wat er staat,' mompelde Hammond ontmoedigd.

'Ze is weg – en heeft de bandjes meegenomen?'

'Kennelijk.'

'Weg waarheen?'

'Geen idee.'

'U.' Bill keek woedend naar Prawiro. 'Waar is juffrouw Perovic naartoe?'

Prawiro glimlachte zwakjes. 'Dat weet ik niet, meneer.'

'Maar ze gaf u wel deze brief voor ons?'

'Voor dokter Hammond, ja.'

'Wanneer?'

'Een uur of drie geleden.'

'En wat zei ze?'

'Ze zei... dat ze voor een tijdje wegging. En ze vroeg me... om de brief
voor dokter Hammond te bewaren. Meer niet.'

Hammond pakte zijn telefoon en probeerde Zineta's nummer nog
eens, met hetzelfde resultaat. Maar dit keer liet hij een bericht achter.
'Met Edward, Zineta. Neem alsjeblieft contact met me op. Ik moet we-

ten wat er is gebeurd. Het maakt niet uit wat het is, we lossen het wel op. Bel me zodra je dit hoort.'

'Denk je dat ze reageert?' vroeg Bill sceptisch toen hij klaar was.

'Ik hoop het.'

'Je hóópt het?'

'Wat moet ik anders?'

'Kom mee naar buiten.'

Bill marcheerde gedecideerd terug de stoep op en verder tot een paar meter voorbij de deur die naar de appartementen leidde. Daar stopte hij en draaide zich om naar Hammond. Hij leek boos, maar ook in de war.

'Waarom heeft ze die bandjes meegenomen, Edward?'

'Dat weet ik niet. Misschien dat het iets te maken heeft met haar zoon.' Op het moment dat hij dat zei, realiseerde Hammond zich dat het daar natuurlijk om ging. 'Er moet iets op die bandjes staan waaruit duidelijk wordt waar Monir zit. Maar waarom ze die informatie dan niet met mij kan delen, begrijp ik niet.'

'Monir? Haar zoon met Gazi?'

'Ja.'

'Lijkt het je niet nogal ondoordacht om de voormalige vriendin van die man – de moeder van zijn zoon – te vertrouwen?'

'Blijkbaar niet, Bill. Anders had ik dat niet gedaan.'

'Ja. Dat blijkt.'

'Ze moet in paniek zijn geraakt. Zodra ze de tijd kreeg om erover na te denken, zal ze…'

'Laat maar zitten, Edward. Zal ik je eens zeggen wat ik denk? Of zij heeft jou aan alle kanten voor de gek gehouden… of jij probeert dat met mij te doen.'

'Wát?'

'De bandjes hadden uitsluitsel kunnen geven over jouw versie van de gebeurtenissen in tegenstelling tot die van Gazi. Maar ze zijn nu weg. Zodat we, komt dat even mooi uit, nooit te weten zullen komen wat erop staat. Als er al iets op staat.'

'Er komt helemaal niets mooi uit. Ik ben net zo gefrustreerd als jij.'

'Dat betwijfel ik. Omdat jij weet, en ik niet, of die bandjes wel echt bestaan.'

'Natuurlijk bestaan die echt.'

'Zeg jij. Wat op dit moment niet zo geloofwaardig lijkt. Gazi wil uit de school klappen over de moord op Kate. Misschien is dit allemaal wel een truc om mij aan te tonen dat jij geen rol hebt gespeeld bij zijn besluit om haar te laten ombrengen.'

'Een trúc?'

'Ik heb geen enkele zekerheid, begrijp je, hoe je het ook bekijkt. En ik ben bang dat dit niet het soort situatie is waarin ik je het voordeel van de twijfel kan gunnen. We hebben het hier over mijn zus, mijn eigen vlees en bloed. Ik ben het aan haar verplicht dat zij die verantwoordelijk zijn voor haar dood worden berecht.'

'Het was door Gazi's toedoen, Bill. Dat heb ik je verteld.'

'Dat weet ik. Je hebt me van alles verteld.'

'Wou je daarmee zeggen dat je me niet gelooft?'

'Ik zeg alleen dat ik niet meer weet wat ik geloven moet. Zineta Perovic en de fameuze bandjes hadden me misschien overtuigd. Maar die zijn nu allemaal weg.'

'Ik heb dit zo niet bedacht, Bill. Alles wat ik je heb verteld is waar.'

'Dat kan. Het kan ook niet zo zijn.'

'Je gelooft toch niet echt dat ik Gazi heb gevraagd om Kate te laten vermoorden? Hou nou toch op. Daar ken je me toch te goed voor?'

'O, ja?' Bill hijgde nu en worstelde met vermoedens die te ernstig waren om ze nog langer voor zich te houden. 'Ik denk dat de tijd is aangebroken om de vakmensen erbij te halen, Edward. Ik ga morgenochtend vroeg naar huis. Ik geef je achtenveertig uur om zelf ook naar huis te komen en Alice de waarheid te vertellen – of wat daarvoor doorgaat. Dan ga ik naar de politie en eis dat ze het onderzoek naar de moord op Kate weer openen.'

'Godallemachtig, Bill. We kunnen toch…'

'Nee, ik ben klaar met praten. En met jou ben ik voorlopig ook klaar, Edward. Het spijt me, maar zo liggen de zaken. Ik neem een taxi van het station terug naar het hotel. Wij hebben niets meer met elkaar te bespreken. Goedenavond.'

Hierna stak Bill zijn handen in de zakken van zijn duffelse jas en vertrok in de richting van station Hollands Spoor.

Hammond overwoog achter hem aan te gaan, maar iets in Bills manier van lopen en de stand van zijn schouders weerhield hem daarvan. Hij zag zijn zwager zonder nog achterom te kijken de hoek van de straat omgaan. Toen was hij alleen. En machteloos. Met het briefje van Zineta verfrommeld in zijn hand.

Hij wist niet waar hij heen moest of wat hij moest doen. Hij stak de weg over en keek naar boven, naar de ramen van de bovenste verdieping, wat geen zin had, omdat die nog altijd onverlicht waren en haar boodschap duidelijk genoeg was geweest: ze was weg en had de bandjes meegenomen.

Een paar deuren verderop was een smoezelig café. Hij liep daar binnen, bestelde een jenever, dronk die met kleine slokjes en staarde door de gordijnloze bovenhelft van de ramen naar de toegangsdeur van het appartementengebouw. Er waren maar een paar mensen in het café en op straat was het stil. Er was haast geen verkeer en er waren nog minder voetgangers.

Hammond had het gevoel dat hij een grote stommiteit had begaan en kreeg daar zo langzamerhand behoorlijk de pest over in. Waarom had Zineta hem dit aangedaan? Waarom had hij niet voorzien dat ze dit zou doen? Het antwoord moest op die bandjes staan. Maar om redenen die te maken moesten hebben met Monir had ze besloten dat hij niet mocht weten wat dat was.

Toen hij voor de derde of de vierde keer tevergeefs probeerde een verklaring te vinden voor de hele verbijsterende gang van zaken, kwam er opeens een gestalte op de stoep aan de overkant in beeld die stopte bij de voordeur van de appartementen. Het was een kleine, gedrongen man, met een kaalgeschoren hoofd, van een jaar of veertig, gekleed in een leren jack, spijkerbroek en coltrui. Hammond zag hoe hij op de knop van een bel drukte. Die van Zineta?

Hammond gooide een biljet van vijf euro op de bar voor de jenever, holde naar buiten en stak de straat over, waar de man net achteruitstapte om te zien of er licht brandde op de zolderverdieping.

'Op zoek naar Zineta?'

'Wat?' De man draaide zich bliksemsnel om en keek Hammond vragend aan. Hij had een bril op waarvan het gouden montuur oplichtte in het kunstlicht, evenals zijn zilveren oorring.

'Ik namelijk ook, toevallig.'

'Wie bent u?' Het accent was niet Nederlands, maar ook niet Engels. Het klonk, gebaseerd op Hammonds recente bezoek aan Belgrado, onmiskenbaar Servisch, met een heel licht Amerikaans sausje.

'Een vriend van Zineta.'

'Ik ook. U bent Engels, toch?'

'Ja.'

'Bent u Edward?'

'Eh… ja.'

'Ze had het over u. Weet u of alles goed met haar is? Ik had gehoopt haar thuis te treffen… maar zei u niet net dat u ook naar haar op zoek was?'

Hammond meende zich toch te herinneren dat Zineta had gezegd niemand te kennen, of in elk geval geen vrienden te hebben gemaakt in Den Haag. Hij wist dat hij voorzichtig moest zijn, maar kon zijn nieuwsgierigheid niet helemaal bedwingen. 'Inderdaad.'

'Ik maak me een beetje zorgen over haar, verder niet.'

'Hoezo?'

'Ik ben Stevan Vidor. Ik ken haar van het ICTY. Ik werk daar als vertaler.' Hij stak zijn hand uit en glimlachte. 'Zineta heeft uw achternaam nooit genoemd, maar zei dat u een vriend was. En ik vermoed dat u zich ook een beetje zorgen over haar maakt, net als ik.'

'Waarom denkt u dat?'

'Nou…' Vidor haalde zijn schouders op. 'Het is u aan te zien.'

'Ik had vanavond met haar afgesproken… en trof haar helaas niet thuis.'

'Weet u iets over een bandje dat ze had?'

'Een bandje?'

'Ja. Dat heeft ze me laten horen. Ik spreek behalve Engels ook Frans, weet u.'

'Frans?'

'Er stond een gesprek in het Frans op dat bandje. Ze wou de vertaling.'

'Waar ging dat gesprek over?'

'Nou, ik weet niet of ik…' Vidor zette een stapje terug. 'Dat gaat toch alleen haar aan, zou ik zeggen.'

Daar zat wat in. Hammond zou eerst iets moeten geven voor hij iets terug kon verwachten. 'Neem me niet kwalijk. Ik had moeten zeggen wie ik ben. Edward Hammond. Ik maak me zorgen over Zineta. Dat hebben we gemeen. Ik zat in dat café aan de overkant me af te vragen hoe ik in contact met haar kon komen, omdat ze haar telefoon niet opneemt. Wil je iets drinken? Misschien kunnen we elkaar wel helpen.'

Vidor dacht daar even over na en knikte toen. 'Oké.'

Eenmaal terug in het café probeerde Hammond zich meer ontspannen en zorgeloos voor te doen dan hij zich in werkelijkheid voelde. Vidor leek een aardige jongen, maar het was waarschijnlijk niet verstandig om hem te laten merken hoe cruciaal de informatie die hij had kon zijn.

'Wat wil je hebben?'

'Een pilsje, graag.'

Hammond bestelde er twee en ging aan een tafeltje bij het raam zitten, waar een brede rode kaars stond te flakkeren. De schaduwen daarvan maakten het moeilijk de uitdrukking op het gezicht van Vidor te peilen, maar dat was wederzijds, veronderstelde Hammond. 'Ben jij een Serviër, Stevan?'

'Ja. Maar ik ben in eenennegentig vertrokken, voor de oorlog uitbrak. Ik zag wat er stond te gebeuren en wilde daar niets mee te maken hebben. Hoewel dat niet helemaal is gelukt, zou je kunnen zeggen, omdat ik bij het ICTY werk.'

'Hoe heb je Zineta leren kennen?'

'Ze kwam zo vaak naar de rechtbank, dat het op een gegeven moment begon op te vallen. Maar ze kwam alleen voor de zittingen van Gazi. Waardoor ik me ging afvragen wat die haar moest hebben aangedaan. We raakten op een dag tijdens een schorsing met elkaar aan de praat bij de koffiemachine en ik vroeg haar mee uit. Dat moest ik daarna nog twee keer doen voor ze ja zei. We zijn twee zaterdagen terug de stad in geweest. Ik vond het leuk. Van haar weet ik het nog zo net niet.'

'Heeft ze je verteld waar ze Gazi van kende?'

'Ja. Ik denk dat ze dacht dat dat me zou afschrikken.'

'Maar dat was niet zo.'

'Het is niet aan mij om te beoordelen hoe mensen het hoofd boven water hielden ten tijde van Milosevic. Ik was er niet bij.'

'Dat is heel ruimdenkend van je.'

'Wie de hele dag getuigenverklaringen vertaalt voor het ICTY wordt vanzelf heel ruimdenkend. Maar ik vermoed dat Zineta daar niet zo van overtuigd was, omdat ze niet op mijn sms'jes reageerde en ook niet meer terugkwam naar de rechtbank. Toen haar telefoon er ook nog mee ophield, dacht ik dat ik de zaak goed had verpest.'

'Behalve dan dat het allemaal niets met jou van doen had.'

'Dat zei zij ook toen ze me vandaag belde. Ze vroeg of we elkaar konden zien tijdens mijn lunchpauze. Bij die gelegenheid speelde ze dat bandje af. Ze zei dat ze het van…' Vidor wees met zijn bierflesje naar Hammond. 'Nou, van jou had.'

'Dat klopt. Ik had het haar geleend. En zou het vanavond zijn komen ophalen.'

'Wou je zeggen…'

'Wat stond er op die band, Stevan?'

'Een telefoongesprek in het Frans tussen twee mannen. Een daarvan was Dragan Gazi.'

'Herkende je zijn stem?'

'Pas nadat de andere man hem "*Monsieur* Gazi" had genoemd. Dat verbaasde me. Ik wist helemaal niet dat Gazi Frans sprak. Maar er ontbraken heel wat jaren uit zijn verleden. Misschien dat hij een paar daarvan in Frankrijk heeft gewoond.'

'Wie was die andere man?'

'Een advocaat. Met de naam Delmotte.'

'Waar ging het gesprek over?'

'De adoptie van een kind.'

Een kind. Natuurlijk. Monir. Het ging allemaal om Monir. 'Hebben ze de naam van het kind genoemd?'

'Nee. Maar het was een jongen. Ze noemden hem "*le gamin*". En Gazi was duidelijk zijn vader. Hij was bezig met het regelen van papieren voor zijn zoon waaruit bleek dat hij een wees was, zodat hij kon worden geadopteerd door een van Delmottes cliënten. Gazi maakte zich zorgen over wat er zou gebeuren met zijn zoon als hij… souterrain was, zoals hij het uitdrukte: ondergronds. Dit was kort voor hij in maart 2000 verdween. Er was een datum vastgesteld waarop de jongen zijn adoptieouders zou ontmoeten, maar Gazi wilde die naar voren halen en zette Delmotte onder druk om de papieren in orde te maken. Hij zei dat een compagnon van hem, genaamd Todorovic…'

'Todorovic?'

'Ja. Ken je hem?'

Hammond aarzelde. 'Wel eens van hem gehoord.'

'Ik ook. Hij is nogal bekend in Belgrado. Hoe dan ook, Gazi zei dat Todorovic klaarstond om de jongen af te leveren op het moment dat Delmotte zei dat het kon.'

'Af te leveren, waar?'

'Dat weet ik niet. Dat werd niet gezegd.'

Maar Todorovic wist dat wel. Dat was duidelijk. Ook voor Zineta. Hij wist het wel. En zij had iets wat hij erg graag wilde hebben: de bandjes. Opeens was het hem zonneklaar waarom ze ze niet aan Hammond kon teruggeven. Ze wilde ze inruilen voor haar zoon. 'Heb je dit alles ook tegen Zineta gezegd?'

'Zeker. Natuurlijk.'

'Hoe reageerde ze daarop?'

'Ze raakte behoorlijk opgewonden. En moest heel erg nadenken. Dat was op haar gezicht te zien. Ze zei verder niet veel. Ze bedankte me en... pakte toen het bandje en vertrok.'

'Je probeerde niet haar tegen te houden?'

'Nee. Dat had ik misschien wel moeten doen. Het klonk als informatie waar het ICTY in geïnteresseerd kon zijn. Het is een publiek geheim dat Branko Todorovic op de grijze lijst van de openbaar aanklager staat – mensen die moeten worden aangeklaagd zodra er belangrijk bewijsmateriaal tegen hen gevonden wordt. Ik denk dat ik... me te veel heb laten leiden door Zineta's betrokkenheid hierbij. Ik bedoel, ze is toch de moeder van die jongen, niet?'

'Ja. Hij heet Monir.'

'Heette. Nu is dat vast niet meer zo.'

'Nee, inderdaad.'

'Ik had de indruk dat er meer dan één bandje was.'

'Dat klopt... heel wat meer.'

'En wat staat daarop?'

'Dat weet ik niet. De enige stukjes die ik heb gehoord, waren in het Servisch. Maar het gaat vermoedelijk om het soort bewijsmateriaal waar jij het net over had.'

'Dat dacht ik al. Hoe kwam je aan die bandjes?'

Hammond aarzelde weer. Hij had deze man nog maar net leren kennen. Hij leek betrouwbaar, maar lijken en zijn waren niet hetzelfde. 'Kan jij je op de een of andere manier identificeren, Stevan?'

'Ja hoor.' Vidor pakte zijn portefeuille en haalde een geplastificeerde kaart tevoorschijn met zijn foto, het embleem van de Verenigde Naties en het logo van het ICTY, een wereldbol die door de twee schalen van Justitia wordt gewiegd: *Stevan Vidor, translator/traducteur.* Aan de echtheid hiervan kon niet worden getwijfeld.

'Nou, ik had de bandjes aan het ICTY willen geven zodra Zineta ze beluisterd had.'

'Enig idee waar ze naartoe is?'

'Geen flauw idee.'

'Misschien kan ik je daarmee helpen.'

'Hoe dan?'

Vidor leunde over het tafeltje heen en ging zachter praten. 'Eerst moeten we het over een paar dingen eens worden, jij en ik. Ik wil Zineta helpen. Ik vind haar... erg aardig. Maar het wordt me vast niet in dank afgenomen als het uitkomt dat ik bevriend ben met een lid van Gazi's familie, wat de moeder van zijn zoon toch eigenlijk wel is, en niet heb voorkomen dat ze essentieel bewijsmateriaal tegen hem heeft achtergehouden.'

'Het laatste wat ze zal doen is bewijsmateriaal tegen Gazi achterhouden.'

'Behalve als ze vindt dat ze niet anders kan, om haar zoon terug te kunnen krijgen.'

Dat was waar. En het was vermoedelijk de enige verklaring voor wat ze had gedaan. 'Wat wil je van me, Stevan?'

'Ik stel voor dat we gaan samenwerken, Edward. We willen allebei Zineta vinden en de bandjes afleveren bij het ICTY. En we weten allebei dingen die de ander niet weet. Bijvoorbeeld Delmotte. Ik ben goed in mijn werk. Ik heb een oor voor accenten. Dat was de reden waarom ik Zineta vanavond ging opzoeken. Er zat iets in Delmottes stem wat niet puur Frans was. Dat realiseerde ik me later pas. Hij is niet Frans. Franstalig, maar niet echt Frans.'

'Wat dan?'

'Hij is een Luxemburger. Ik heb hem gevonden via de website van de Luxemburgse orde van advocaten. Ik heb zijn kantooradres. Dat had ik Zineta willen vertellen.' Vidor zuchtte. 'Ik wilde daarmee indruk op haar maken. Ik dacht...' Hij haalde zijn schouders op. 'Ik had eigenlijk gehoopt dat ze daarna misschien mijn hulp zou accepteren.'

Loyaliteit jegens zijn werkgever gooide blijkbaar minder hoge ogen dan alles doen om bij Zineta in de gunst te komen. Opeens had Hammond het door. Hij was verliefd op haar. En daar zou Hammond wel eens zijn voordeel mee kunnen doen. Onder de huidige omstandigheden het enige voordeel dat hem geboden werd.

'Ik kan haar nu niet eens bellen om haar te vertellen wat ik heb ontdekt,' vervolgde Vidor, en hij schudde treurig zijn hoofd.

'Nee,' zei Hammond. 'Maar ik wel.'

24

'MET EDWARD WEER, ZINETA. LUISTER NAAR WAT IK TE ZEGGEN heb. Ik weet wat je aan het doen bent. En dat begrijp ik. Echt. Maar Todorovic hoeft hier niet bij betrokken te worden. Ik heb de informatie die je zoekt. Stevan Vidor is hier bij me. We weten waar Delmotte zit. We kunnen het bewijsmateriaal dat jij hebt van zijn transacties met Gazi gebruiken om Monirs nieuwe naam en adres bij hem af te dwingen. Begrijp je wel? We kunnen krijgen wat jij wilt, zonder Todorovic te geven wat hij wil. Denk daar maar eens goed over na. Het is de beste manier. Het betekent ook dat Marco niet voor niets zijn leven heeft gewaagd. Denk erover na en bel me. Zo gauw mogelijk.'

'Misschien had je mij niet moeten noemen,' zei Vidor toen Hammond ophing. Er klonk zowel zelfspot als zelfmedelijden in zijn toon. 'Ze vertrouwt mijn beweegredenen waarschijnlijk niet.'

'Ik betwijfel of ze haar eigen beweegredenen wel vertrouwt. Ze is vermoedelijk halsoverkop op pad gegaan toen ze begreep welke kansen het bandje haar bood. Ik hoop eigenlijk dat ze al wat aan het twijfelen is geslagen. Met een beetje geluk heeft ze nog geen contact met Todorovic opgenomen.'

'En als ze dat wel heeft gedaan?'

'Wij kunnen sneller zijn dan hij.'

'En als ze niet terugbelt?'

'Ze belt wel. We moeten haar alleen de tijd gunnen om de situatie te overdenken. Intussen...'

'Moeten we naar Luxemburg.'

'We moeten er in elk geval voor zorgen dat we daar zijn als Delmotte morgenochtend zijn kantoor binnenloopt. Met of zonder Zineta.'

De meest voor de hand liggende manier om daar te komen, was met de auto van Vidor. Hij schatte dat de reis zo'n drie tot vier uur zou duren, dus spraken ze af dat hij Hammond de volgende morgen om vijf uur zou ophalen van het Kurhaus.

Hammond betaalde zijn rekening vooruit toen hij terugkwam in het hotel en ging toen meteen door naar zijn kamer. Er was nog geen antwoord van Zineta, maar zelfs als dat wel zo was, zou hij Bill niet hebben verteld wat Vidor en hij gingen doen. Bill had zijn standpunt ingenomen en Hammond betwijfelde of er ook maar iets was wat hem daarvan af zou kunnen brengen. De tijdslimiet van achtenveertig uur hield in dat hij tot donderdag had om zich in de ogen van zijn zwager te rehabiliteren. Dat was niet lang. Maar als alles goed ging, was het lang genoeg.

Hij belde Zineta opnieuw en liet weer een bericht achter. Vroeg of laat zou ze wel tot rede komen. Dat moest. Anders...

De slaap kwam, traag en licht, met dank aan de Nederlandse televisie. Te weten dat de wereld verder draaide op zijn triviale en onbegrijpelijke manier, zonder zich iets aan te trekken van zijn twijfels en angsten, werkte als een soort kalmerend middel. Hij had het opgegeven zich af te vragen waaraan hij alle tegenslagen van de laatste tijd had verdiend. Het enige wat nu telde was hoe hij daar een punt achter kon zetten.

Toen Hammond even voor vijf uur het hotel uit kwam, zat Vidor buiten in zijn auto met draaiende motor te wachten. Het was koud en uit de nachtelijke lucht druilde een miezerig regentje. Van daglicht was kennelijk voorlopig nog geen sprake.

De Peugeot was klein en meer dan tien jaar oud, en had een verwarming die niet werkte. Maar ondanks al dat ongerief, schoten ze lekker op. Er werd vrijwel niets gezegd, beiden waren niet in de stemming voor prietpraat, of konden er de energie niet voor opbrengen. Ze waren bondgenoten uit noodzaak en het gewicht van die noodzaak hing zwaar tussen hen in.

Toen het wat lichter werd, ging het allemaal wat trager. Forensenverkeer en vrachtwagens stroomden in steeds grotere aantallen de Belgische snelwegen op. Niettemin verliep de trip zo vlot, dat Vidor voorstelde bij het laatste wegrestaurant voor de stad Luxemburg te ontbijten. Toen ze over hun koffie, sinaasappelsap en croissants gebogen zaten, ging Hammonds telefoon en hij hoopte dat het Zineta was die op zijn laatste berichten reageerde. Maar het was een sms van Miljanovic. 'Ben vanochtend even bij je vriend gaan kijken. Geen verandering. Krijgt de beste zorg.' Hij schudde somber met zijn hoofd naar Vidor. 'Is niet van haar.'

'Geloof je nog altijd dat ze belt, Edward?'

'Ja.'

'Nou, je kent haar beter dan ik, denk ik.'

'Dat weet ik nog zo net niet.'

'Heb je er geen spijt van dat je hier zo bij betrokken bent geraakt?'

'Nee. Vreemd genoeg niet.'

'Hoe kwam dat eigenlijk? Dat betrokken raken?'

'Dat is een lang verhaal. Als ik de bandjes aan het ICTY afgeef zal ik volledig verslag doen van alles. En over het ICTY gesproken, moet je die niet bellen om te zeggen dat je niet komt, vandaag?'

'En zo veranderden we handig van onderwerp. Ik heb voor we weggingen een boodschap achtergelaten dat ik vandaag niet kom. Kan je me, nu dat ook geregeld is, dan vertellen waar je die bandjes vandaan hebt?'

'Belgrado.'

'Dat is een grote stad.'

'Je geboortestad?'

Vidor moest grinniken om de onverhulde manier waarop Hammond om alles heen draaide. 'Nee. Ik kom uit Subotica, meer naar het noorden, bij de Hongaarse grens. Vidor is een Hongaarse naam. Misschien heb je wel eens gehoord van King Vidor, die regisseur uit Hollywood. Mijn vader beweert dat we familie van hem zijn.'

'Wonen je ouders nog in Servië?'

'Ja. Ouders. En broers en zusters. Die zijn allemaal gebleven. Ik ben de enige die weg wist te komen.'

'Zie je ze nog wel eens?'

Vidor trok een lelijk gezicht. 'Teruggaan is niet zo eenvoudig. Voor mij niet, maar voor hen ook niet.'

'Hoe ben je in Den Haag terechtgekomen?'

'Naar Servo-Kroatische vertalers is weinig vraag.'

'Vind je het werk leuk?'

'Leuk? Dat is nou niet bepaald…'

Het tjirpen van Hammonds telefoon onderbrak hun gesprek. Hammond keek op het display om te zien wie er belde. 'Zineta,' zei hij kalm. 'Eindelijk.'

Hij was al in beweging toen hij antwoordde, op weg naar de relatieve privacy van de openlucht, na een gebaar naar Vidor om duidelijk te maken dat het hem om het meeluisteren van de mensen in de eetgelegenheid ging, hoewel hij eerlijk gezegd ook wel blij was dat hij daardoor even de kans kreeg om alleen met Zineta te praten.

'Het spijt me, Edward', waren letterlijk haar eerste woorden, die zo schor klonken dat hij wel aanvoelde dat het niet met de verbinding te maken had.

'Je hoeft je niet te verontschuldigen, ik meen wat ik in mijn boodschappen heb gezegd. Ik begrijp waarom je het hebt gedaan. Je had moeten wachten en het met me moeten bespreken, maar ik had als ik in jouw schoenen had gestaan waarschijnlijk hetzelfde gedaan.'

'Ik zag een kans om Monir te vinden en vond dat ik die moest grijpen.'

'Waar ben je nu?'

'Op Schiphol. Dat klinkt misschien gek, maar ik wilde klaarstaan... om waarheen dan ook te kunnen gaan... als ik wat hoorde.'

'Heb je contact opgenomen met Todorovic?'

Ze gaf niet meteen antwoord. Alleen statisch geruis en giswerk vulden de stilte toen hij het grauwe, druilerige ochtendlicht in liep.

'Zineta?'

'Ja.' Haar stem klonk zo zacht, dat hij haar amper kon verstaan. 'Ik heb contact met hem gezocht.'

'Heb je hem gesproken?'

'Ja. Ik had een bericht achtergelaten bij een... assistent. Daarna belde Todorovic terug. Persoonlijk. Hij wil de banden dolgraag. En was een en al oor.'

'Wat heb je met hem afgesproken?'

'Hij zei dat hij me later op de dag zou bellen als hij had geregeld dat ik Monir kon zien. Als ik hem had gezien... als ik zeker wist dat hij mijn zoon was... zou ik...'

'Hem de bandjes geven?'

'Ja. Er staat genoeg op om Todorovic kapot te maken, Edward. En hij is Gazi niets meer verschuldigd. Om mij of Monir geeft hij niet. Voor hem is het... gewoon een zakelijke transactie.'

'Ben je daar wel zeker van? Een man als hij kan je nu eenmaal niet vertrouwen. Moet hij sowieso niet onderuitgehaald? Marco vindt van wel.'

'Weet je hoe het met Marco is?'

'Hij is stabiel. Maar het kan nog steeds alle kanten op.'

'Arme Marco. Arme jij.' Ze schudde haar hoofd. 'Wat heb ik gedaan?'

'Jij pakte de enige kans die je dacht te hebben. Maar nu hebben we nog een kans. Een betere. Dankzij Stevan Vidor.'

'Hem had ik hier nooit bij willen betrekken. Maar ik wist geen andere manier om te weten te komen waar Gazi en Delmotte over spraken. Stevan is lief, maar... dit is zijn probleem niet.'

'Kan zijn. Maar hij is wel een deel van de oplossing. Hij heeft uitgezocht waar Delmotte zit. En die willen we vanochtend voor het blok zetten. Waarom kom jij ook niet?'

'Waarnaartoe?'

'Luxemburg. Dat kan vanaf Schiphol geen probleem zijn.'

'Maar... wat moet ik dan met Todorovic?'

'Niets. Als we van Delmotte krijgen wat we willen, kan je Todorovic aan het lijntje houden.'

'Hij weet dat ik de bandjes heb, Edward. Dan komt hij achter me aan.'

'Niet als hij gearresteerd is. Wat niet lang op zich zal laten wachten, als we de bandjes eenmaal bij het ICTY hebben afgeleverd.'

Weer viel ze stil. Hammond liep heen en weer over een leeg parkeervak en hield zichzelf voor dat hij haar alle tijd moest gunnen die ze nodig had. Dat was niet makkelijk, en zijn geduld was bijna op, toen ze zei: 'Oké. Ik kom.'

Vidor fleurde zichtbaar op toen hij hoorde dat Zineta weer aan boord was. Ze vervolgden hun tocht naar Luxemburg Stad, en kwamen, zodra ze de snelweg verlieten, in druk spitsverkeer terecht.

Tegen de tijd dat ze een plaatsje in een ondergrondse parkeergarage achter de Boulevard Royal hadden gevonden, was hun plan om Delmotte op te wachten als hij zijn kantoor binnenliep aardig in het ongerede geraakt.

Maar de relatief kleine omvang van de oude binnenstad werkte in hun voordeel. Vidor navigeerde hen aan de hand van een internetplattegrond bedreven naar het kantoor van Delmotte – de benedenverdieping van een fraai oud huis in de buurt van het Grand-Ducal Palace – voor de klanken van de diverse kerkklokken die negen sloegen waren weggestorven.

Toen ze binnenkwamen bracht een ingetogen jonge receptioniste net een kopje koffie naar een van de kamers die op straat uitkeken. Na haar terugkeer legde Vidor in zijn beste en meest vleiende Frans uit wat ze wilden: direct worden toegelaten bij Delmotte. Voor zover Hammond kon nagaan werd dit op goed getrainde wijze afgehouden. Vidor liet de naam Gazi vallen, die de secretaresse kennelijk niets zei en had het over '*une adoption*'. Ze verklaarde zich uiteindelijk bereid de boodschap over te brengen aan Maître Delmotte.

Terwijl ze op zijn reactie zaten te wachten, piepte Hammonds telefoon. Er was een sms van Zineta. 'Arr lux 1045. Graag afhalen vliegveld.' Hij was nog steeds onhandig zijn antwoord aan het terugduimen: 'Misschien laat maar kom zeker' toen de secretaresse met een licht verbaasde uitdrukking op haar gezicht terugkwam. Delmotte had tijd voor hen vrijgemaakt.

'Ze is onderweg,' fluisterde Hammond toen ze naar binnen gingen.

'Wij ook,' zei Vidor.

Delmottes kantoor was een stijlvolle werkruimte uit de eenentwintigste eeuw geënt op een salon uit de achttiende eeuw. Panelen van taxushout en reproducties van oude meesters in een harmonieus samenzijn met Italiaanse meubels en ultramoderne computertechnologie. De wetskennis was blijkbaar een lucratieve aangelegenheid in Luxemburg, hoewel Hammond zich realiseerde dat Marcel Delmotte meer dan eens van de letter van de wet moest zijn afgeweken met een riant honorarium in het vooruitzicht, als je tenminste mocht afgaan op zoiets als zijn overeenkomsten met Gazi.

Delmotte zelf leek op het eerste gezicht de verpersoonlijking van de onzichtbare juridisch adviseur: van middelbare leeftijd en sober gekleed, slank, een onopvallende bril, neutraal hoffelijk. Maar de kribbige trekjes rond zijn kleine strakke mond en de borende, gefronste blikken die heen en weer schoten gaven aan dat er zich van alles afspeelde achter dat minzame uiterlijk van hem.

Eerst werden er de nodige beleefdheden uitgewisseld in het Frans, maar zodra Delmotte merkte dat een van de bezoekers die taal niet sprak, schakelde hij over op het Engels. 'Ik kan maar heel even tijd voor u vrijmaken, *messieurs*. Wat kan ik voor u doen?'

'Is adoptie een van uw specialiteiten?' vroeg Hammond provocatief.

'Een specialiteit? Nee, dat zou ik niet willen zeggen.' Delmotte keek ongeïnteresseerd en nam een afgemeten slokje koffie. 'Ik ken wel een andere *notaire* die u hierover beter kan raden als...'

'Weet u wie Dragan Gazi is, maître?' onderbrak Vidor hem.

'Gazi? *Mais oui, d'accord*. De Servische militieleider. Verleden jaar gearresteerd... en naar het Internationaal Strafhof in Den Haag gebracht om berecht te worden.'

'Heeft u hem wel eens ontmoet?'

'Absoluut niet.'

'Of ooit met hem te maken gehad?'

Delmotte produceerde een glimlachje. '*Non.*'

'Wij weten wel beter,' zei Hammond. 'Uw gesprekken met hem in maart 2000 over de adoptie van zijn zoon zijn vastgelegd. En wij hebben de opnames.'

De glimlach was er nog, maar het was een karikatuur geworden. En plotseling werd er een ader zichtbaar bij Delmottes slaap. 'U vergist zich. Ik heb nooit... te maken gehad met Dragan Gazi.'

'De band vertelt een ander verhaal. U heeft voor de papieren gezorgd waardoor Monir Gazi onder een andere naam kon worden geregistreerd als wees. Daarna heeft u geregeld dat hij werd geadopteerd door een van uw cliënten. Gazi heeft u daarvoor zonder twijfel goed betaald, omdat uw handelingen in dezen gezien kunnen worden als een misdrijf. Of die tot een gevangenisstraf kunnen leiden, weet ik niet. U kent de gang van zaken bij justitie in Luxemburg beter dan wij. Maar een ferme boete en het einde van uw juridische loopbaan is wel het minste waarvan u moet uitgaan.'

Delmotte likte nerveus aan zijn snorretje. Hij keek van de een naar de ander, en zocht in hun gezichten een teken dat aangaf wat hem nu te doen stond. 'Zo'n opname... kan niet anders dan een vervalsing zijn.'

'U bent het zelf, op band, maître,' zei Vidor. 'Ik herken uw stem. Het gesprek draaide om Gazi's wens de datum vast te stellen waarop "*le gamin*" Servië uit getransporteerd kon worden. Uiteindelijk zegde u "*l'expédition de la procédure*" toe na een verhoging van tien procent van uw honorarium. Weet u nog?'

'Dit is... een leugen.'

'We hebben de band.'

'En dus,' zei Hammond, die verbaasd stond van zijn eigen hardheid, 'hebben wij u in onze macht.'

Delmotte sloot even zijn ogen, en zei toen: 'Als een dergelijke band zou bestaan, is het uw plicht die naar de politie te brengen.'

'We zouden dat liever niet doen.'

'*Vraiment?*'

Hammond glimlachte. 'Echt.'

Delmotte pakte zijn koffiekopje om wat bedenktijd te winnen, maar merkte dat het leeg was. Met een diepe zucht zette hij het terug op het schoteltje. 'Hoeveel wilt u, messieurs?'

'We zijn hier niet voor geld,' zei Hammond.

'Non?'

Hij schudde zijn hoofd. 'Nee.'

'Dan…'

'We zijn hier ten behoeve van Monir Gazi's biologische moeder. Ze wil haar zoon zien. Ze wil het kind kennen dat ze ter wereld heeft gebracht.'

Delmotte wrong zijn handen. 'Weet u zeker dat u niet liever… compensatie wilt voor uw tijd en moeite, messieurs? De… hereniging… die u wenst is nogal… *problématique.*'

'We zijn ervan overtuigd dat u die kunt bewerkstelligen. En we kunnen niet worden afgekocht. Het is de jongen, of niets.'

'Wel, misschien kan ik… wat navraag doen. Natuurlijk wil ik dan wel die band die u noemde… voor ik…'

'Zodra Monir en zijn moeder elkaar zien, krijgt u de band.' Het verlies van één exemplaar uit de verzameling van Gazi moest dan maar voor lief worden genomen, vond Hammond. 'En die ontmoeting moet vandaag plaatsvinden.'

'Vandaag? *Impossible.*'

'Daar heeft u dan alleen uzelf maar mee.'

Bij een serieuze poging om aan te tonen hoe onmogelijk het was, ontstonden er diepe rimpels in Delmottes voorhoofd. 'Ik kan niets garanderen. Maar… ik kan…'

'Even wat mensen gaan bellen?'

'Ja. Maar als de moeder van de jongen denkt dat ze hem… kan weghalen van zijn…'

'Regel nu maar een bijeenkomst voor later op de dag, oké? Hoe die afloopt is onze zorg niet.' Hammond had eerlijk gezegd nooit verder gedacht dan het samenbrengen van Zincta en Monir. Dat was het enige wat ze volgens haar zeggen altijd had gewild: een kans om weer deel te kunnen gaan uitmaken van het leven van haar zoon. 'Als u de band eenmaal heeft, is er naar ons weten verder geen bewijs dat u ooit iets met deze zaak te maken heeft gehad.'

'En hoe weet ik… dat er geen kopieën van deze band zijn?'

'U zult ons moeten vertrouwen.'

Delmotte keek naar Hammond alsof die net een smakeloze grap had gemaakt. 'U vertrouwen?'

'U heeft niet veel keus, maître,' zei Vidor. 'Dit is voor u de enige manier om een heleboel ellende te vermijden.'

Daar viel weinig tegen in te brengen, wat Delmotte met een treurig knikje van zijn hoofd toegaf. 'Ik zal... een paar mensen bellen,' mompelde hij.

'We geven u de rest van de ochtend,' zei Hammond, gebruikmakend van hun overwicht. 'U heeft tot twaalf uur de tijd om iets te organiseren. Is dat duidelijk?'

'*Oui, oui. Très clair.*'

'Goed. Dan zien we u straks.'

'Ik zou graag ergens anders samenkomen, messieurs. Dat is beter voor ons allemaal, denk ik. Ik stel voor... la place de la Constitution. Dat is niet ver.'

'Oké. We zullen er zijn. Om twaalf uur. Vergeet niet zelf ook te komen.'

'O, reken maar. U zei het al. Ik heb niet veel keus.'

'Wat denk jij?' vroeg Vidor, toen ze een paar minuten daarna het kantoor van de advocaat uitliepen.

'Ik denk dat Monir in Luxemburg is,' antwoordde Hammond. 'Anders zou een treffen vandaag inderdaad niet kunnen. En ik denk dat Delmotte alles in het werk zal stellen wat hij denkt dat nodig is om de band in handen te krijgen. En dat leidt dan precies tot wat wij willen dat hij doet. Dankzij jou, Stevan, wordt Zineta herenigd met haar zoon.'

En dankzij deze opmerking begon Vidor te stralen.

25

HET WAS EEN STILLE OCHTEND OP HET VLIEGVELD VAN LUXEM-
burg. De meeste mensen op de vlucht uit Amsterdam waren zakenlieden
die werden opgewacht door allerlei chauffeurs met grote stukken karton
in hun hand met daarop de namen van de mensen die naar de stad moesten worden gebracht. Edward Hammond was in feite de enige die zonder zo'n kaart bij de uitgang stond. Stevan Vidor wachtte op eigen verzoek bij de auto, omdat hij Zineta niet wilde 'overvallen'. Hammond wist
niet precies wat hij daarmee bedoelde, maar had er verder niet zo lang
over nagedacht. Hij had op dit moment genoeg andere dingen aan zijn
hoofd.

Zineta kwam als een van de laatste passagiers naar buiten en Hammond besefte op het ogenblik dat hij haar zag meteen hoe zwaar haar gedrag jegens hem haar had aangegrepen. Ze zag wit, had roodgehuilde
ogen en trilde licht, toen ze op hem toeliep. Toen hij naar haar toekwam,
hield ze een van de twee reistassen die ze bij zich had omhoog en reikte
hem die aan.

'Hier zitten de bandjes in,' zei ze op holle toon. 'Die ik nooit had mogen meenemen. Neem ze alsjeblieft weer terug.'

'Je hebt Monir nog niet gesproken,' zei hij, en pakte ze niet aan.

'Die bandjes moeten naar het ICTY, of ik hem nu te zien krijg of niet.
Ik had ze nooit mogen inzetten als onderhandelingstroef. Ik wist wel dat
dat niet goed was, natuurlijk. Maar deed het toch. Nu ben ik...' Ze schud-

de haar hoofd toen ze bedacht hoe dom ze was geweest. 'Pak ze aan, als-jeblieft.'

Hij nam de tas aan. Hij aarzelde even, maar omhelsde haar toen. 'Toe nou maar, Zineta. Ik neem je niet kwalijk wat je deed.'

'Dat zou je wel moeten doen,' zei ze, met een stem die gesmoord werd door zijn schouder.

'Alles valt op zijn plaats. En daar gaat het tenslotte om.'

'Is dat echt zo?' Ze maakte zich los en keek hem aan.

'Heeft Todorovic, nadat wij elkaar voor het laatst spraken, nog con-tact met je opgenomen?'

'Nee.'

'Dan hebben we nog steeds een voorsprong in tijd. Delmotte heeft toe-gezegd te zullen regelen dat je Monir kan zien.' Hij pakte ook haar an-dere tas, wat haar eigenlijk ontging, en duwde haar naar de roltrap die naar de uitgang liep.

'Wanneer kan ik hem zien, Edward?'

'Later vandaag, als Delmotte doet wat hij doen moet. We hebben een opname van zijn gesprek met Gazi, dus heeft hij redenen genoeg om zich aan zijn woord te houden.'

'Maar... waar is Monir?'

'Ergens in Luxemburg, denk ik. De stad, of in de buurt daarvan.'

'Is hij hier opgegroeid?'

'Het lijkt er wel op.'

'Dus meer dan Luxemburg weet hij eigenlijk niet.'

'Dat zou heel goed kunnen.'

Ze kwamen bij de roltrap, maar Zineta zette plotseling een stap opzij waardoor Hammond achteruit moest springen.

'Wat is er aan de hand?'

'Ik was zo stom om de bandjes mee te nemen en contact op te nemen met Todorovic.' Ze legde haar hand tegen haar voorhoofd. 'Misschien ben ik nog steeds stom.'

'Hoezo?'

'Monir weet niet meer wie ik ben. Hij weet waarschijnlijk niet eens dat hij geadopteerd is. En misschien moet dat ook maar zo blijven.'

'Hij komt er op den duur toch wel achter. Zo gaat het altijd.'

'Dus jij vindt dat ik hem wel moet spreken als ik de kans krijg?'

Dit was Hammonds kans om haar van het idee om haar zoon te zien af te brengen. Hij had de bandjes terug, tenslotte. Delmotte afbellen kostte niets en voorkwam vermoedelijk allerlei problemen. Maar hij kon het vreemd genoeg toch niet opbrengen. Hij had boos kunnen zijn op Zineta voor wat ze had gedaan. Maar het enige wat hij zag was een eenzame, bange vrouw die niet meer van haar eigen gevoelens op aan kon. 'Ik denk dat je er spijt van krijgt als je hem nu niet ziet, Zineta. Dat denk ik echt.'

Ze dacht er even over na en knikte toen ernstig. 'Ja. Natuurlijk.' Ze keek naar hem met weer een vleugje beslistheid in haar blik. 'Kom op, we gaan.'

De eerste die ze zagen toen ze het parkeerterrein voor kort parkeren opliepen, was Vidor. Hij liep naast de Peugeot te ijsberen en rookte nerveus een sigaret. Zineta pakte Hammond bij een elleboog en trok hem opzij, zodat ze door de zijkant van een busje buiten zijn gezichtsveld bleven.

'Ik vind het allemaal zo vervelend voor Stevan,' fluisterde ze. 'Al die problemen die ik hem heb bezorgd.'

'Ik denk dat hij daar geen enkel bezwaar tegen heeft.'

'Hoe bedoel je?'

'Je beseft toch wel dat hij verliefd op je is?'

Dat Zineta dat niet had beseft, bleek wel uit de grote ogen die ze op zette. 'Wat een onzin.'

Hammond haalde zijn schouders op. 'Dat is liefde soms toch ook?'

Terwijl Zineta met Vidor praatte, hield Hammond zich afzijdig. Voor zover hij door de raampjes van het busje kon zien, bleef het fysieke contact tussen hen in eerste instantie beperkt tot een vluchtige drievoudige kus op de wangen. Hij hoorde hen Servisch spreken, te zacht voor hem om losse woorden te kunnen opvangen, hoewel Zineta's toon deed vermoeden dat ze om vergeving vroeg. Dat was een open deur wat Vidor betrof, die zijn beschroomdheid voldoende wist te overwinnen om een arm om haar schouder te leggen, maar toch niet de omhelzing aandurfde die hij haar zo overduidelijk zou willen geven. Hammond had met hen allebei te doen. Ze voelden zich kennelijk niet op hun gemak bij elkaar. En of dat ooit zou veranderen – en of ze daar ooit de kans voor zouden krijgen – wist hij niet.

Een uur later wachtten ze op Delmotte op het place de la Constitution, dat op een van de bastions van de zeventiende-eeuwse fortificaties van

219

de stad lag. Onder hen, aan de voet van de rotslaag waarop de oude stad rustte, lagen de slingerende paden en het groen van de Pétrusse-vallei waarachter de zuidelijke voorsteden zich uitstrekten. Zelfs bij winters grijs weer had Luxemburg iets welvarends, ordelijks en beschaafds. Hammond zag wat Zineta, die nerveus een sigaret stond te roken en zo nu en dan een blik wierp op de ranke torenspitsen van de nabijgelegen kathedraal, dacht: als Gazi hun zoon, om welke reden dan ook, het comfort en de zekerheid had geboden van een opvoeding hier, moest zij dan iets doen wat dat in gevaar kon brengen?

Ze liepen naar het plein vanaf het parkeerterrein aan de Boulevard Royal, zonder te weten dat er op het plein zelf ook parkeerplaatsen waren. Even voor twaalf uur draaide met een sierlijke zwaai vanaf de Boulevard Roosevelt een Citroën-oldtimer met Marcel Delmotte aan het stuur een van die parkeerplaatsen op.

Hij leek wat kleiner dan op zijn kantoor, misschien door de enorme jas waarin hij was gehuld of anders door de ongerustheid die hij uitstraalde en die door zijn hoog opgetrokken schouders werd geaccentueerd. Hij keek toen hij uit zijn auto stapte argwanend om zich heen, alsof hij verwachtte door meer mensen te worden opgewacht dan was afgesproken.

'Alleen wij zijn het, maître,' zei Vidor.

Delmotte schraapte zijn keel en trok de kraag van zijn jas dicht om zijn nek. Hij keek naar Zineta. 'Is dit… de moeder?'

'Mijn naam is Zineta Perovic,' zei ze, geërgerd door zijn toon. 'Monir Gazi is mijn zoon.'

'Juridisch dan misschien…' Hij brak af met een zucht. '*N'importe.*'

'Heeft u gedaan wat we vroegen?' vroeg Hammond.

'Ja, monsieur. Ik heb… afspraken gemaakt.'

'Wanneer kan Zineta Monir zien?'

'Ik kan u nu bij hem brengen.' Zineta's geschokte reactie ontlokte hem een klein glimlachje. Ze kon het haast niet geloven, na negen jaar zoeken ging het allemaal opeens te snel en te makkelijk voor haar. 'Maar u moet zich wel realiseren, madame, dat hij een fijne jeugd heeft gehad. Hij heeft geen idee dat de mensen die hem hebben opgevoed zijn ouders niet zijn. Weet u wel zeker dat u hem wilt zien?'

'Heel zeker, dank u wel,' zei ze en ze vermande zich.

'De band?'

'Hier.' Hammond stak hem omhoog. 'Wilt u hem horen?'

'Er zit een tapedeck in mijn auto. Ik draai hem tijdens de rit wel af.'

'En waar gaan we heen?'

'Dat ziet u wel als we daar aankomen. Uw voorwaarden, monsieur, niet de mijne. De band als… Madame Perovic… haar zoon ontmoet. Akkoord?'

Hammond keek naar Zineta. Haar blik zei hem dat ze geen seconde langer wilde wachten. Hij knikte. 'Ja.'

'Zullen we dan maar gaan?'

Vidor en Zineta gingen achterin zitten, en Hammond zat naast de bestuurder. Delmotte stak de Pétrusse-vallei over, en nam toen de weg naar het vliegveld, die ook een snelweg kruiste. Na een paar minuten drukte hij op een knop op het dashboard waardoor het tapedeck aanging. 'S'*il vous plaît*,' zei hij met een blik op Hammond.

Zineta had de band teruggespoeld tot aan het begin van het gesprek van Delmotte met Gazi. Op het moment dat de band begon te draaien schalde het schraperige Frans van de Serviër uit de luidsprekers. '*Maître Delmotte? C'est Dragan Gazi.*' Toen kwam Delmottes beleefde antwoord. '*Bonjour, Monsieur Gazi. Comment allez-vous?*' Hij leek het prettig te vinden dat hij werd gebeld. Negen jaar later leek hij de herbeleving echter een stuk minder leuk te vinden.

Deze herbeleving gaf hij niet veel kans. Meteen na het woord '*l'adoption*' drukte hij de knop weer in en schoot de band uit het apparaat. '*Ça suffit*,' zei hij toonloos.

'Wat u wilt.' Hammond kreeg het bandje terug.

'Wie heeft dit opgenomen, monsieur?'

'Gazi. Hij heeft alle belangrijke telefoongesprekken opgenomen. Uit zelfbescherming, moet hij toen hebben gedacht.'

Delmotte stootte een bitter lachje uit. 'Ik had nooit…' Maar hij bracht het niet op om die zin af te maken. Hij schudde alleen zijn hoofd.

'Hoeveel heeft hij betaald?' vroeg Hammond.

'Te veel om nee tegen te zeggen. Dacht ik toen. Het was een slechte tijd voor me. Er was een echtscheiding. Ik…'

'Een echtscheiding?'

'Ja. Vindt u dat leuk?'

Nee. Natuurlijk niet. Maar Delmotte kon niet weten hoe ironisch het was dat ze beiden om dezelfde reden voor Gazi bezweken waren.

'Voor mij was het ook een slechte tijd,' zei Zineta. 'Ik verloor mijn zoon door wat u voor Gazi deed.'

'Als ik het niet deed, had hij wel een ander gevonden.'

'Is dat een reden?'

'Hij zei niets over u, madame. Ik ging ervan uit dat de jongen geen moeder had, en dat wat ik deed, hoewel technisch gezien onwettig, hem een beter leven zou geven dan in Servië. Bent u rijk? Bent u getrouwd? Heeft u een carrière?'

'Nee,' antwoordde ze eenvoudigweg.

'Dan zou u blij moeten zijn met de opvoeding die hij heeft gehad.'

'Hij zou een prima opvoeding hebben gehad als hij bij zijn moeder was gebleven,' zei Vidor.

'*Peut-être,*' zei Delmotte met een zucht. En hij hield daarna zijn mond.

Ze reden de snelweg op naar het noorden, maar sloegen meteen bij de volgende afrit af en reden de buitenwijken van de stad weer in. Hier, op het Kirchberg-plateau stonden de torenhoge kantoorgebouwen van de Luxemburgse afdeling van de Europese Unie in kluitjes bij elkaar: een bergketen van glanzend staal en getint glas, met nog een paar nieuwe pieken onder constructie.

'De ouders van de jongen werken voor de EU,' zei Delmotte, toen ze langs de reusachtige anonieme structuren reden. 'Ze hebben leidende functies, met hoge salarissen en voortreffelijke arbeidsvoorwaarden. Ze wilden graag een kind om hun leven mee te delen, maar ze konden er zelf geen krijgen. Ik heb ze geholpen met de oplossing van hun probleem. Zij dachten een weeskind uit de oorlog in Kosovo te hebben geadopteerd. Ze wisten niet – en weten nog steeds niet – dat hij de zoon van Gazi is. Gaat u ze dat zeggen?'

Een blik op Zineta vertelde Hammond dat ze nog geen idee had wat ze zou gaan zeggen tegen deze mensen die ze nog nooit had gezien en de ouders van haar kind waren geworden. 'Wat heeft u nu tegen ze gezegd?' vroeg ze, deels om haar besluiteloosheid te maskeren.

'Ik heb de moeder vanochtend gebeld en haar gezegd dat een vrouw die zegt de echte moeder van de jongen te zijn misschien het plan heeft hem te ontvoeren.'

'Ontvoeren?' hijgde Zineta en ze snakte naar adem.

'U haalt zich nogal wat op de hals, maître,' zei Vidor gespannen.

'Ik moest toch iets zeggen om een bijeenkomst op zo'n korte termijn te kunnen regelen. De moeder heeft de jongen van school gehaald en mee naar huis genomen. Daar wacht ze op me. Wacht ze op óns, hoewel ze dat niet weet.'

'En hoe zit het met haar man?' vroeg Hammond.

'Die is naar een vergadering in Brussel.'

'Hoe heten ze?' vroeg Vidor. 'Dat mogen we nu toch wel weten?'

'Bartol. Hij is Frans. Zij is Iers. Emile en Mary. Ze hebben de naam van de jongen veranderd in Patrick.'

'Patrick Bartol,' zei Zineta versuft.

'Hij is elf jaar oud, madame. Hij herinnert zich niets van u of van Servië. Hij spreekt Frans, Engels en Duits. Maar geen Servisch. Geen woord. Als hij al iets zou zijn, dan is hij een Luxemburger. Hij heeft hier voor zijn gevoel altijd al gewoond.'

'Hem met rust laten? Vindt u dat ik dat moet doen?'

Delmotte gaf geen antwoord. Uiteindelijk beantwoordde Zineta de vraag zelf. 'Misschien moet ik dat ook wel. Misschien doe ik het ook wel. Maar ik wil hem hoe dan ook zien.'

Ze reden verder noordwaarts, door nog meer nog groenere woonwijken, tot ze de stad achter zich lieten. Toen sloegen ze af van de hoofdweg en kwamen in een bebost, heuvelachtig gebied, waar grote moderne villa's op flinke stukken eigen grond langs een licht zigzaggende straat verspreid stonden opgesteld.

'Dit is Forêt Pré,' zei Delmotte. 'Dat als een zeer gewild bouwproject bekendstaat.'

'En hier woont Monir?' vroeg Zineta, die door het autoraampje naar de terracotta daken, gemillimeterde gazons en de zorgvuldig opgestelde groepjes coniferen staarde.

'De Bartols wonen hier, ja,' zei Delmotte. 'We zijn er nu bijna. U moet nu besluiten wat u tegen Madame Bartol wilt zeggen.'

'Net als u, maître,' zei Vidor. 'U bent tenslotte degene die tegen haar heeft gelogen.'

Delmotte negeerde de schimpscheut. 'Dit is hun huis, in de volgende bocht,' zei hij alleen, en hij minderde snelheid toen ze een entree met pilaren naderden. 'Ze heeft het hek voor me open laten staan.' Hij ging nog langzamer rijden en stopte op ongeveer twintig meter afstand van de inrit. 'Weet u zeker... dat u dit doen wilt?'

Zineta knikte. 'Rijd maar verder.'

26

DE OPRIT BESCHREEF EEN LANGE LUS TUSSEN EEN RIJ BOMEN door en een met struiken omzoomd gazon, en liep naar een binnenplaats met flagstones die voor een deel werd omsloten door een groot huis in L-vorm, met een laag dak, dat niet had misstaan in Spanje of Californië, maar vreemd genoeg hier stond, in het bedompte en zonloze Luxemburg.

Toen ze uit de auto stapten vloeiden het roerloze weer, de stilte van de omgeving en de gespannenheid van het moment samen in een vacuüm van onzekerheid. Het knarsen van een steentje onder Hammonds voet klonk hem glashelder in de oren. En de voorzichtig dichtgeslagen autoportieren leken wel gedempte geweerschoten.

Toen opeens werd hij zich bewust van de aanwezigheid van iemand anders. Om de hoek van het huis, aan de kant van de voordeur, was een gestalte tevoorschijn gekomen: een jongen van een jaar of elf, met donker haar en een smal gezicht, mager, maar gezond, met sprankelende bruine ogen en een typisch Slavische grauwbruine gelaatskleur. Hij was gekleed in een schooluniform, zonder het jasje en de das: een sweater met een monogram, wit overhemd en grijze broek. Hij lachte voorzichtig naar hen.

'Bonjour.'

'Bonjour, Patrick,' zei Delmotte. '*Est-ce que ta mère est à la maison?*'

Hammond keek naar Zineta. Die staarde naar Patrick, gebiologeerd, bevend alsof ze een geest had gezien, wat in zekere zin ook zo was.

Patrick opende net zijn mond om antwoord te geven, toen er een vrouw de hoek om kwam die hem beschermend bij de schouders pakte. Ze was klein en slank, en had bruin, kort haar en een rond gezicht. Haar zwarte broekpak en witte blouse wezen erop dat ze, evenals haar zoon, niet de tijd had gehad zich na thuiskomst om te kleden. Dat haar gelaatskleur heel anders was dan de zijne was niet zo verbazingwekkend: bleek, bijna wit, maar wel met rode wangen. Ze keek hen ongerust aan.

'Wie zijn deze mensen, Maître Delmotte?' vroeg ze. 'Ik dacht dat u alleen zou zijn.'

'Het spijt me, madame. De situatie wijkt wat af van wat ik had gezegd.'

'Ga naar binnen, Patrick,' zei ze tegen de jongen, terugvallend op het Frans toen hij niet meteen reageerde. 'Vite, vite.'

Patrick, die de paniek van zijn moeder aanvoelde, verdween gehoorzaam uit het zicht. Mary Bartol zette aarzelend een paar stappen in hun richting, keek toen eerst naar Delmotte, en daarna naar Zineta. Ze moet direct geraden hebben wie deze vrouw is, vermoedde Hammond.

'Wat is er aan de hand, maître?'

'Uw zoon verkeert niet in gevaar, Madame Bartol,' zei Hammond in een poging de spanning te verminderen. 'Mijn naam is…'

'U bent Engelsman?'

'Ja. Mijn naam is Edward Hammond. Mijn vrienden hier zijn Stevan Vidor en Zineta Perovic.'

'Wij zijn Serviërs, madame,' zei Vidor.

'Serviërs?' Ze wendde zich tot Delmotte. 'U bent me een verklaring schuldig, maître.'

'Misschien kunnen we naar binnen gaan,' stelde hij wat ongelukkig voor.

'Niet tot ik…'

'Ik ben zijn moeder,' zei Zineta opeens nadrukkelijk. 'Dat ziet u vast wel. Hij heeft mijn ogen.'

Mary Bartol keek naar haar en leek het steeds benauwder te krijgen. Ja. Ze had de gelijkenis gezien. En ja. Ze wist wat dat inhield. Maar om dat dan ook toe te geven was weer een heel ander verhaal. 'Zijn biologische moeder is dood,' zei ze volhardend. 'Patrick is een wees… uit Kosovo.'

'Het spijt me te moeten zeggen dat dat niet waar is, madame,' zei Delmotte. 'Ik heb u verkeerd ingelicht.'

'U heeft ons verkeerd ingelicht?'

'Ik ben zijn moeder,' zei Zineta. 'Zijn vader leeft ook nog. Hij is geen wees. En ook geen Kosovaar.'

'Onzin. We hebben zijn geboortebewijs. Hij is geboren in Mitrovica.'

'Hij is geboren in Belgrado.'

'Waarom praten we hier niet binnen over verder?' vroeg Hammond. 'In tegenstelling tot wat Maître Delmotte tegen u mag hebben gezegd, is geen van ons van plan om Patrick te ontvoeren, madame.'

'Wat zijn uw bedoelingen dan wel?'

'Zineta is negen jaar op zoek geweest naar haar zoon. En die heeft ze nu gevonden. Zo simpel is het. We hebben verder geen bedoelingen.' Tot zijn ontzetting realiseerde hij zich dat dit letterlijk waar was. Geen van hen had nu in de hand wat de volgende stap zou zijn.

'Zelfs als wat u zegt zou kloppen…'

'Het klopt, echt waar.'

'Zelfs als dat zo is,' hield Mary Bartol vol, 'dan heeft u niet het recht om op deze manier hiernaartoe te komen.'

'Bel dan de politie maar. Misschien arresteert die ons wel. Maar aan het eind van dat hele proces, raakt u Patrick kwijt. De adoptie was frauduleus en dus onwettig. Dan halen ze hem bij u weg. Begrijpt u wel? Dus moeten we daarover praten.'

Ze keek naar Delmotte. 'Was het frauduleus?'

Hij knikte zwakjes. 'Oui, madame.'

'Wát?' Het afbrokkelen van een overtuigd en onaanvechtbaar vertrouwen was op haar gezicht te lezen. 'Hoe kon u…'

Ze werd onderbroken door het geluid van een ander voertuig op de oprijlaan. Hammond draaide zich om en zag een effen grijs busje aan komen rijden. Hij en alle anderen waren in eerste instantie te verbaasd om te reageren. Het scheerde langs de rand van het gazon en kwam slippend tot stilstand naast de Citroën. Twee in bruine overalls geklede mannen sprongen naar buiten. Ze hadden harde koppen en waren stevig gebouwd. En hadden allebei een wapen in de hand.

'O, mijn god!' gilde Mary Bartol. 'Wat is…'

'Niet praten,' riep een van de mannen. Zijn blik en de loop van zijn wapen bewogen zich van de een naar de ander.

Een derde man kwam langzaam het busje uit, ook gewapend en in overall, maar ouder dan de andere twee, met kort grijs haar, diepliggende ogen en een groot litteken dat als een kras over zijn wang liep en één kant van zijn mond vervormde. 'Waar is de jongen?' grauwde hij.

Niemand gaf antwoord. Delmotte leek er gewoon niet toe in staat. Zineta stond zo te beven dat Vidor haar bij de arm moest grijpen om haar te kalmeren. Mary Bartol gaapte naar de indringers, met haar mond wijd open van angst. Hammond voelde zich op zijn beurt griezelig kalm, alsof zijn ervaringen in Belgrado hem op de een of andere manier gehard hadden voor zulke gebeurtenissen.

De man met de kras op zijn gezicht blafte iets in het Servisch tegen een van de andere twee, en ook diens naam, Obrad. Hij liep naar Mary Bartol, pakte haar bij de pols en sleurde haar half lopend, half slepend naar de voordeur van het huis. 'Roep hem en zeg dat hij naar je toe moet komen,' hoorde Hammond hem zeggen.

'Waar zijn de bandjes?' vroeg Scarface.

Toen er niet meteen een antwoord kwam, stapte hij op Zineta toe en hield het pistool tegen haar hoofd. Ze sloot haar ogen en mompelde iets binnensmonds. Hammond zag Vidor zijn arm opsteken om haar te beschermen. Toen stopte hij. In deze situatie viel er niets te beschermen.

'Ze liggen in de kofferbak van de auto,' zei Hammond.

'*Gepek*,' vertaalde Vidor meteen, bang voor ook maar het kleinste misverstand.

Scarface haalde zijn wapen weg bij het hoofd van Zineta en richtte het op Hammond. 'Halen.'

Hammond liep langzaam naar de kofferbak. De andere schutter liep vlak naast hem mee. Hij was ongeschoren en had vet haar, en een platte, waarschijnlijk ooit gebroken neus, wat zijn ademhaling dreigend hoorbaar maakte, als van een beest dat klaarstaat om aan te vallen.

Hammond maakte de kofferbak open en deed de kap omhoog. Hij haalde de tas met de doos met bandjes tevoorschijn en liet die aan Scarface zien.

'Op de grond zetten.' Hammond gehoorzaamde. 'Openmaken.'

Hij knielde, ritste de tas open en toonde de bandjes. '*Dobro. Torba, Milos.*'

Milos, de man met de gebroken neus, wuifde Hammond opzij en pakte de tas op. Op dat moment klonk er een kreet vanuit het huis. Scarface riep terug. 'Oké.' Hij liep een paar stappen terug naar het busje, zodat hij de route naar de voordeur bestrijken kon. 'Het huis in,' blafte hij. 'Langzaam.'

Ze begonnen te lopen, Delmotte voorop en Vidor als laatste. Na een paar meter struikelde Vidor opeens, maar hij herstelde zich snel. Een fractie van een seconde kwam zijn hoofd vlak bij Hammonds schouder, en buiten het zicht van Scarface. En in die fractie van een seconde fluisterde hij: 'Vertrouw op me.'

Hammond durfde op geen enkele manier te reageren. Hij had geen flauw idee waar Vidor op doelde. Maar het was een soort waarschuwing – een waarschuwing en een belofte.

Ze liepen de hoek van het huis om naar de voordeur. Die stond wijd open. Obrad stond in de hal met Mary en Patrick Bartol, met zijn pistool tegen het hoofd van Mary. Patrick hield zijn moeders hand stevig vast. Hij stond zo te zien op het punt om in tranen uit te barsten. Obrads gezicht was uitdrukkingsloos, zijn ogen waren half dicht alsof dit voor hem een dagelijkse routine betrof.

Hij trok Mary en Patrick achteruit toen de anderen de hal binnenkwamen, schopte een deur links van hem helemaal open en gebaarde hen naar binnen te gaan.

Ze liepen de eetkamer binnen. 'Naar muur,' gebood Obrad. Hammond hoorde de ademhaling van Milos weer. Die liep vlak achter hen. Ze volgden Delmotte om de eettafel heen naar de muur tegenover hen, waaraan een olieverfschilderij van een idyllisch herderlijk landschap hing en gingen daar naast elkaar staan. 'Jullie ook,' zei Obrad tegen Mary. Ze liep gedwee met Patrick naar de anderen en wierp een blik op Hammond met een mengsel van angst en beschuldiging. Wat voor verschrikkingen hadden ze naar haar toe gebracht?

Scarface stapte de kamer binnen, waar Milos al op wacht stond, en liet Obrad in de hal. Hij zette de tas op de tafel en bekeek zijn gevangenen een voor een, in alle rust en onderzoekend, alsof hij afwoog hoeveel verzet er in ieder van hen school. 'Handen op hoofd,' zei hij. Ze gehoorzaamden. Toen haalde hij een telefoon uit zijn zak en toetste een nummer in.

Er werd onmiddellijk opgenomen. En de persoon die antwoordde was ook degene die het meest sprak. Scarface rapporteerde aan zijn baas. En kreeg te horen wat hij moest doen.

Het gesprek was voorbij. 'We wachten,' zei hij. 'Chef komt zo.'

'Wie is... de chef?' vroeg Delmotte aarzelend.

'Branko Todorovic,' zei Vidor op fatalistische toon.

'*Da*,' zei Scarface. 'Inderdaad.' Hij blafte een order naar Milos, die hem zijn wapen gaf en toen naar Hammond en de anderen liep. Hij begon ze een voor een te fouilleren, Delmotte als eerste.

'Ik heb zaken gedaan met Monsieur Todorovic,' protesteerde de advocaat, die weer een klein beetje van zijn oude gewichtigdoenerij begon terug te krijgen. 'Dit hoeft allemaal niet zo.'

'Ben jij de advocaat Delmotte?'

'Mais oui. Ik bedoel, ja. Ik ben Delmotte.'

'Ik heb een boodschap voor je van de chef.'

'Wat dan?'

'Dat vertel ik je zo.'

Milos schoof door naar Zineta en grinnikte naar haar toen hij van de gelegenheid gebruikmaakte om aan haar borsten te zitten en tussen haar benen te tasten. Ze reageerde niet. Ze keek dwars door hem heen. Ze beefde niet meer, merkte Hammond. Ze begon geleidelijk aan weer tot zichzelf te komen. Milos sloeg Patrick over en behandelde Mary op dezelfde manier als Zineta. Ze jammerde, beet op haar lip en deed wat ze kon om zich te beheersen ter wille van haar zoon. Toen was het Hammonds beurt. Milos veegde de grijns van zijn gezicht en visiteerde hem vluchtig, zo vluchtig in feite, dat hij het bandje miste dat Delmotte in de auto had afgespeeld en dat Hammond daarna in zijn zak had gestoken. Milos was maar naar één ding op zoek – een wapen. En hij kon duidelijk maar één ding tegelijk. Hij inspecteerde Vidor haastig en ging toen zijn wapen terughalen. '*Nista*,' rapporteerde hij.

'De boodschap voor mij?' drong Delmotte aan.

'Da. De boodschap.' Scarface glimlachte, hoewel dat door zijn litteken meer op een stuurse blik leek. 'Hij zei dat je weg mocht.'

'Weg?'

'Vertrekken. Naar huis. *Bilo sta*. Je bent vrij. Op voorwaarde... dat je niet naar de politie gaat.'

Hammond begreep meteen dat een dergelijke voorwaarde, als dit aanbod om te kunnen gaan echt was, nooit kon worden gesteld. Als Delmotte eenmaal buiten hun bereik was, kon hij doen wat hij wilde. Er was iets mis. Maar Delmotte vond kennelijk van niet. 'Ik zal niemand zeggen wat hier is gebeurd.'

Mary keek hem vol walging aan. 'Wat zegt u daar nou in godsnaam? Bent u gek geworden, maître?'

'Het klinkt alsof dit al zo was afgesproken,' zei Vidor nuchter.

'Kop dicht!' brulde Scarface. 'Allemaal. Er wordt alleen gepraat als ik dat zeg. Begrepen?' Hij knikte, er kennelijk van overtuigd dat hij zijn standpunt duidelijk had gemaakt. '*Dobra*. Dus...' Hij keek naar Delmotte. 'Wil je weg?'

'Ja. Ik wil weg.'

Hoewel zijn metgezellen niets mochten zeggen, kon hun afkeer over zijn verraad Delmotte niet ontgaan. Hammond kon slechts veronderstellen dat Vidor gelijk had. De advocaat moest na hun bezoek aan zijn kantoor iets met Todorovic hebben geregeld. Dat verklaarde ook hoe Scarface en zijn makkers wisten waar ze heen moesten, toen ze de stad eenmaal uit waren.

'Ga dan,' zei Scarface. Delmotte haalde zijn handen van zijn hoofd en liep de kamer door. Hij keek niet achterom, noch om afscheid te nemen noch om zich te verontschuldigen. Het was afschuwelijk duidelijk dat hij niet van plan was om iemand iets te zeggen over hun benarde toestand daar. Ze stonden er alleen voor.

Toen Delmotte bij de deuropening kwam gebaarde Scarface naar Obrad dat hij hem naar zijn auto moest begeleiden. De twee mannen liepen de hal in. De klank van hun voetstappen veranderde toen ze het pad van flagstones opstapten dat naar de binnenplaats liep. Hammond stelde zich in alle bitterheid voor hoe gretig Delmotte moest uitzien naar het moment dat hij kon wegrijden. Hij feliciteerde zichzelf waarschijnlijk met het feit dat hij zich zo handig aan deze gevaarlijke situatie had onttrokken.

'Advocaten,' lachte Scarface spottend. 'Ik kan ze niet luchten of zien.'

Op dat moment klonk voor het huis de luide knal van een pistoolschot.

Scarface grinnikte even kort. 'Dat is er dan weer eentje minder.'

27

DE SCHOK VAN DELMOTTES EXECUTIE EN DE WETENSCHAP DAT ieder van hen de volgende kon zijn, vulden de kamer met een verlammend afgrijzen. Praten of bewegen mocht niet, maar hun gedachten hadden vrij spel en konden speculeren over de nabije toekomst die door de onverschillige gevoelloosheid van hun overmeesteraars werd gedicteerd.

Scarface zat schrijlings op een van de eetstoelen kauwgum te kauwen en zei zo nu en dan iets tegen Milos, die bij de deur stond. Hammond had geen idee waarover ze spraken, maar ze klonken heel ontspannen. Niet ontspannen was de manier waarop ze hun wapens vasthielden. Obrad bleef zeker een minuut of vijf weg. Toen hij terugkwam bleek uit niets in zijn houding wat hij zojuist had gedaan, hoewel Hammond ervan overtuigd was dat de donkere vlekken op de broek van zijn overall rondgespatte bloeddruppels waren van Delmotte.

De beproeving was al zwaar genoeg voor de volwassenen, maar voor Patrick was het vrijwel ondraaglijk. Mary deed wat ze kon om hem rustig te houden en te kalmeren, door hem continu langzaam en met lange halen over zijn haar te strijken. Maar hij was zich duidelijk bewust van wat er met Delmotte was gebeurd en geen enkel moederlijk sussen was opgewassen tegen de angst die hem in zijn greep had.

Scarface had gezegd dat Hammond, Vidor en Zineta hun handen van hun hoofd konden halen, maar dat ze hun armen over elkaar moesten houden. Omdat ze niet direct naar elkaar konden kijken, wist Hammond niet hoe het er met hen voor stond. Zineta maakte geen geluid. En Vidor was gewoon een roerloze aanwezigheid, wiens verzoek hem te vertrouwen nog altijd vragen opwierp.

Ze hoefden in elk geval niet lang meer te wachten voor ze het lage, krachtige motorgeluid van een auto hoorden. Todorovic was gearriveerd. Nu zou er binnen afzienbare tijd een beslissing genomen worden, van welke aard ook.

Het verbaasde Hammond hoe filosofisch hij tegenover de mogelijkheid van een naderende dood stond. Waarom die hem niet meer angst aanjoeg, kon hij niet verklaren. Hij was eigenlijk veel meer geërgerd door de gemaakte fouten die hem en zijn metgezellen in de huidige benarde situatie hadden gebracht. Hij had kunnen weten dat hij Todorovic niet te slim af kon zijn. En hij had Delmotte op geen enkele manier moeten vertrouwen.

Maar gedane zaken namen geen keer. Obrad deed de voordeur open en een paar minuten later stapte Branko Todorovic de kamer binnen.

Zijn grote lijf leek nog omvangrijker door de volumineuze bontjas die hij aanhad en zijn bulderende stem. Scarface kreeg opeens iets slaafs over zich tijdens, wat Hammond dacht, zijn verslag van de gebeurtenissen. Hij had haastig de kauwgum uit zijn mond gehaald en stond bijna in de houding. Todorovic luisterde onverstoorbaar, alsof het optreden van zijn ploeg te wensen overliet.

Toen verscheen er, zonder twijfel tot grote opluchting van Scarface, een glimlach op zijn gezicht, gaf hij hem een goedkeurend schouderklopje, en gebruikte joviaal zijn voornaam toen hij zei: '*Dobro rad, Slavko. Dobro rad.*'

Maar de glimlach verdween ook weer snel. Hij bestudeerde de bandjes een paar minuten, liep toen naar Zineta en liet zo te horen een mengsel van beschuldigingen en beledigingen op haar los, waarop ze op een koele, afgemeten manier reageerde. Hammond bewonderde haar zelfbeheersing. Zij zou zich niet laten intimideren.

'Waar is uw man, madame?' vroeg Todorovic in het Engels, toen hij zijn aandacht op Mary Bartol richtte.

'Die is… op weg terug van Brussel,' antwoordde ze aarzelend.

'Wanneer verwacht u hem thuis?'

'Dat kan ik niet precies zeggen.'

'Als u met ons samenwerkt, vindt hij u en uw zoon ongedeerd terug.'

Todorovic lachte spottend. 'Misschien dat jullie samen een rustig avond-je kunnen hebben. Televisiekijken, of zo.'

'Zegt u me nou maar wat u wilt.'

'Misschien heb ik dat al.'

Hij liep langs haar heen, ging voor Hammond staan en keek hem aan. 'Wij hebben elkaar al eens ontmoet, toch?'

'Ik... ik dacht van niet,' zei Hammond.

'Ik vergeet nooit een gezicht. Hoe heet u?'

'Edward Hammond.'

Todorovic fronste zijn wenkbrauwen en probeerde zich te herinneren waar hij die naam eerder had gehoord. Dat lukte niet, wat misschien maar goed was ook. Maar over de rol die Hammond onlangs had gespeeld, be-stond geen twijfel. 'U was met Piravani in Belgrado. U bent die Engels-man die hem geholpen heeft de bandjes te stelen, toch?'

Een ontkenning zou andere verdenkingen hebben opgeroepen. 'Ja,' gaf Hammond toe.

'En u?' Todorovic keek naar Vidor.

'Ik ben Stevan Vidor. Ik werk voor het Internationaal Gerechtshof in Den Haag.'

'*Odakle ste?*'

'Ik ben Serviër.'

Zonder enige vorm van waarschuwing sloeg Todorovic hem met een zwiepende klap van zijn hand op zijn mond. Vidor hapte naar adem en wankelde achteruit tegen de muur. Hammond zag bloed uit zijn onder-lip sijpelen. '*Pacov,*' grauwde Todorovic. Hij draaide zich met een ruk om en keek vuil grijnzend naar Patrick Bartol. 'Verraders zijn het ergste soort mensen, jongen. En Servische verraders zijn de allerergste. Onthoud dat maar goed.'

'Ja, meneer,' mompelde Patrick.

'Jij bent ook Serviër. Geen Luxemburger. Jij maakt deel uit van een trotse natie. Die je nooit mag verraden. Anders ben je geen haar beter dan die daar.' Hij wees op Vidor.

'Begrepen?'

'Ja, meneer.'

'Zorg ervoor dat hij dat goed begrijpt als hij ouder wordt, madame,' zei Todorovic tegen Mary. 'Dat bent u hem verschuldigd.'

Zonder op haar antwoord te wachten maakte hij rechtsomkeert en liep terug naar de andere kant van de tafel, waar de bandjes nog in de doos zaten. Hij haalde ze eruit, stapeltje voor stapeltje, en legde ze naast de doos. Hammond zag duidelijk dat er één stapeltje was waaraan één bandje ontbrak. Hij vroeg zich af of Todorovic dat ook zou zien, maar het antwoord op die vraag liet niet lang op zich wachten.

'Het laatste bandje ontbreekt.' Todorovic hield het betreffende stapeltje omhoog. 'Wie heeft dat?'

Het had geen zin hem te dwingen om een zoektocht op touw te zetten. Hammond stak voorzichtig zijn hand op. 'Ik.'

Todorovic zei niets, maar gebaarde naar Hammond dat hij het hem moest geven. Hij haalde de cassette uit zijn zak, stapte naar voren en legde het op tafel. Toen Todorovic bleef gebaren, schoof hij het naar hem toe. Het gleed gladjes over het gepolijste hout en kwam op een paar decimeter van zijn doel tot stilstand. 'Dank u,' zei Todorovic. Hij pakte het op en schoof het netjes onder het elastiek dat de andere in het stapeltje bij elkaar hield. Hij glimlachte. 'Piravani is een dwaas. En jij, Hammond, bent een dwaas dat je hem hebt geholpen. Dwazen leggen het af tegen Branko Todorovic.'

Dat hij over zichzelf praatte in de derde persoon was een teken van grootheidswaan dat Hammond uit alle macht probeerde te negeren. Het was belangrijk te geloven dat dit voor Todorovic niet meer was dan wat Zineta had gezegd: een zakelijke transactie, die nu bijna was afgerond.

'Die bandjes... bent u daarom nu hier?' vroeg Mary Bartol.

'Ja, madame.' Todorovic glimlachte nog steeds.

'Nou, pak ze dan en vertrek. Ik weet daar niets van. Uw transacties met die mensen daar,' ze knikte naar Hammond, 'gaan mij verder niet aan.'

'Gaan u niet aan? Denkt u dat?'

'Dat verzeker ik u.'

'En ik verzeker u van wel. Deze bandjes bewijzen wie de echte vader van deze jongen is. Dragan Gazi. Wel eens van hem gehoord?'

'De oorlogsmisdadiger?' De woorden waren al uit haar mond voor ze besefte tegen wie ze het zei.

'Oorlogsmisdadiger?!' brulde Todorovic, waardoor Mary en Patrick achteruitdeinsden. 'Jullie wonen hier in je grote huis in een land dat geen karakter of cultuur heeft van zichzelf en veroordelen ons Serviërs voor wat wij hebben gedaan om die van ons te beschermen?'

'Ik... ik veroordeel niemand.'

'Nee. Dat laten jullie aan die klootzakken in Den Haag over.'

'Alstublieft, alstublieft.' Ze begon te snikken. Patrick keek op naar haar en begon ook te huilen. 'Ik weet niet... wat Maître Delmotte... ik bedoel, ik weet niet... wat hij heeft geregeld... of voor wie. Hij... heeft gelogen tegen mij en mijn man. Maar als die bandjes alles zijn wat u hebben wilt, dan... dan...'

'Moeten wij u verder met rust laten, toch, madame? Zodat u door kunt gaan met uw prettige leventje?'

'Ja,' mompelde ze. Wat meer als een smeekbede klonk, dan als een antwoord.

Zineta zei toen iets in het Servisch, iets wat nogal direct klonk, en praktisch. Het was duidelijk dat ze niet van plan was om te smeken.

Todorovic antwoordde kort, zonder naar haar te kijken. Toch kreeg Hammond de indruk, meer gebaseerd op de houding van de man dan op zijn toon, dat hij, zij het met tegenzin, moest toegeven dat Zineta misschien wel gelijk had. Hij zuchtte en tikte op de stapeltjes bandjes. 'Oké, oké. Gazi en zijn zoon gaan me niet aan. De oorlog is voorbij. Ik ben een nieuw leven begonnen. We zijn allemaal een nieuw leven begonnen.' Een volgende, diepere zucht. 'Wat ik nu wil is zekerheid. Hebben jullie kopieën gemaakt van deze bandjes?'

'Nee,' zei Hammond.

'Is dat de waarheid?'

'We hadden de tijd niet. Er zijn geen kopieën.'

'Zeggen jullie. Maar hoe kan ik jullie geloven?'

'Er zijn geen kopieën!!'

Todorovic gebaarde naar Slavko die hem zijn wapen gaf. Hij vouwde zijn vingers en duim eromheen, liep toen door de kamer naar de plek waar Zineta stond en hield het tegen haar slaap. Hammond zag haar zenuwachtig slikken en haar lippen bevochtigen. Maar verder gaf ze geen krimp. Misschien had ze iets dergelijks al verwacht vanaf het moment dat de schutters uit het busje waren gesprongen.

'Zijn er kopieën?'

'Nee,' zei Hammond. 'Die zijn er niet.'

'Ik heb er geen problemen mee om Gazi's hoer dood te schieten. Het zou me zelfs een genoegen zijn. Jij geeft me de reden die ik nodig heb, Hammond. Waar zijn de kopieën?'

'Die zijn er niet.'

'Ik denk van wel. En ik wil weten waar jullie die hebben verstopt.'

'Grote god, er zijn geen kopieën!' Hammond keek Todorovic in de ogen en stelde alleen met zekerheid vast dat die niet blufte. Hij wilde Zineta doden, graag zelfs.

'Ik tel tot drie, en dan…'

'Er zijn kopieën,' zei Vidor opeens. Hammond keerde zich met een ruk om en keek hem vol verbazing aan. Wat zei hij nou? Waar dacht hij aan?

'Aha,' zei Todorovic. 'Nu ineens wel. Wanneer heb je die dan gemaakt?'

'Hij heeft ze gemaakt.' Vidor wees op Hammond. 'Voor hij aankwam in Den Haag. Eén bandje per stapeltje: een willekeurige keuze.'

Vidors gezicht verraadde niets, maar Hammond wist dat hij hem moest vertrouwen. Hij moest hebben voorzien dat Todorovic ervan uit zou gaan dat er kopieën zouden zijn, ook al was dat niet zo. Hoe hij die bewering overeind wilde houden en met welk doel, moest Hammond dan maar afwachten.

'Waarom heb je me dit niet gezegd, Hammond?' vroeg Todorovic geërgerd.

Hammond draaide zich weer om en keek hem aan. 'Ik dacht… ik dacht dat we…'

'Ons konden wegsturen met de originelen, maar nog altijd genoeg smeerlapperij hadden achtergehouden om aan die rotzakken in Den Haag te kunnen geven? Bedoelde je dat?'

'Ik…'

'Misschien moest ik jou dan maar doodschieten.' Todorovic trok het wapen weg bij Zineta's slaap en richtte het op Hammond.

'Als je hem neerschiet, kan je naar die kopieën fluiten,' zei Vidor bars.

Het kostte Todorovic zichtbaar moeite zijn woede te bedwingen. 'Waar zijn ze?'

'In een bagagekluisje op het Luxemburgse Centraal Station. Waar we ze hebben opgeborgen voor we Zineta van het vliegveld gingen halen.'

'En het sleuteltje?'

'In mijn zak.'

'Laat zien.'

Hammond zag de verbazing op Zineta's gezicht toen ze zag hoe Vidor een sleuteltje uit zijn zak haalde en omhoogstak voor Todorovic, een verbazing die nauwelijks onderdeed voor die van hemzelf. Niet alleen hadden ze geen kopieën van de bandjes gemaakt, maar ook was Vidor niet in de buurt van een treinstation geweest. Het sleuteltje kon dan ook niet echt zijn, hoewel het er wel heel authentiek uitzag.

'Het nummer?'

'Ah, het nummer,' zei Vidor. 'Dat herinner ik me geloof ik niet meer.'

'*Sta?*'

'Zesentwintig.' Vidors geheugen leek opeens weer te werken. Maar toen: '… of niet? Misschien houd ik het echte nummer wel voor me voor het geval je mijn vrienden gaat neerschieten, Branko.' Er was iets veranderd in zijn stem. Hij begon zich te ontpoppen als iemand anders. Pas nu kwam de echte Stevan Vidor naar voren. 'Hammond weet namelijk van niets, weet je. Toen ik een kluisje ging zoeken, is hij buiten in de auto blijven wachten. Dus is het zesentwintig. Tenzij of tot ik iets anders zeg.'

Todorovic keek woedend naar Vidor en ademde een paar keer diep in. Zijn gezicht was rood van nauwelijks bedwongen razernij. Het leek alsof hij zijn plaaggeest het liefst op zijn gezicht zou slaan voor hij hem een kogel door het hoofd joeg. Maar dat kon niet. Als er ergens kopieën van die bandjes waren, moest hij die hebben. En om ze te krijgen moest Vidor in leven blijven.

'Waarom gaan jij en ik ze niet halen, Branko? Dan heb je alles wat je nodig hebt om je positie in de Servische zakenwereld veilig te stellen. Dan kan jij weer geld gaan verdienen en kunnen wij vergeten wat hier is gebeurd. Ik ben ervan overtuigd dat je mannen wel weten wat ze met het lijk van Delmotte moeten doen en hoe ze de rommel moeten opruimen. Madame Bartol haalt er geen politie bij vanwege alle onregelmatigheden die zich bij de adoptie van haar zoon hebben voorgedaan, niet, madame?'

'Nee,' zei Mary Bartol. 'Beslist niet.'

'Zie je wel? Klinkt als een goeie deal. En ik weet dat je van goeie deals houdt. Geven en nemen van beide kanten. Met een leuke winst voor jezelf.'

Todorovic stond zo te knarsetanden dat zijn gebit ernstig gevaar liep. Maar zijn ademhaling werd regelmatiger. Hij begon de redelijkheid van de redenatie in te zien. Die stond hem weliswaar niet aan, maar hij erkende hem toch wel. 'Oké.' Hij stemde met een grauw in. 'Wij gaan naar het station, Vidor. De andere twee blijven hier, bij Hammond, de twee vrouwen en de jongen. Als ik tevreden ben met wat je me geeft, bel ik mijn mannen om te zeggen dat ze kunnen gaan. Ben ik niet tevreden, bel ik ook om te zeggen dat ze kunnen gaan. Maar niet zonder eerst de gij-zelaars om zeep te hebben gebracht. Begrijp je wel? Alle vier. Hun leven ligt nu in jouw handen, Vidor. Dat is de enige deal waarin ik meega. Ik hoop dat hij je bevalt.'

28

ELKE KEER ALS HAMMOND NAAR HAAR KEEK, ZAG HIJ EEN GE-
pijnigde en vragende blik in Zineta's ogen. Ze geloofde Vidor natuurlijk,
en vroeg zich af waarom Hammond haar niet had verteld dat hij sommige bandjes had gekopieerd. Haar laten denken dat ze was bedrogen
was maar een kleine prijs om te betalen voor het overleven van hun aan-
varing met Todorovic, maar hoe Vidor dit alles wilde bewerkstelligen wist
hij niet. Hij kon alleen maar doen wat Vidor hem had gevraagd: hem vertrouwen.

Todorovic had Obrad meegenomen toen hij met Vidor vertrok. De rit
naar het station van Luxemburg zou een halfuur duren, misschien iets
langer. Wat de gijzelaars – zoals Todorovic ze treffend had omschreven
– achterliet in angstige spanning over hun bevindingen daar. Hammond
had misschien wel de meeste redenen van allemaal om bang te zijn, omdat hij geen idee had wat Vidor van plan was. Zineta en Mary dachten
echt dat er gekopieerde bandjes in de bagagekluis op het station lagen.
Maar hij wist wel beter. Of slechter.

De sleutel voor de kluis was stellig de sleutel voor het raadsel. Of hij
paste op een kluisje van een ander station Den Haag, misschien – of Vidor had een handlanger die hem het sleuteltje had gebracht op het vliegveld toen Hammond op Zineta wachtte in de aankomsthal. Hoe dan ook,
dat Vidor niet de verliefde vertaler was die hij tot nog toe pretendeerde te
zijn, was wel duidelijk. Hij speelde al met al een heel andere rol.

Slavko en Milos wisten van dit alles niets. Voor hen was dit intermezzo eerder een vervelend extraatje bij de lopende klus. Ze praatten wat, kauwden kauwgum, en hielden hun gevangenen scherp in de gaten. Slavko was oud genoeg om in Bosnië of Kosovo te hebben kunnen vechten, waarschijnlijk bij Gazi's Wolven. Hij wist hoe hij moest moorden zonder door zijn geweten te worden gekweld. Obrad had zich van Delmotte ontdaan als van een overtollig kattenjong uit een nest. Er was geen reden te veronderstellen dat Milos anders zou zijn. Man, vrouw, kind, voor hen maakte het geen verschil.

Een kwartier of zo verstreek traag, loodzwaar begeleid door het tikken van een staande klok in de hal. Tegen die tijd waren Patrick Bartols zenuwen te lang op de proef gesteld om zijn blaas nog te kunnen beheersen. Hij begon dusdanig te kermen dat Slavko wilde weten wat er met hem aan de hand was.

Zijn moeder legde dat uit en vroeg of Patrick naar de wc mocht. Slavko weigerde. 'Pies maar in je broek, of houd het op, knul.' Patrick keek zo gegriefd dat Slavko moest lachen. Milos deed mee. En Patrick begon te huilen.

Toen ging de telefoon. Niet Slavko's mobieltje, waarop ze zaten te wachten, maar de vaste lijn van de familie Bartol. Toestellen in andere delen van het huis rinkelden gelijktijdig mee. Mary Bartol zette instinctief een stap naar voren, maar Slavko gebood haar te stoppen.

'Laat maar bellen,' zei hij schor.

En dat gebeurde, diverse keren, voor Mary zei: 'Ik denk dat het mijn man is. Ik heb eerder vanochtend een boodschap voor hem achtergelaten… en heb hem gevraagd me te bellen.'

'Dan praat je straks maar met hem.'

'Maar…'

'Stráks!'

'Nee.'

'Sta?' Slavko kwam nu overeind en richtte zijn wapen op haar.

'U begrijpt het niet. Ik heb gezegd dat het dringend was. Dat ik Patrick van school heb moeten halen. Dat ik… op zijn telefoontje wachtte. Als ik niet opneem…'

Langzaam begon het tot Slavko door te dringen. Als Emile Bartol zich zorgen ging maken over zijn vrouw en zoon zou hij de politie kunnen bellen, of een buurman. Dat was een probleem waaraan Slavko geen behoefte had. Maar om dat te vermijden, moest er wel snel worden gereageerd. 'Kom, kom. Vlug.' Hij wuifde Mary naar voren. 'Praat met hem. Zeg hem dat alles in orde is. Zeg hem dat alles met jou en de jongen goed is.'

Slavko greep Mary's arm en dirigeerde haar de gang in. Zineta pakte Patrick bij de schouders om te voorkomen dat hij achter hen aanliep. Milos ging in de deuropening staan. Achter hem zag Hammond hoe Slavko de werkkamer in banjerde, aan de overkant van de gang. Hij sleepte Mary met zich mee. Het antwoordapparaat stond al aan toen hij de hoorn van het toestel op het bureau rukte en die tegen het oor van Mary drukte. Ze nam hem over, duwde op een knop om het antwoordapparaat te stoppen en begon te spreken – in het Frans.

'Emile…? Hi, chérie… Non, non, pas de problème. Je vais très bien, Patrick aussi. Je me suis fait une erreur. Je…'

De boze, verbaasde uitdrukking op Slavko's gezicht waarschuwde Hammond voor het gevaar een fractie van een seconde voor de Serviër riep: 'Engels! Engels spreken!' Toen verstijfde hij. En Mary ook. En zij allemaal. De stilte in het huis was zo volkomen, dat ze de stem van Emile Bartol aan de andere kant van de lijn konden horen, ook al hoorden ze niet precies wat hij zei. Mary staarde hulpeloos naar de hoorn van de telefoon in haar hand. Toen pakte Slavko die van haar af en legde hem met een klap terug op het apparaat.

Hij trok haar naar zich toe. 'Sorry hoor,' zei ze naar adem snakkend. 'Het ging gewoon automatisch. Maar ik heb niet…' Haar woorden stierven weg. Wat ze wel of niet tegen haar man had gezegd, was niet van belang. Slavko sprak geen Frans. En ook dat deed nu niet ter zake. Emile had gemerkt dat er iets mis was – erg mis.

Slavko stak zijn pistool omhoog en richtte dat op het voorhoofd van Mary. Ze wendde zich met een ruk van hem af, maar hij had haar te goed vast. Zijn besluit stond vast. Hij ging haar vermoorden. Hij ging hen allemaal vermoorden. Milos keek naar hem en wachtte op het schot dat een begin zou maken aan het bloedvergieten.

Toen kwam Patrick in actie. Hij rukte zich los van Zineta, schoot de kamer door en dook voor Milos langs voordat die kon reageren. Hij holde de werkkamer in, stortte zich op Slavko en zette zijn tanden in zijn rechterhand, waarmee hij het wapen vasthield. Zineta kwam achter hem aan en Slavko schreeuwde het uit van pijn en verbazing. Milos deed een onbeholpen late uithaal naar Patrick waardoor hij Zineta voor de voeten kwam.

Hammond kwam ook in actie, en stormde om de andere kant van de tafel heen, uit het zicht van Milos. Hij hoorde het pistool van Slavko afgaan: een harde knal, gevolgd door het versplinteren van pleisterwerk. Mary schreeuwde. Er viel nog een schot, en er was meer versplinterd pleisterwerk.

Meer uit intuïtie dan dat hij bewust handelde sloeg Hammond zijn arm om de keel van Milos en rukte hem naar achteren. Hij zag Zineta de gang in duiken, op weg naar de werkkamer. Met inzet van al zijn krachten trok Hammond Milos nog verder naar achteren, waarbij zijn wervelkolom kraakte van de inspanning. De Serviër snakte naar adem en probeerde zijn evenwicht terug te vinden, maar hij kon zich niet losworstelen. Ze sloegen naast de tafel tegen de grond. Milos' gewicht joeg alle lucht uit Hammonds longen en ramde zo hard tegen zijn ribben dat het wel leek of hij was neergestoken. Hij hoorde snel na elkaar nog een paar schoten afgaan in de werkkamer. Maar dit keer was er geen versplinterend pleisterwerk, maar alleen het hoge gillen van Mary.

Milos bewoog zich niet en lag roerloos boven op hem. Hammond duwde hem van zich af en slaagde erin om onder hem vandaan te komen. Hij klauterde overeind. Het zag ernaar uit dat Milos tijdens de val met zijn hoofd tegen de rand van de tafel was gestoten. Hij lag bewusteloos op de grond, met halfopen mond en starende ogen die niets zagen, zijn vingers losjes rond de kolf van zijn wapen.

Hammond pakte het pistool en holde de gang op.

Mary gilde niet meer. Ze was op de vloer van de werkkamer gezakt, met haar rug tegen de deur, die daardoor wijd open stond. Patrick stond naast haar, roerloos en stil als een standbeeld, en staarde naar Slavko die tegen een van de buisvormige poten van het bureau aan lag. De voorkant van zijn overall was zwart van het bloed, en de vlek werd snel groter en vochtiger. Ook vloeide er bloed uit zijn mond en neusgaten. Hij hoestte gesmoord en tuurde naar Hammond alsof hij door een wazig en alsmaar dikker wordend gordijn moest kijken. Hij stak met moeite zijn rechterhand op, en was kennelijk stomverbaasd dat daar geen wapen in zat.

Dat wapen had Zineta in haar hand. Die zat op haar hurken naast hem, trillend als een blad in de wind, en keek met open mond naar de schade die de laatste schoten hadden aangericht. Dat die schade fataal was, werd even later bevestigd toen Slavko's ademhaling plotseling gorgelend stilviel en zijn hoofd vooroverknikte.

Hammond liep langzaam het vertrek binnen. Alleen Patrick leek hem op te merken. 'Juffrouw Perovic heeft hem neergeschoten,' zei hij op de afgemeten toon die hij gebezigd zou hebben bij de beantwoording van een vraag van een leraar op school. 'Maar pas toen ik voorkomen had dat hij Maman neerschoot.'

Zineta draaide zich naar hem toe en keek hem aan. 'Is met jou... alles goed, Edward?' vroeg ze hem verdwaasd. 'Waar is... die andere man?'

'Die heeft zichzelf uitgeschakeld. Trek je van hem maar niks aan.' Hij knielde bij haar neer. 'Hoe heb je deze hier zijn wapen weten te ontfutselen?'

'Dat heb ik niet gedaan. Hij had het nog toen het afging. Maar ik verdraaide zijn pols om te voorkomen dat hij... op Madame Bartol schoot en... ik weet niet of hij het was of ik... of wij allebei... die de trekker overhaalde.' Ze legde het pistool voorzichtig op de vloer. 'Hij is dood, hè?'

'Zeker weten. Hij is dood.'

'We moeten de politie bellen,' zei Patrick merkwaardig opgewekt.

'Ja,' zei Hammond. 'Dat moeten we.' Hij stond op, pakte de telefoon, en aarzelde toen.

'Een, een, drie,' zei Patrick.

Hammond toetste het nummer in. 'Ik praat wel met hen,' zei Mary Bartol, die onzeker overeind kwam. 'Ik weet... wat ik moet zeggen.'

'Oké.' Hammond gaf haar de telefoon. Haar hand schudde hevig, toen ze die aannam.

'Neem Patrick mee naar de andere kamer, alsjeblieft. Weg van...' Ze stopte toen de telefoon werd opgenomen en begon snel en dringend te praten in het Frans.

Hammond draaide zich om, hielp Zineta overeind, en dirigeerde haar en Patrick toen de gang op. Hij dwong zichzelf logisch en praktisch te denken. Wanneer zou de Luxemburgse politie arriveren? Wat moesten ze intussen doen om Vidor zo goed mogelijk te helpen? En hoe lang zou het duren voor Milos weer bij bewustzijn kwam? 'Heeft je vader ergens touw liggen, Patrick?' vroeg hij, met het plan de polsen en enkels van de man bij elkaar te binden om te voorkomen dat hij zich zou kunnen bewegen voor het geval hij bijkwam voor de politie er was.

'We hebben wat touw in de garage,' antwoordde Patrick opgeruimd. 'De snelste weg daarheen is via de keuken.'

Het luchthartige gedrag van de jongen werd veroorzaakt door het verdedigingsmechanisme van zijn hersenen dat hem tegen de realiteit beschermde, vermoedde Hammond. En dat wel een keer zou ophouden met werken. Maar op het moment leek hij onaangedaan door de dood waarvan hij zojuist getuige was geweest en het gevaar waarin ze allemaal hadden verkeerd. 'Oké, Patrick. Ga jij maar voorop. Dan zal ik...' Een blik in de eetkamer snoerde hem de mond. Milos lag niet meer bij de tafel.

Hammond moest in de deuropening van het vertrek gaan staan om zich ervan te overtuigen dat Milos inderdaad was verdwenen. En dat was hij. Maar waarheen? Naar buiten, naar het busje, was zijn eerste, optimistische gok, omdat het alleen maar mooi meegenomen zou zijn als hij hem smeerde. Dat was een stuk veiliger voor iedereen.

Toen slaakte Zineta een gil. Hammond draaide zich om en zag Patrick halverwege de gang op weg naar de keuken. Een figuur wankelde over de lichtvlek die reflecteerde op de keukenvloer. Dat was Milos. Hij botste tegen het aanrecht, rechtte zijn rug en strompelde door de deuropening de gang in. Een felle flits van metaal was de eerste waarschuwing die Hammond kreeg dat hij een mes in zijn hand had – een of ander groot hakmes met een breed lemmet.

Milos' hoofd zwaaide heen en weer toen hij zich op Patrick richtte, daarna sjokte hij naar hem toe, met het mes ten aanval in de lucht. De jongen had tijd genoeg om zich om te draaien en weg te hollen, maar verroerde zich niet en bleef, haast nieuwsgierig, staan staren naar wat zich voor hem afspeelde.

'Maak dat je wegkomt,' riep Hammond, maar Patrick reageerde niet. En Hammond durfde het pistool dat hij nog in zijn hand had alleen van heel dichtbij te gebruiken. Hij begon de gang door te lopen.

Maar Zineta was al onderweg. Ze bereikte Patrick toen Milos vlak bij hem was, pakte hem beet, en tilde hem van de grond toen ze zich tussen hem en Milos opstelde, en de jongen zo afschermde van zijn aanvaller.

Milos haalde uit met zijn mes. Hij miste het slachtoffer dat hij op het oog had, maar raakte Zineta met een diepe steek ter hoogte van haar middel. Ze gilde het uit en viel. Patrick viel met haar mee, maar rolde weg en klauterde overeind, waarbij hij Hammond voor de voeten kwam. Die dook om hem heen, terwijl Milos zich over Zineta boog, met het mes in zijn hand zwaaide en weer op haar instak.

Hammond vuurde op hetzelfde moment dat de tweede steek doel

trof. Het pistool danste in zijn hand toen hij de trekker nog twee of drie keer overhaalde. Een kogel drong binnen in Milos' hals. Zijn adem stokte en hij viel bij Zineta vandaan. Een andere trok een bloedige geul langs zijn neus voor een derde zijn schedel doorboorde, en hij op de grond viel.

Hammond werd nu beheerst door driften die hij niet van zichzelf kende. Hij boog zich over Milos en duwde de loop van het wapen tegen zijn slaap. Hij was ervan overtuigd dat de man al dood was, maar de wens om dat ook zeker te weten was doorslaggevend. Hij vuurde nog twee schoten af. Splinterend bot en rondspattend bloed was overal. Milos bewoog zich niet.

Pas toen draaide Hammond zich om en knielde hij naast Zineta. En realiseerde hij zich hoeveel bloed ze verloor. Het gutste uit haar. 'Bel een ambulance,' riep hij naar Patrick.

'Een, een, twee,' zei die versuft. Het was duidelijk dat hij nu toch in shock was geraakt. Geen wonder. De poel met Zineta's bloed spreidde zich snel naar hem uit.

'Bellen. Nu!'

Patrick draaide zich dan toch eindelijk om en holde naar de studeerkamer waar zijn moeder net uit kwam, met de telefoon nog in haar hand, en de kabel achter haar aan. Haar mond viel open, toen ze zich realiseerde wat ze zag.

'Ambulance!' brulde Hammond. 'Snel!' Toen keek hij weer naar Zineta. Ze lag met opgetrokken benen op haar zij, haar gezicht verwrongen van pijn. Hij probeerde haar terug te rollen op haar rug, zodat hij precies kon zien waar het bloed vandaan kwam, maar ze schreeuwde het uit. Hij vermoedde, te zien aan de plaats waar ze met haar handen op de wond drukte, dat het mes de slagader naar het dijbeen had doorboord. Milos had haar twee keer gestoken, dus er moest in datzelfde gebied nog een tweede wond zijn. Maar de verwonding van de slagader was de gevaarlijkste – en het meest levensbedreigend. Het bloed werd met angstaanjagende snelheid uit haar gepompt.

'Ik ga proberen het bloeden te stoppen, Zineta,' zei hij en hij knoopte haar spijkerbroek los op zoek naar het drukpunt in haar lies. 'Volhouden. Gewoon volhouden.' Hij was toch arts. Hij kon haar wel redden. Hij wist wat hij moest doen. Door genoeg druk uit te oefenen op de juiste plaats kon hij het bloedverlies afremmen tot de ambulance er was.

Maar het werd hem meteen duidelijk dat het drukpunt op dezelfde plek zat als de scheur in de slagader. En het was een grote scheur. Hij kon de ader erboven niet vinden. Er zat nog een wond in de buik die dat verhinderde. En er was zoveel bloed. Om hem heen was een heel meertje ontstaan.

'Ik heb... het koud,' kreunde Zineta.

'Geen probleem. Heel normaal. Ik moet alleen... o god.' Toen hij haar handen wegduwde, zag hij hoe hopeloos zijn taak was. Ze was te ernstig verwond. Hier was niets aan te doen. Dat was zonneklaar. Ze was aan het doodgaan. En hij kon dat niet voorkomen.

'Komt het wel goed met juffrouw Perovic?' riep Patrick vanuit de deuropening van de werkkamer.

'Haal eens wat handdoeken,' riep Hammond terug, die alles in het werk stelde om een bruikbaar drukpunt te vinden. Hij zag hoe Mary Bartol Patrick in de gang bij de hand greep.

'In de badkamer,' zei ze. Ze liet Patrick los en duwde hem naar de trap. Hij liep met bonkende voeten de treden op.

'Is Monir... ongedeerd?' vroeg Zineta zwak. Ze zag nu doodsbleek en haar gezicht glom van het zweet.

'Met je zoon is alles goed,' antwoordde Hammond.

'Fijn dat je hem zo noemt... dank je.'

'Er is een ambulance onderweg.' Hij keek op naar Mary die bevestigend knikte. Maar haar gezicht vertelde een eigen verhaal. Ze wist dat de ambulance te laat zou komen.

En Zineta ook. 'Het spijt me Edward... Ik heb je zoveel moeilijkheden bezorgd.'

'Je hoeft je nergens voor te verontschuldigen.'

Ze pakte hem bij zijn arm. 'Als je de bandjes terugkrijgt... luister dan naar die van... maart en april... zesennegentig. Die helpen je bewijzen... dat je Gazi niet hebt gevraagd...'

'Laat die bandjes maar. Het redden van je leven is het enige wat telt.'

Ze glimlachte zwakjes. 'Ik weet dat je dat zou doen... als je kon.'

Patrick kwam naar beneden hollen. Mary stopte hem onder aan de trap. Hammond voelde eerder dan hij wist dat de strijd voorbij was – en verloren. Hij keek Zineta in haar ogen.

'Vraag Monir... of hij mijn hand wil vasthouden... Alsjeblieft.'

Hammond wenkte Patrick naar voren. Mary kwam met hem mee. In haar blik was begrip te lezen – en instemming. Hammond pakte Patricks

hand en duwde die in de gekromde hand van Zineta. Ze vouwde haar
vingers om die van hem.

'*Dovidenja,*' murmelde ze. 'Tot…'

Toen was het stil, op een stervende zucht na.

29

EDWARD HAMMOND WAS, HOE SLECHT DINGEN DE AFGELOPEN elf dagen ook gingen, zichzelf altijd blijven voorhouden dat het met wat geluk, moeite en eerlijkheid beter zou worden, dat er een manier was om de ellende waarin hij verzeild was geraakt te doorstaan, niet alleen voor hem, maar ook voor anderen wier levens door Dragan Gazi waren aangetast. Zineta Perovic was, realiseerde hij zich pas nu, de proef op de som van deze zekerheden. Waarvan nu gebleken was dat die waardeloos waren. Omdat Zineta Perovic dood was.

'Betekende ze veel voor u?' had Mary Bartol hem op een gegeven moment gevraagd, terwijl ze op de politie en de ambulance zaten te wachten. En zijn antwoord had zich bijna onafhankelijk, buiten hem om gevormd. 'Meer dan ik me ooit heb gerealiseerd.' Hij had gedacht haar te kunnen redden uit een bestaan dat was verminkt door haar betrekkingen met Gazi. Maar het ongeluk wilde dat hij, toen ze hem echt nodig had om te doen wat alleen hij kon doen als arts, haar het leven redden, had gefaald.

Zijn verwoede pogingen om recht te zetten wat hij zonder het te weten verkeerd had gedaan door het leven van iemand anders te redden – dat van Gazi –, waren door haar dood nu een lachertje geworden. De hele onderneming was in zijn ogen van het begin af aan eigenlijk niet meer dan een miserabele reddingsoperatie geweest van zijn reputatie. Alleen dankzij Zineta en Piravani was die operatie uiteindelijk een nobeler doel gaan dienen. En wat was het waard als Zineta – en misschien ook Marco – in het kader daarvan moesten sterven? Dat was te veel voor te weinig: het was al met al veel te veel.

Zijn gemoedsgesteldheid – zowel afstandelijk als desperaat – riep in eerste instantie medegevoel en vervolgens zwijgzame geprikkeldheid op bij de Luxemburgse politiemensen die zich geconfronteerd zagen met vier gewelddadige doden in de normaal gesproken zo vredige omgeving van Forêt Pré. Hij slaagde er van zijn kant niet in om hen te overtuigen van de dringende noodzaak Vidor te redden uit de klauwen van Todorovic. Uiteindelijk moest hij het aan Mary Bartol overlaten om het verhaal te doen. En zij was het die hem het verbijsterende nieuws bracht, bij monde van het Hoofdbureau van Politie en officieel bevestigd, dat drie mannen, waarvan er een doorging voor Branko Todorovic, waren gearresteerd op het Centraal Station van Luxemburg, en dat Stevan Vidor gezond van lijf en leden was.

'Hoe kan dat nou?' had hij gevraagd.

Maar daar had ze geen antwoord op. Zij was er even verbaasd over als hij.

De verwarring werd alleen nog maar groter toen Emile Bartol arriveerde. Die was al onderweg geweest uit Brussel vanaf zijn eerdere telefoontje, in antwoord op een bericht van Mary over een noodsituatie thuis. Die noodsituatie was tijdens dat gesprek steeds duidelijker geworden en hij was begrijpelijkerwijs over zijn toeren van de zorgen. Maar zijn opluchting over het feit dat hij zijn vrouw en zoon ongedeerd, althans lichamelijk, aantrof, weerhield hem er niet van Hammond te overstelpen met allerlei vragen over zijn rol in deze gebeurtenissen – iets waarop deze op dat moment het antwoord schuldig moest blijven. Zelfs de politie leek dat te begrijpen. Uiteindelijk kreeg men Emile zover dat hij met zijn vrouw en Patrick naar het ziekenhuis ging, ook al omdat Patrick inmiddels tekenen van een zware shock begon te vertonen.

Hammond was ook in shock, maar niet het soort dat met medicijnen verholpen kon worden. Hij stond toe dat hij werd overgebracht naar het Hoofdbureau om te worden ondervraagd. Bij het wegrijden werd net de eerste bodybag uit het huis naar buiten gedragen. Hij wist niet of Zineta daarin zat. Maar hij wist wel dat de onherroepelijkheid van de dood nog nooit zo sterk op hem was overgekomen.

De politie gaf hem andere kleren. De zijne zaten vol bloed en zijn reistas lag nog in de kofferbak van Vidors auto. Hij werd achtergelaten in een wachtkamer zonder ramen met de verzekering dat er spoedig iemand zou komen om zijn verklaring te noteren – en hem te vertellen hoe de arrestatie van Todorovic in zijn werk was gegaan.

'Spoedig' bleek een ruim begrip te zijn. Meer dan een uur verstreek in een eenzaamheid die Hammond zowel verontrustend als ergerlijk zou hebben gevonden als hij wat helderder had kunnen denken. Maar nu sijpelde de tijd tussen zijn vingers door, staarde hij naar de kale muren en zag hij hoe de omstandigheden die tot de dood van Zineta hadden geleid ontstonden en oplosten en opnieuw ontstonden en martelend samensmolten in zijn aanhoudende en geschokte herinnering. Waar de schok eindigde en het verdriet begon, wist hij niet. Ze werkten even verlammend.

Hij had al eerder met de dood te maken gehad, natuurlijk, zowel persoonlijk als beroepshalve. Maar zelfs de moord op Kate had hem minder aangegrepen. Hij was er niet bij toen die werd gepleegd. Hij had haar bloed niet gezien, of haar laatste woorden gehoord. En hij was toen niet de man die hij nu was. Die waarheid begon langzaam tot hem door te dringen, daar in die karakterloze blauwe Luxemburgse politiewachtkamer. De afgelopen elf dagen hadden hem veranderd. Hij kon nooit meer terug naar wie hij vroeger was. Hij was een banneling geworden van zichzelf.

Uiteindelijk ging de deur open. En Hammond wist zo gauw niet of hij zijn ogen mocht geloven. Het was Stevan Vidor.

Ze schudden elkaar de hand, stijfjes en onbehaaglijk, alsof geen van beiden wist wat hij aan moest met de veranderingen die hij zag in de ander. Hammond begreep het niet helemaal, en het duurde even voor hij wist waarom niet. Vidors gedrag was niet dat van een man die net de vrouw had verloren die hij beminde. En ook niet van een onschuldige die betrokken was geraakt bij gebeurtenissen waar hij geen greep op had. Beide categorieën waren duidelijk niet op hem van toepassing. Maar wat hij dan wel was…

'Het spijt me, Edward,' zei hij. 'Ik had gehoopt dat we jullie allemaal hadden kunnen redden.'

'We?'

'Ik werk voor het ICTY, zoals ik je al zei, maar niet als vertaler. Ik ben een speciale opsporingsambtenaar in dienst van de VN, en werk samen met de politie in Den Haag én hier.'

Hammond wist dat hij boos had moeten worden omdat Vidor hem een rad voor ogen had gedraaid, maar dat soort dingen was nu even niet aan de orde. 'Wou je zeggen dat... de politie al die tijd geweten heeft wat er gaande was?'

'Niet precies. Maar ze wisten dat ik hoopte Todorovic uit zijn tent te kunnen lokken. Ze stonden hem met een ploeg op te wachten op het station. Ik had dat geregeld op het vliegveld, toen jij in de terminal op Zineta stond te wachten. Ik wilde niet riskeren dat de politie ons daarvandaan zou volgen, voor het geval Todorovic hen zou zien.'

'Dus moesten we maar zien hoe het liep?'

'Het was niet zeker dat hij zou komen.'

'Maar als hij kwam...'

'Toen Zineta me dat bandje liet horen, besefte ik dat we een unieke kans hadden om Todorovic te strikken én genoeg bewijs hadden om hem veroordeeld te krijgen. Het leek er even op dat het misliep toen zij ervandoor ging, maar dankzij jou kregen we een tweede kans. Die kon ik me niet laten ontgaan. Ik weet nog niet wat de bandjes ons te bieden hebben, maar ze zouden wel eens een van onze grootste doorbraken kunnen zijn.'

'En Zineta?'

'Dat vind ik echt vreselijk. Ik ging ervan uit dat de mannen die Todorovic in het huis had achtergelaten zich wel zouden overgeven als ze begrepen dat hij was gearresteerd en wij hen hadden omsingeld. Zo had het moeten gaan. Maar operaties als deze zijn nooit helemaal te voorspellen.'

'Dat mag je wel zeggen, ja,'

'Ze zeiden me dat ze is doodgebloed.'

Hammond zuchtte. 'Het gat in haar slagader was te groot. Het lukte me niet...' Hij draaide zijn hoofd weg. 'Ik kon haar niet redden.'

'Ik weet zeker dat je alles deed wat je kon.'

'Alles wat ik kon, ja. Maar niet genoeg.'

'Ik weet niet, natuurlijk... wat jullie voor elkaar betekenden.'

Hammond schudde treurig zijn hoofd. 'Ik ook niet.'

'Ze stierf toen ze probeerde het leven van haar zoon te redden, niet?'

'Ja.'

'En dat is haar gelukt.'

'Inderdaad.'

'Een nagedachtenis om trots op te zijn.'

Hammond keek Vidor aan. 'Ik had liever dat ze nu hier was.'

'Ik ook.'

'Je had eerlijk tegen me moeten zijn.'

'Te riskant, Edward. Sorry.'

'Maar jou moest ik wél vertrouwen in het huis van de Bartols.'

'Dat was een uitzonderlijke situatie.'

'Ja, dat was het zeker.'

'Ik zorg ervoor dat de politie je met rust laat. Weinig vragen. Zo min mogelijk bureaucratie. Zonder verdere… complicaties.'

'Bedankt,' zei Hammond mat.

'Ik doe dit niet alleen voor jou. Ik hoop ook dat je ons zou willen helpen… met iets anders.'

Iets anders? Kon er dan nog meer zijn? Raakte hij dan nooit af van Gazi? Hij ging zitten. 'Vertel me dan maar waarom het gaat.'

'De vangst van Todorovic was een bonus, Edward. Mijn belangstelling ging in eerste instantie naar Zineta uit, omdat ze de gewezen vriendin van Gazi was. We dachten dat ze misschien iets van doen had met een complot waarover we hadden gehoord. Achteraf bleek dat we op het verkeerde spoor zaten. Zij had daar niets mee te maken. Maar…'

'Wat voor soort complot?'

'Een plan om Gazi uit de gevangenis te bevrijden.'

Hammond keek Vidor vol ongeloof aan. 'Natuurlijk niet.'

'Het lijkt ongeloofwaardig, dat weet ik. De beveiliging in Scheveningen is in optima forma. Maar recente informatie die we ontvingen spreekt van een gedegen plan, met gemotiveerde mensen, die alleen nog maar wachten op het groene licht.'

'En wat denken jullie daaraan te doen?'

Vidor ging langzaam in de stoel tegenover Hammond zitten en leunde naar voren, met zijn handen samengevouwen. 'Daarin speel jij een rol.'

'Ik? Ik ben hier toch helemaal niet bij betrokken?'

'Kun je dat niet raden? De bedenkers, wie dat ook zijn, doen niets voor ze zijn betaald. Zij onderhandelen hierover met Gazi's dochter Ingrid. Het geld dat ze hun heeft beloofd staat op een Zwitserse bankrekening die wordt beheerd door Gazi's voormalige boekhouder Marco Piravani. Maar niemand, zelfs Ingrid niet, schijnt te weten waar die Piravani uithangt.'

Dus nu dan toch eindelijk de waarheid. Ingrid wilde het geld niet om zichzelf en haar familieleden voor de rest van hun leven in de watten te leggen. Ze wilde het geld om haar vaders vrijheid te kopen. Hammond wist nog hoe hij in Londen had geprobeerd Piravani over te halen om haar te betalen en de zaak af te ronden. 'Wat zou het of zijn familie dat geld krijgt en het uitgeeft?' had hij hem gevraagd. 'Wat zou het nou écht?' En hier had hij nu het antwoord. Het zou meer uitmaken dan je je kon voorstellen.

'Ingrid merkte dat we haar in de gaten hielden en begreep dat ze het niet kon riskeren om zelf contact op te nemen met Piravani. Tot ik jou leerde kennen in Den Haag, hadden we geen idee hoe ze met hem wilde communiceren. Ik neem aan dat er ergens in dit verhaal sprake moet zijn van chantage, omdat jij dezelfde Edward Hammond – dókter Edward Hammond – bent die Gazi in maart 1996 een levertransplantatie heeft gegeven. Toch?'

Hammond knikte somber. 'Ja. Dat ben ik.'

'De details kunnen ons niet schelen. Maar ik zou zeggen dat zowel jij als Piravani alle redenen hadden om achter die bandjes aan te gaan en dat hij wilde dat jij dat geld in beheer kreeg als er met hem iets misging in Belgrado, wat kennelijk ook is gebeurd.'

'Hoe bedoel je?'

'Weet je dat niet?'

'Ik heb geen toegang tot dat geld, Stevan. Dát weet ik wel.'

'Maar dat heb je wel. Bij navraag is gebleken dat Piravani eind vorige week de toegangscodes voor de bankrekening heeft gewijzigd, zodat jullie er nu allebei bij kunnen.'

De reden waarom was Hammond meteen duidelijk. Piravani had niet geweten waarvoor het geld werkelijk was bedoeld. Anders had hij niet gezegd het te zullen overmaken naar de Cayman Eilanden in ruil voor Hammonds hulp om de bandjes te pakken te krijgen. Hij had ervoor gezorgd dat hun afspraak toch kon worden nagekomen, zelfs als maar een van hen wist weg te komen uit Belgrado.

'Waar het om gaat, is dit, Edward. We willen weten wie de mensen achter het uitbraakplan zijn. Het zijn vermoedelijk omgekochte personeelsleden van de gevangenis en misschien zelfs wel het icty. Als dat zo is, moeten we weten wie. De enige manier om daarachter te komen is het plan in werking te stellen. Wat ze ook proberen, wij zijn er klaar voor. Maar ze proberen pas wat als ze worden betaald.'

'En dat is wat je wilt dat ik doe? Ze betalen?'

'Precies. Ik kan regelen dat we morgenochtend naar Lugano vliegen. Dan gaan we naar de bank en maken het geld over. Ze moeten zeker weten dat jij de Edward Hammond bent die Piravani heeft gemachtigd, maar je paspoort zal dat bewijzen. Het is simpel. Maar alleen jij kan dat doen.'

Plotseling was Hammond, dankzij Piravani, een machtig man. Maar zo voelde hij zich niet. Hij had zich eerlijk gezegd nog nooit machtelozer gevoeld. Hij probeerde zijn gedachten te ordenen. Hij wist dat hij in de positie verkeerde om de voorwaarden te stellen waaronder hij zijn medewerking wilde verlenen, maar hij was er niet trots op. 'Weet je zeker dat dit de beste manier is om die mensen te kunnen oppakken?'

'Volgens onze berekeningen de enige manier.'

'Dan zal ik het doen. Maar dan wil ik daarvoor wel iets van je terug.'

'Zeg het maar.'

'Kopieën van de bandjes van maart en april 1996.'

'Geen probleem.' Vidor knikte nadenkend. 'Dat is de periode van de levertransplantatie.'

'Ja.' Meer zei hij niet. En Vidor vroeg niet verder.

'Goed. Ik kan die kopieën morgenochtend voor je hebben.'

'Dank.'

'Dan is dat dus afgesproken?'

'Ja. Maar vertel eens, wat gebeurt er met Todorovic?'

'Die wordt te zijner tijd uitgeleverd. Krijgt een comfortabele cel in Scheveningen. En een lang, nauwgezet, rechtvaardig proces van het icty. Zoals Gazi.'

'Die niet ontsnapt?'

'Geen denken aan.'

'En Zineta?'

'De politie neemt contact op met haar familie in Belgrado. Ik veronderstel dat die haar lichaam wil hebben om het daar te kunnen begraven. Dat zal wel even tijd kosten, allemaal.'

'Ze heeft een broer. Ik heb een telefoonnummer van hem. Ik zou graag zien dat je contact met hem opnam en hem zo goed mogelijk uitlegde wat er is gebeurd. Hoe ze stierf. Waaróm ze stierf.'

'Oké. Maar... zou je niet liever zelf met hem spreken?'

'Nee.' Hammond boog zijn hoofd. 'Ik denk niet dat ik dat aankan.'

30

VIDOR HAD, WAT DE LUXEMBURGSE POLITIE BETROF, WOORD gehouden. Hammond kreeg geen lastige vragen van de politieman die hem in correct maar vormelijk Engels ondervroeg. De bijzonderheden over de vier doden in Forêt Pré werden nauwgezet genoteerd, hoewel misschien niet nauwgezetter dan wanneer het verkeersslachtoffers waren geweest. Het leek of de VN-status van Vidor Hammond een zekere mate van immuniteit verleende. Hij zou op een gegeven moment naar het Groothertogdom moeten terugkeren voor een formeel verhoor door de rechter die deze zaak kreeg toegewezen, maar hij kon intussen vrijelijk met Vidor mee zijns weegs gaan. Zijn vertrek werd eigenlijk zelfs toegejuicht.

'De arrestatie van Todorovic zal heel wat aandacht in de media krijgen, dokter,' verklaarde de agent. 'Het is beter voor iedereen... als u dan al weg bent.'

Vidor had een kamer voor hem gereserveerd in een hotel bij het vliegveld. Daar werd hij na beëindiging van de ondervraging met een politieauto heen gereden. De ochtendvlucht naar Lugano, via Genève, vertrok om zeven uur. Tot die tijd kon hij niets anders doen dan wachten, eten en slapen – zo goed en zo kwaad als het ging. Hij zou eigenlijk graag Alice bellen om haar te vertellen wat er was gebeurd, maar er was zoveel uit te leggen wat beter niet door de telefoon kon. Het was eerlijker tegenover haar om haar nog wat langer in het ongewisse te laten.

Van een ander gesprek dat hij voerde, met Miljanovic om te horen hoe het met Piravani ging, wist hij niet of hij daar verstandig aan deed. Maar hij moest echt weten of Marco al bij bewustzijn was en kon reageren op de talloze vragen die de politie van Belgrado voor hem zou hebben.

Het antwoord was nee. 'Nog altijd in coma, Edward,' zei Miljanovic. Hij was die avond thuis, met muziek van Bach op de achtergrond, wat in Hammond een benijdenswaardig gevoel van huiselijke vredigheid opriep. 'Maar er zijn een paar bemoedigende ontwikkelingen, werd me gezegd.'

'Weten ze al wie hij is?'

'De politie niet. Maar de directeur van de kliniek had vragen over hem gekregen van mensen die leken te weten wie hij was. Ik veronderstel dat jij me kan zeggen wie die mensen zijn.'

'Dat kan ik. Maar het is beter voor jou als ik dat niet doe, Svetozar. Daarnaast betwijfel ik of de directeur nog van die mensen zal horen.'

'Is er iets gebeurd?'

'Ja. Iets wat morgen groot nieuws zal zijn bij jullie, denk ik zo.'

'Iets goeds?'

'Ja, dat zou ik wel zeggen.'

'Maar je klinkt niet erg blij, beste vriend.'

'Er is wel dik voor betaald.'

'En was het dat waard?'

'Nee,' antwoordde Hammond met een schrijnende zekerheid. 'Dat was het niet.'

Hij lag wakker, piekerend en treurend tussen de momenten dat hij bewusteloos wegzakte, en dat de hele nacht door. Toen hij voor de laatste keer opschrok, door zijn wekker gewekt, was hij even vergeten waar hij was en waarom. Toen kwamen de herinneringen weer met een genadeloze kracht terug. Hij dacht aan Zineta en meende zelfs kort dat zijn handen en armen nog steeds onder het bloed zaten. Toen hij onder de douche stond, huilde hij, onbeheerste snikken die strandden in zijn borst, waar de pijn in zijn ribben niet in verhouding stond tot de pijn van het herinneren.

Vidor wachtte Hammond op bij de receptie. Hij gaf hem een paar cd's en een cd-speler om ze mee af te spelen. 'We hebben de bandjes op schijf gezet,' verklaarde hij. Verder onthielden ze zich van commentaar. Ze hadden elkaar eigenlijk niets te zeggen, tot ze waren ingecheckt voor de vlucht en in de vertrekhal zaten waar ze het langzaam licht zagen worden boven de startbaan.

'Ik heb gisteravond met Goran Perovic gesproken,' zei Vidor met zijn blik half in de verte. 'Hij komt hier later vandaag aan.'

'Hoe nam hij het nieuws op?'

'Alsof hij het allang had zien aankomen.'

'Heb je hem verteld dat hij hier in Luxemburg een neef heeft?'

'Nee. Maar daar komt hij wel achter. Van de Bartols, als die hun verstand gebruiken. Dat maakt het wat makkelijker voor iedereen.'

'En de pers? Als die te horen krijgt dat Patrick Gazi's zoon is...'

'Hopelijk gebeurt dat niet.'

'Maar het gebeurt natuurlijk toch. Altijd. Hoe dan ook.'

'Dat is ons probleem niet, Edward.'

'Kon ik dat maar geloven.'

Vidor zuchtte. 'Ja, kon dat maar.'

Een collega van Vidor wachtte hen op het vliegveld van Lugano op: een ernstige man met een lang gezicht die zich aan Hammond voorstelde als Hans Furgler. Aan zijn accent was te horen dat hij Duitstalig was, waarschijnlijk Zwitsers, hoewel hij dat niet zei. Hij beperkte zich tot de praktische kanten van hun bezoek.

'Ik heb een kamer voor ons gereserveerd in Hotel Principessa. Daar kunnen we wachten tot de overboeking is bevestigd,' zei hij toen ze van het vliegveld wegreden. 'Maar we kunnen nu direct door naar de bank. Die moet net open zijn.'

'De overboeking waar Hans op doelt is vanaf de Cayman Eilanden, niet ernaartoe, Edward,' legde Vidor uit. 'We houden een rekening in de gaten in Liechtenstein die volgens ons door Ingrid zal worden gebruikt om de bende die haar vaders ontsnapping regelt te betalen. Je moet haar bellen zodra je het geld hebt overgeboekt en zeggen dat je van gedachten bent veranderd en dat het geld toch onderweg is. De Cayman Eilanden liggen bij ons vergeleken zes uur achter in tijd, zodat ze pas in de loop van de middag bij de fondsen kan, maar we gaan ervan uit dat ze ongeacht de hoogte van het bedrag van de vooruitbetalingen er direct mee aan de gang gaat. Wij blijven hier zo lang als nodig is, ook als het tot morgen duurt, tot duidelijk wordt dat er geen kink in de kabel is gekomen. Hier mag niets misgaan, begrijp je wel?'

'Dat begrijp ik.' Het begon ernaar uit te zien dat Hammond, om redenen waar hij niets aan kon doen, niet terug kon zijn in Engeland voordat de tijdslimiet die Bill had gesteld bereikt was. Daar was niets aan te doen. De cd's die Vidor hem had gegeven zouden hem vrijpleiten. 'Zeg eens, Stevan. Wanneer kan ik weer naar huis?'

'Gauw.' Vidor lachte hem even vriendelijk toe. 'Dan kun je weer terug naar je normale leventje.'

Maar dat gebeurde natuurlijk niet. Dat zou nog heel lang gaan duren. Als het al ooit gebeurde. Dat wist Hammond. En Vidor volgens hem ook.

Veel van de sneeuw die Hammond de vorige week had begroet was nu weg, hoewel de bergtoppen rond Lugano nog wel bedekt waren. De lucht was helderblauw, het zonlicht danste en schitterde over het meer en golfde over de beboste hellingen. Het was niet moeilijk zich te verbeelden, helemaal niet moeilijk, dat hij daar op het station Zineta zou aantreffen die op hem stond te wachten. Maar dat was natuurlijk niet zo. In de echte wereld wachtte zij nergens op hem.

De Banca Borzaghini was een kleine, onopvallende onderneming, luxueus ingericht met donker hout en roze geaderd marmer en met onberispelijk gekleed personeel. Vidor kon hem niet helpen bij zijn besprekingen met een opeenvolging van alsmaar belangrijker functionarissen. Hij wachtte in de lobby. Uiteindelijk werd Hammond naar een kantoor gebracht dat was uitgerust als de werkkamer van een gentleman uit de negentiende eeuw, waar hij werd ontvangen door een onwaarschijnlijk knappe man van middelbare leeftijd met zachte stem die volgens zijn kaartje Umberto Castelli heette.

'Marco belde me afgelopen vrijdag en zei dat u ons wellicht zou komen bezoeken, dokter Hammond.' Dat Castelli Piravani's voornaam gebruikte, was een verrassing. De diensten van Borzaghini waren kennelijk erg op de persoon toegespitst. 'En hij faxte daarna de machtiging om uit zijn naam te handelen. Maar ik moet natuurlijk wel zeker zijn dat u ook echt dokter Hammond bent. Zou ik misschien uw paspoort mogen zien?'

Hammond gaf hem dat. Castelli bestudeerde het met een opvallende zorgvuldigheid en glimlachte toen.

'En hoe kan ik u helpen?'

'Ik wil dat u de fondsen die u voor hem vasthoudt overmaakt naar... dit nummer.' Hammond overhandigde hem het papiertje dat Ingrid hem gegeven had tijdens hun fatale ontmoeting op Heathrow.

'De Cayman Eilanden.' Castelli knikte. 'Juist ja.' Er volgde een tweede knikje. 'Alle fondsen?'

'Ja.'

Castelli raadpleegde zijn computerscherm. 'Dat is… meer dan drieëntwintig miljoen frank. Ongeveer… veertien miljoen pond.'

'Het hele bedrag, alstublieft.'

'Heel goed, dokter. En wanneer…'

'Meteen.'

'Meteen.' Castelli typte vloeiend op het keyboard van de computer. 'Uw handtekening op de betreffende opdracht tot overboeking…', het document begon intussen al uit de printer naast zijn pc te schuiven, 'en het is gebeurd.'

Hammond controleerde het saldo en het nummer van de rekening op de Cayman Eilanden, en tekende daarna het formulier. Castelli vergeleek de handtekening met die in het paspoort en gaf dat toen terug, samen met een kopie van de opdracht.

'Wilt u dat ik de overboeking initialiseer, dokter Hammond?'

'Ja, graag.'

'Die vindt dan meteen plaats, maar u begrijpt dat de rekeninghouder op de Cayman Eilanden niet bij het geld kan voordat de bank daar opengaat en de storting heeft verwerkt?'

'Natuurlijk.'

'En als ik vragen mag… is alles goed met Marco? De laatste keer dat ik hem sprak klonk hij nogal… gestrest.'

Castelli beschouwde zijn cliënt blijkbaar als een vriend. Hammond had dat niet verwacht. Het maakte het des te moeilijker niets over de conditie van Piravani te zeggen. 'U hoeft zich over Marco geen zorgen te maken.'

'Het doet me genoegen dat te horen. Kent u hem al lang?'

'Lang genoeg.'

'Hij heeft het nooit over…'

'Ik zit een beetje slecht in mijn tijd, signor Castelli. Kunnen we die overboeking nu doen, alstublieft?'

'Zeker.' Castelli glimlachte stijfjes en keek naar het computerscherm. 'Drieëntwintig miljoen zevenhonderdnegenentwintigduizend tweehonderdeenentwintig frank, na aftrek van onze kosten.' Hij tikte op een knop. 'Overgeboekt.'

'Dank u.'

'Heeft u een nummer waar ik u kan bereiken, dokter? Er zullen geen problemen zijn, maar voor het geval dat… en voor onze administratie.'

Hammond gaf Castelli zijn nummer.

'*Grazie.* En is er nog iets anders wat ik voor u kan doen?'

'Nee. U bent heel behulpzaam geweest. Nogmaals bedankt.'

Hammond stond op en Castelli bracht hem naar de deur. 'Overnacht u in Lugano, dokter? Een goed hotel is…'

'We zitten in het Principessa.'

'Ah. Heel aangenaam. Heel…'

'Tot ziens, signor.' Hammond stak zijn hand uit ter afsluiting. En Castelli drukte die. Hun zaken waren afgerond.

Het Principessa was, zoals Castelli al zei, heel aangenaam, in een stille, efficiënte, Zwitserse versie van aangenaam. De kamers hadden een mooi uitzicht over het meer, hoewel het hotel niet direct aan het water lag. Het was kennelijk niet erg druk, wat het personeel niet aan de grote klok wilde hangen, zodat de receptioniste het klaarspeelde het te doen voorkomen dat het leveren van drie naast elkaar gelegen kamers organisatorisch gezien tot de godswonderen gerekend mocht worden.

Na te hebben ingecheckt belde Hammond Ingrid, wat zowel noodzakelijk als vernederend voor hem was. Zoals gebruikelijk nam de onbekende vrouw in Madrid op. Maar dit keer gaf ze hem een ander nummer voor Ingrid. Het was een mobieltje dat meteen overging op voicemail. Tandenknarsend sprak Hammond een beknopt en voor de ontvangster een voldoening schenkend bericht in.

'Met Edward Hammond. Ik ben van gedachten veranderd. En heb besloten te doen wat je vroeg. Heb dat in feite al gedaan. De overboeking vond iets minder dan een uur geleden plaats. Controleer het maar, als je me niet gelooft. Drieëntwintig miljoen en wat wisselgeld. Allemaal voor jou. Gefeliciteerd. Ik…'

'Vraag haar om terug te bellen,' fluisterde Vidor.

Oké, gebaarde Hammond. Toen zei hij: 'Ik zou je dankbaar zijn als je me wilde terugbellen om te zeggen of je deze boodschap hebt gekregen, Ingrid. Ik moet weten of we nu klaar zijn met elkaar. Tot gauw.'

'Prima,' zei Vidor, toen hij ophing. 'Dat zal haar aandacht zeker trekken.'

Vreemd genoeg was dat niet zo. Een uur verstreek, toen nog een, daarna nog een paar, zonder een woord van Ingrid. Hammond probeerde de tijd goed te gebruiken door de cd's die Vidor hem gegeven had af te spelen. Maar het luisteren naar een ondoordringbare opeenvolging van gesprekken in het Servisch in afwachting van het moment dat zijn eigen naam zou worden genoemd werd hem op een gegeven moment te veel. Zineta had hem verzekerd dat het bewijs dat hij nodig had erin voorkwam, en hij twijfelde daar niet aan, maar iemand anders moest dat dan maar vinden. Hij ging een eind lopen langs de rand van het meer, tot aan het park waar hij met Piravani had afgesproken. Hij ging op een bankje zitten en staarde over het water naar de bult van de Monte San Salvatore. Hij vroeg zich af hoe hij dit stadium van ellende vol zelfverwijt in zijn leven had bereikt. En het ergste van die vraag was, verreweg het ergste, dat hij wist hoe. Hij wist precies hoe.

Toen ging zijn telefoon. Hij antwoordde meteen, zonder te kijken wie er belde. Hij wilde dit achter zich laten, voor eens en voor altijd. 'Ingrid?'

Maar nee. Het was Ingrid niet. 'Ik had je wel eerder gebeld als ik niet zo kwaad was geweest,' zei Bill. 'Wat ben je nou eigenlijk allemaal aan het doen, Edward? Eerst kom je met dat kletsverhaal over bandjes. Daarna neem je de benen. Ik geef je nog één kans om opheldering te geven.'

Hammond zuchtte. Hij had de neiging om het gesprek te verbreken. Maar dan zou een nog kwadere Bill opnieuw bellen en hij kon het zich niet veroorloven de telefoon af te zetten. 'Zineta is dood,' zei hij kalm. 'Vermoord door een van de zware jongens van Todorovic. Ik had haar moeten redden. Maar kon dat niet. Je denkt dat jij kwaad op me bent? Nou, ik ben het ook. En over wat ik allemaal aan het doen ben, kan ik kort en duidelijk zijn. Todorovic gaat achter Gazi aan de gevangenis in en ik ben alles in het werk aan het stellen om ervoor te zorgen dat ze daar allebei ook blijven. Die bandjes bestaan. Ik heb kopieën van de exemplaren die bewijzen dat ik niets van doen had met Gazi's besluit om Kate te laten vermoorden. En of je me gelooft of niet moet je zelf weten. Ik ben over een paar dagen thuis en dan kunnen we erover praten. Hou Alice hier tot die tijd in godsnaam – in Kates naam – buiten. Of je de politie erbij haalt, interesseert me niet. Je doet maar.' Toen hing hij op.

En Bill belde niet terug.

Ingrid trouwens ook niet.

Vidor begon zich kennelijk ook zorgen te maken. Hammond trof hem in de buurt van het Principessa aan, waar hij heen en weer liep te wandelen over de promenade met een sigaret in zijn hand.

'Ik begon me al af te vragen waar je zat,' gaf hij toe.

'Ik had wat frisse lucht nodig. En, voor je het vraagt, er is niet gebeld.'

Ze liepen naar een cafeetje in de buurt waar ze in een verstrooide stilte hun koffie dronken en de uitbaatster luid zat te babbelen met de enige andere klant.

'Moet je Furgler niet laten weten waar we zitten?' vroeg Hammond uiteindelijk. 'Anders gaat die zich misschien ook zorgen maken.'

'Hans, zorgen? Dat denk ik niet. Dit is een gewone klus voor hem.'

'Voor jou dan niet?'

Vidor trok zijn wenkbrauwen op. 'Natuurlijk niet. Ik ben achttien jaar geleden uit Servië weggegaan, maar dat betekent nog niet dat ik geen Serviër ben. Ik vind het verschrikkelijk wat Gazi en Todorovic en de rest van hun soort mijn land hebben aangedaan – mijn familie hebben aangedaan. We moeten ervoor zorgen dat zoiets nooit meer gebeurt.'

'Wat hebben ze je familie aangedaan?'

'O…' Vidor wendde zijn hoofd af. 'Niets wat ze veel anderen niet ook hebben aangedaan. Ik wist weg te komen, zoals ik je zei, maar mijn drie broers vochten in Bosnië. Een van hen… heeft het niet gehaald.'

'Wat ellendig.'

'Hij is niet gesneuveld. Hij heeft zelfmoord gepleegd toen de oorlog voorbij was.'

Hammond huiverde. 'Vreselijk.'

'Er waren veel zelfmoorden, tijdens en na de oorlog. Mensen zagen geen toekomst voor zichzelf… neem ik aan.'

'En nu wel?'

'Ik hoop het. Dat hoop ik echt.'

'En de rest van je familie? Gaat het daar goed mee?'

'Niet echt.'

'Zie je ze vaak?'

'Nee.' Vidor schudde zijn hoofd.

'Kunnen ze zich vinden in het werk dat je doet?'

'Ze weten niet wat ik doe. Ze denken dat het me niet interesseert, weet je. Ze denken dat ik… het vergeten ben.'

'Moet je ze dan niet vertellen dat dat niet zo is?'

'O, dat doe ik ook wel. Op het goeie moment.'

'En wanneer is dat?'

'Zodra deze hele toestand met Gazi achter de rug is.' De uitdrukking op Vidors gezicht verzachtte. 'Ja, dan zal ik het ze vertellen.'

'Wat doen we als Ingrid me niet belt?' vroeg Hammond toen ze terugwandelden naar het hotel.

'Het maakt niet echt uit of ze je belt of niet. Ze heeft je bericht. Dat weten we zeker als er een grote hap geld wordt verplaatst van de Cayman Eilanden naar Liechtenstein. Dat is waar we echt op wachten. En dat kan vandaag zijn. Of pas morgen. Het spijt me, Edward. Tot dan moeten we paraat blijven, voor het geval je terug moet naar de bank.'

'Ik vind dit gruwelijk onaangenaam.'

'Ik ook. Maar het duurt niet lang.' Vidor zuchtte. 'Het lijkt alleen maar zo.'

31

ZONDER VIDOR TE VRAGEN OF HIJ DAT MOEST DOEN OF NIET, belde Hammond Ingrid nog enige keren terwijl de middag intussen rimpelloos in de avond overliep. Ze nam niet op. En reageerde ook niet op de berichten die hij achterliet. En ze kregen geen nieuws over een grote storting die zou zijn gedaan op de rekening in Liechtenstein. Het enige wat ze konden doen was het laatste wat Hammond wilde doen: wachten.

Op een gegeven moment kreeg hij een sms'bericht van Miljanovic. Maar daar stond weinig nieuws in, althans wat Piravani betrof. 'Geen grote veranderingen. Prognose hoopgevend.' Toen kwam: 'Hoorde nieuws over Todo!' Hammond bevestigde de ontvangst van het bericht, en sms'te daarna Alice. 'Gauw weer thuis. Moet je zien. Kan je dit w/end Londen?' Hij had zichzelf voorgenomen dan thuis te zijn, wat er ook gebeurde. En Alice moest nu toch eens een keer de waarheid horen, dus had dat nu prioriteit. Maar de dringende noodzaak achter zijn verzoek was niet tot zijn dochter doorgedrongen. 'Lukt niet, paps. W/end erna?' Hij stuurde een slap 'Oké' als antwoord. Het weekend daarna voelde voor hem op dat moment aan als ergens halverwege het volgende decennium.

Een late avondmaaltijd met Vidor en Furgler in het merendeels lege restaurant van het hotel deed niets om zijn stemming te verbeteren. 'Volgens ons is de kans het grootst dat het geld morgenochtend wordt overgeschreven,' meldde Vidor. Hij klonk alsof hij het zelf geloofde. Maar daarin leek hij zo te zien de enige.

Later, toen Furgler zich had teruggetrokken om te gaan slapen, zetten Hammond en Vidor koers naar de bar.

'Ik vind het heel erg van Zineta,' zei Vidor bij hun tweede whisky, nadat de eerste in stilte genuttigd was. 'Dat weet je toch, hè, Edward?'

'Jij vindt het erg. Ik vind het erg. Iedereen vindt het erg.' Hammond staarde naar zijn whisky. 'Maar dat brengt haar niet weer tot leven, hè?'

'Niets of niemand kan dat.'

'Wat heeft verdriet dan voor zin?'

'Ik denk dat het afhangt van wat je ermee doet.'

'Nou, ik heb er heel wat van in voorraad. Dus als je een goed advies hebt, hoor ik het graag van je.'

Vidor knikte plechtig, alsof hij er serieus over zou nadenken. 'Ik houd het in beraad.'

De whisky vloerde Hammond die avond met meer succes dan hij had verwacht. Hij werd verbijsterend laat gewekt door het overgaan van zijn telefoon en was nog driekwart in slaap toen hij opnam. Maar de stem aan de andere kant was als een douche met koud water. Hij was meteen klaarwakker.

'Goedemorgen, dokter Hammond.'

'Ingrid?'

'Ik kreeg uw bericht.'

'Ik... ik hoorde maar niets.' Hij wreef in zijn ogen en gluurde naar zijn wekker die hij niet had gezet, omdat hij dacht wel op tijd wakker te zullen worden zonder. Hij zag tot zijn verbazing dat het bijna negen uur was.

'Ik vond dat we elkaar maar eens even moesten zien om de situatie te bespreken, dokter. Dus moest ik... mijn reis voorbereiden.'

'Zien? Hoe bedoel je?'

'Ik ben hier. In Lugano.'

'Maar ik heb nooit...'

'Zorg dat je bij de kabelbaan staat van kwart voor tien naar Monte Brè. Dan praten we daar verder.' Daarna hing ze op.

Hij had Ingrid niet gezegd waar hij zat. En ze had zelf gezegd dat ze nooit had geweten waar Piravani het geld van haar vader had gedeponeerd. Dus hoe had ze dan ontdekt dat hij in Lugano was? Deze vraag tolde verwarrend door zijn hoofd toen hij de hoteltelefoon pakte en het nummer van Vidors kamer belde. Een seconde later hoorde hij zijn telefoon door de muur tussen hen in overgaan, maar Vidor nam niet op.

Hammond schoot in zijn kleren en holde de gang op. Hij bonsde op Vidors deur en riep zijn naam. Er kwam geen reactie. Toen probeerde hij Furgler, met hetzelfde resultaat.

Hij had inmiddels de verbaasde aandacht getrokken van een keurige zakenman die op weg was naar de lift, die nog verbaasder moet zijn geweest toen Hammond hem voorbij holde en de trappen afrende. Het waren maar twee verdiepingen naar de receptie, maar hij draafde verder naar het restaurant in het souterrain, waar het ontbijt werd geserveerd. Daar was geen spoor van hen te bekennen, en hij snelde in verhoogd tempo terug naar de receptie.

'Mijn vrienden, eh… meneer Vidor en meneer Furgler,' hijgde hij tegen de man achter de balie. 'Heeft u, eh… die gezien?'

'Die zijn de deur uit, dacht ik.' Hij tuurde naar het sleutelbord. '*Si.* Ja. Een poosje geleden.'

'Samen?'

'Ja. Samen.'

'Zeiden ze nog wanneer ze terug zouden zijn?'

'Ah… nee.'

'Hebben ze een boodschap voor me achtergelaten?'

Weer een blik op het sleutelbord. 'Nee. Geen boodschap.'

Dan zat er niets anders op. Hij moest gaan. En wel alleen. 'Hoe kom ik bij de kabelbaan naar Monte Brè?'

'Die begint bij Via Pico, aan de oostkant van de stad. Een rit van ongeveer tien minuten per taxi. Moet ik er een voor u bellen?'

'Ja,' knikte Hammond vastbesloten. 'Meteen graag.'

Hij arriveerde daar uiteindelijk nog ruim op tijd. De morgen was koud maar helder en de twee, drie andere passagiers die op de kabelbaan stonden te wachten waren gekleed voor een wandeltocht. Ingrid Hurtado-Gazi was daar niet bij. Iets wat Hammond niet echt verbaasde. Hij verwachtte dat zij pas op het laatste moment zou opdagen.

Maar dat deed ze niet. Om precies kwart voor tien kwam het treintje ratelend in beweging. Hammond zag de gebouwen aan de rand van het meer langzamerhand in de verte verdwijnen, en frustratie en verbijstering streden in zijn gedachten om voorrang. Waar was Ingrid nu weer mee bezig?

Het antwoord hierop leek zich bij de eerste halte aan te dienen, toen de passagiers allemaal uitstapten en de weg overstaken om aan boord te gaan van een andere, steilere kabelbaan om hun reis voort te zetten naar de Monte Brè, waarvan de beboste top boven hen uitstak.

De dienstregeling had voor deze overstap erg veel tijd uitgetrokken en de minuten tikten langzaam voorbij terwijl Hammond alleen in een van de coupés van de tweede trein zat. Ze zouden de reis om 10.05 uur vervolgen. Om 10.02 uur stopte er een donkerblauwe BMW sedan voor het station, waar Ingrid Hurtado-Gazi uit stapte.

Ze was gekleed in diverse tinten zwart die varieerden van inkt tot nacht, en droeg een buitensporig uitwaaierende bontmantel met brede kraag en een filmsterachtige zonnebril om te voorkomen dat iemand haar voor een wandelaar zou houden. Ze kocht een kaartje en liep op het moment dat de hoge bliepjes het ophanden zijnde vertrek van de trein aankondigden haastig de treden naar het perron op. Toen ze de coupé van Hammond binnenglipte, gingen de deuren achter haar dicht en zette de trein zich met een ruk in beweging.

Hij werd meteen overdonderd door haar parfum. Pas toen herinnerde hij zich weer die geur van overrijpe gardenia's. Haar leren broek knerpte toen ze haar benen over elkaar sloeg en ze lachte hem toe met slechts een vleugje triomf op haar lippen. 'Goedemorgen, dokter Hammond,' zei ze op suikerzoete toon.

'Hoe wist je waar ik zat?' wilde hij meteen weten.

'De Banca Borzaghini in Lugano was de bron van de overgemaakte gelden.'

'Maar je kon niet weten dat ik hier vandaag nog zou zijn.'

'Het lag voor de hand dat u zou wachten tot u van me had gehoord.'

Dat was zo, maar deze uitleg was voor Hammond toch niet goed genoeg. En bracht vanzelf een andere vraag met zich mee. 'Waarom wil je me eigenlijk spreken?'

'Om u mijn dank te betuigen, dokter. U heeft gedaan wat ik u vroeg. Laat, dat wel. Maar laat is beter dan nooit.'

'Dank is niet nodig, Ingrid. Ik deed gewoon... wat ik moest doen.'

'Maar nog maar een paar dagen geleden dacht u er toch heel anders over.'

'Ik ben van mening veranderd. Toen… de feitelijkheden van de situatie tot me begonnen door te dringen.'

'Wat een verstandig besluit van u. Ik moet…' Ze brak af toen haar telefoon overging, een geluid dat gedempt werd door haar jas. 'Neem me niet kwalijk, ik verwacht een belangrijk telefoontje.' Ze pakte haar mobieltje en nam op. '*Diga* …*? Si, soy yo… Si, entiendo… Gracias… Adiós.*' Belangrijk of niet, kort was het telefoontje in elk geval wel. Haar glimlach verbreedde zich toen ze het apparaat weer in haar zak stak. 'Het is een goede dag, dokter Hammond.'

Waar had ze het over, vroeg hij zich af – het weer? 'Je hebt wat je wilde, Ingrid. Oké? Als je denkt dat ik horen wil dat je vader niets over me zegt tijdens zijn proces, heb je het verkeerd. Ik ga ervan uit dat hij zich aan onze afspraak houdt. Het zou hem geen goed doen – jullie geen goed doen – als hij dat niet deed.'

'Zijn proces? Daar zit u toch niet mee, dokter? Ik trouwens ook niet.'

'Is dat niet wat vreemd? Het kan toch op levenslang uitdraaien?'

Vreemd genoeg moest Ingrid lachen. Ze strekte haar hals om het uitzicht te bewonderen dat zich langzaam ontvouwde terwijl de trein omhoogklom en een blik gunde over de hele stad Lugano die in grijzige kleuren om de dampige blauwe curve van het meer beneden hen lag uitgestrekt. Het zonlicht flitste over de juwelen van haar halsketting. Haar ogen dansten alsof ze haar blijdschap haast niet kon bedwingen. 'Zwitserland is een fantastisch land, vindt u ook niet? Zo schoon. Zo efficiënt. Zo… doelgericht.'

Het koelde bij hun tocht omhoog snel af. Maar er was nog iets anders dat een kilte door het bloed van Hammond joeg. Hij wist welk spel hij speelde. Maar Ingrid speelde er kennelijk zelf ook een. 'Ik denk dat ik bij de volgende halte uitstap en daar wacht op de trein die weer naar beneden gaat,' zei hij. 'Wij hebben verder toch niets meer te…'

'U gaat naar de top, dokter,' onderbrak ze hem, en ze keek hem weer aan. 'Wij allebei.'

'Nu ik je het geld heb betaald, Ingrid, bepaal jij mijn doen en laten niet meer.'

Op dat moment liep de trein bij een klein perron binnen. De trein omlaag kwam op een ringlijn naast hen tot stilstand. Als hij vlug was, kon hij die waarschijnlijk net halen voor hij vertrok. Maar toen hij opstond pakte Ingrid hem bij zijn onderarm en zei: 'Mijn vader is vrij, dokter. Dat telefoontje was de bevestiging. Het plan heeft perfect gewerkt. Hij is ontsnapt.'

'Wat?!' Hij kon zijn oren niet geloven. Maar wist niettemin dat ze niet loog. De wereld om hem heen veranderde.

'Hij is vrij!'

'Dat is… absurd. Hij kan niet…' De trein zette zich weer in beweging. Twijfels en vragen woelden door zijn hoofd. Het geld. Het ontsnappingsplan. De val die hij had helpen opzetten. Maar voor wie was die eigenlijk opgezet?

'Een uur geleden is er een gevangenentransport van Scheveningen naar het ICTY gekaapt, dokter. De bewakers zijn met CS-gas buiten gevecht gesteld en hun zes gevangenen werden bevrijd. Vijf daarvan zullen later weer worden opgepakt omdat ze niet de middelen hebben om weg te komen. Maar de jacht zal de politie een hoop tijd en mankracht kosten. Wat goed is voor mijn vader. Ik heb de beste mensen – de allerbeste – ingehuurd om hem Den Haag uit te krijgen. Een nieuw leven – een nieuwe identiteit – wachten ver hiervandaan op hem. En dit keer zal hij nooit gevonden worden. Dit keer krijgt hij de vrede en de rust die hij verdient.'

'Maar…'

'De autoriteiten wisten niets van dit complot, dokter. U maakt geen deel uit van een organisatie die de mensen die de ontsnapping planden uit hun tent moest lokken. U bent deel van het ontsnappingsplan zelf. Omdat Piravani u machtigde het geld over te schrijven van de rekening bij Borzaghini, heb ik die mensen kunnen betalen wat ze vroegen. Dat was een boel – vele miljoenen franken. Maar het was het waard. Ik houd van mijn vader. Ik kan hem niet in de gevangenis laten sterven. En nu… gebeurt dat ook niet.'

Hammond was met stomheid geslagen. Hij staarde naar Ingrid en zag zijn eigen onnozelheid in haar spottende glimlach weerspiegeld. Vidor had al die tijd voor Gazi gewerkt. En hij dus eigenlijk ook.

'Ik heb u nog meer te vertellen, dokter. Luister goed. Het is belangrijk dat u me begrijpt. Ik ben u inderdaad dankbaar. En mijn vader ook. We zullen u niet meer lastigvallen. Laat ons met rust, dan laten wij u met rust. Maar we moeten er natuurlijk wel van op aan kunnen dat u de autoriteiten niet informeert over hoe de ontsnapping werd gefinancierd of welke medewerkers van de VN bij het plan betrokken waren. Dat zou… ongelegen komen. U moet daarom wel weten dat de opnamen die Vidor u gaf geen enkele mededeling bevatten over wijlen uw vrouw. De originelen ook niet. Die zijn bewerkt en aangepast. Zonder dat zal het voor u niet makkelijk blijken te zijn om de beschuldigingen die uw zwager te-

269

gen u aanvoert te weerleggen. Sterker nog, als uw rol bij het overmaken van mijn vaders geld vanuit Zwitserland bekend raakt, zal dat die beschuldigingen alleen maar versterken. Evenals de rol die u speelde bij het organiseren van de arrestatie van Branko Todorovic, die mijn vaders vertrouwen heeft beschaamd en het verdient om de rest van zijn leven in de gevangenis te slijten. Het zou lijken alsof u mijn vader hielp omdat u bij hem door de moord op uw vrouw in het krijt stond. Niemand zal ooit geloven dat u erin bent geluisd, omdat niemand ooit zal geloven dat u zo stom kon zijn.'

Hammond was nog altijd sprakeloos. Wat viel er trouwens nog te zeggen, nu aan alle kanten zonneklaar bleek hoe stom hij inderdaad was geweest?

'Begrijpt u wel, dokter? Uw grootste kans op een vredig en aangenaam leven is door tegenover iedereen te zwijgen over uw betrekkingen met ons. U zal nergens van worden beschuldigd. Geef de autoriteiten zoveel over Todorovic als u maar kwijt wilt. Vertel ze dat u Zineta heeft leren kennen toen u naar Den Haag kwam om bij de rechtszaak van mijn vader te kunnen zitten en dat zij u overhaalde om haar te helpen de bandjes te pakken te krijgen om Todorovic te straffen die haar zoon bij haar had weggehaald. Zij kan dat immers niet meer weerleggen toch? En Piravani...'

Het was het gebruik van Zineta's naam – haar minzame verachting van de vrouw die in Hammonds armen stierf – wat hem uiteindelijk over de streep trok. Hij viel naar haar uit met op dat moment de bedoeling zijn handen om haar keel te slaan en die samen te persen tot ze naar adem zou snakken en om genade zou smeken. Wat hij daarna zou doen, wist hij nog niet. Haar de mond snoeren was het enige waar het hem tijdens die actie om ging.

Maar zelfs dat was al te veel. Ingrid zat hem op te wachten. Hij had haar nooit de spray uit haar zak zien halen. Misschien had ze die al die tijd al in haar hand gehad. Een krachtige straal traangas sloeg als een vlam tegen zijn ogen. Hij schreeuwde het uit, boog zijn hoofd en viel achterover tegen de bank achter hem.

'We zijn bijna boven,' zei Ingrid, met haar mond vlak bij zijn oor, alsof ze beslist wilde dat hij haar hoorde door de pijn heen die hem verblindde. 'Daar laat ik u alleen. Probeer wat water te vinden als u kunt, om uw ogen mee te spoelen. De effecten duren ongeveer een halfuur. Dus zien we elkaar niet meer terug.'

Toen het station op de top in zicht kwam, minderde de trein snelheid. Hammond probeerde zijn ogen open te doen, maar die vulden zich met tranen en de pijn was ondraaglijk. Hij kon niet praten of denken, laat staan zien.

'Vaarwel dokter,' zei Ingrid. 'En nogmaals bedankt. Voor alles.'

32

HAMMOND WIST ALLEEN DE TOILETTEN OP HET STATION TE BE-
reiken doordat enkele passagiers waar hij tegenop liep toen hij de trein uit wankelde hem daar met de nodige tegenzin naartoe hielpen. Hij vulde een wastafel met water en baadde zijn ogen tot hij die in elk geval weer open kon doen. Zelfs toen was de zichtbare wereld niet veel meer dan een wazige vlek en het zonlicht buiten het station was pijnlijk verblindend.

Maar hij besefte algauw dat de pijn een dankbare afleiding vormde van de afschuw die hij voelde over hoe hij was gemanipuleerd en met welk doel. Gazi was vrij. En hij had geholpen hem te bevrijden. Ingrid had hem precies gehad waar ze hem hebben wilde.

Die was allang weg, natuurlijk, snel weggevoerd in een auto nam hij aan. Hij zag net beneden het station een bochtige weg over de heuvel lopen. Vidor en Furgler hadden haar waarschijnlijk opgewacht. Dat ze uitgecheckt hadden uit het Principessa, daar was hij zeker van, en zonder een spoor achter te laten waarlangs hij hen volgen kon. Met hem waren ze klaar. Zoals Ingrid al zei: 'Wij zullen u niet meer lastigvallen.'

De volgende trein naar Lugano vertrok over tien minuten. Waarom Hammond niet op het station wachtte om die te halen kon hij niet uitleggen, zelfs niet aan zichzelf. Hij liep weg over het pad over het spaarzaam begroeide bosterrein van de Monte Brè, zonder een bepaalde richting of doel voor ogen te hebben. Bergen met besneeuwde toppen piekten voor hem uit en de woestenij die zij omsloten, bood hoe koud en dreigend ook, hem een schuilplaats tegen de waanzin en de verdorvenheid van het mensdom.

Maar het overgaan van zijn telefoon herinnerde hem eraan dat een dergelijke schuilplaats maar denkbeeldig was. Hij overwoog eerst om niet te antwoorden, maar toen hij zag wie er belde, wist hij dat hij wel moest.

'Hallo, Svetozar.'

'Weet je of het waar is, Edward?' Miljanovic' woorden rolden als een dolzinnige mengelmoes naar buiten. 'We horen dat Gazi is ontsnapt. Gewapende mannen hebben het busje dat hem naar de rechtbank in Den Haag bracht aangehouden. Toen is er geschoten. Twee bewakers zijn gedood.' Ingrid had natuurlijk niets gezegd over bewakers die waren gedood. Dat waren details die haar niet interesseerden. 'Er zijn een paar gevangenen ontsnapt, waaronder Gazi. Sommige zijn intussen alweer opgepakt. Maar Gazi niet. Kloppen die berichten, Edward?'

Hammond kon niet praten, wist geen antwoord te formuleren. Het leek alsof hij er helemaal niet bij betrokken was. En toch wist hij dat hij er maar al te dichtbij stond, onwrikbaar en onweerlegbaar, een zwarte zon die zich had vastgezet in de lucht boven zijn hoofd.

'Edward?'

'Die berichten kloppen zeker, Svetozar.'

'Maar... dat is verschrikkelijk.'

'Ja. Dat is het ook. Verschrikkelijk.'

'Je klinkt niet erg verbaasd. Wist je dat dit zou gaan gebeuren?'

'Ik had het moeten weten.'

'Hoe bedoel je?'

'Ik bedoel dat het mijn schuld is, Svetozar.'

'Jóúw schuld?'

'Ja.'

'Hoe dan?'

'Ik leg het je allemaal wel uit. Binnenkort. Zodra ik kan. Zodra ik...'

'Zodra wat?'

'Het spijt me, Svetozar. Ik ben nu even uitgepraat.' Hammond verbrak het gesprek, zette de telefoon uit en stak die weer in zijn zak. Hij ademde de kille lucht diep in en voelde zijn langzaam helende rib steken. Hij keek omhoog naar de wolkeloze blauwe koepel boven hem. En zijn ogen vulden zich met tranen.

In de uren daarna volgde Hammond het bospad dat de heuvels boven het dorp Brè in liep. De klim ging langzaam en leek eindeloos, maar hij was zich amper van zijn omgeving bewust, druk met het onvruchtbare debat dat hij in zichzelf aan het voeren was. Wat moest hij doen, nu het zo duidelijk was dat hij niets kón doen. Gazi was vrij en hij had bijgedragen en meegeholpen aan zijn bevrijding. Gazi had zijn hulp even dringend nodig gehad als toen zijn lever het begaf. En hij hielp hem, dit keer zonder het te weten en zonder het te willen, dat was zo, maar met hetzelfde doorslaggevende resultaat.

Hij kwam bij een vooruitstekende rand, hoog boven het meer van Lugano, waar de bomen schaarser werden en zo de koude schemerige wereld om hem heen onthulden. Hij ging op een richel zitten en tuurde naar beneden, naar de witte streep van het kielzog van een boot, de donkere vlekken van de vrachtwagens op de autoweg langs het meer, naar de gouden glans van het windvaantje op een dorpskerk. Een paar meter links van hem viel de grond bijna loodrecht naar beneden in een cascade van rotsen en losse steentjes. Zelfvernietiging lag voor het grijpen, als hij wilde. Hij keek in de blauwe leegte en voelde zich voor het eerst van zijn leven in verzoeking gebracht. Door het gemak en de directheid van zo'n daad: voor sommige gevallen een uitweg, in alle gevallen een oplossing.

Kijken was uiteindelijk het enige wat hij deed. Op een gegeven moment zette hij de afdaling weer in en volgde het pad terug naar het dorp Brè, waar hij, toen de namiddag de warmte uit de zon wegzoog, uitgeput van honger en vertwijfeling aankwam. Hij ging op het plein zitten wachten op de bus naar Lugano, proefde de koele helderheid van de lucht en zou daar op de een of andere manier wel in willen worden opgelost. Wat hij het meest van alles voelde, was schaamte: schaamte omdat hij zoveel kwaad had gedaan en zo weinig goeds. Al zijn arrogantie was nu verdwenen, weg, en zijn reputatie zou spoedig volgen, daar was hij van overtuigd. Dit betekende zijn einde. Of anders was dit het begin van een nieuwe Edward Hammond. Andere mogelijkheden waren er niet.

De bus kwam. Dorpelingen die terugkeerden uit Lugano stapten uit en zochten hun weg naar huis. Er waren niet veel mensen voor de reis terug. Maar Hammond was er een van. En een jonge vrouw die verontrustend veel op Alice leek, griezelig haast, zo van achteren gezien. Hammond zag hoe ze de hele weg naar de stad opgewekt zat te sms'en en bedacht hoe hij straks aan zijn dochter zou moeten gaan uitleggen wat er allemaal was gebeurd, niet alleen in de laatste twee weken, maar ook ten tijde van haar moeders dood, dertien jaar geleden. De angst voor haar reactie lag als een steen op zijn maag. En het ergste deel van zijn angst was de vrees dat hij haar niet de volle waarheid zou kunnen vertellen. Dat was de keus die Ingrid hem had gelaten. Dat was uiteindelijk haar beloning voor wat hij allemaal voor haar vader had gedaan.

De receptioniste van het Principessa onthield zich bewust van commentaar op het ontredderde voorkomen van Hammond. Ze vertelde hem dat zijn vrienden – signore Furgler en Vidor – eerder die dag vertrokken waren. 'Ze zeiden dat u nog tot morgen bleef, meneer. Klopt dat?' Hij bevestigde dat met wat vage opmerkingen, omdat hij natuurlijk nog helemaal geen plannen had gemaakt. Hij ging naar zijn kamer en zette zijn tv aan op cnn. Het duurde niet lang voor er een verslag kwam van de sensationele gebeurtenissen die morgen in Den Haag.

Een verslaggever bevond zich dicht bij de locatie van Gazi's gewaagde ontsnapping. Achter haar, aan de andere kant van de weg, was een park met veel bomen, dat Hammond zich nog herinnerde van zijn rit met Zineta met de tram na zijn bezoek aan het icty – groepjes bomen tussen bochtige voet- en fietspaden. Maar deze middag waren er geen wandelaars of fietsers te zien. Rond het zichtbare deel van het park was een strook politielint gespannen en gewapende agenten hielden er toezicht op dat dit intact bleef. De strook liep tot halverwege de weg. Binnen die ruimte stonden diverse politieauto's, waartussen figuren in blauwe uniformen voortdurend haastig heen en weer liepen.

'De berechting voor een tribunaal van de vn van een van de beruchtste plegers van etnische zuiveringen in het voormalige Joegoslavië is vanochtend hier in Den Haag een gevoelige slag toegebracht,' verkondigde de blonde journaliste in één ademtocht. 'Een pantserwagen die zes beklaagden overbracht van de nabijgelegen gevangenis in Scheveningen naar het gebouw van het Internationaal Gerechtshof, een kilometer verderop, werd onderschept en aangehouden door een gewapende bende die de bewakers overmeesterde met cs-gas, twee van hen doodde bij een vuurgevecht, en de gevangenen bevrijdde. De wagen staat nog op de plek waar hij werd gestopt, een klein stukje achter me hier op de weg.' De camera draaide rond en richtte zich op een busje met het symbool van de vn dat op ongeveer vijftig meter afstand aan de kant van de weg stond. De achterdeuren stonden open en binnenin waren mensen in witte overalls te zien. 'Vijf van de gevangenen, met de door de autoriteiten vrijge-geven namen Milorad Ivkovic, Sretko Lubarda, Dusan Melka, Srdjan Neskovic en Ninoslav Rajkovic, zijn er te voet vandoor gegaan, zonder duidelijk zichtbare hulp van de bende. Lubarda en Neskovic gaven zich later weer aan, en Melka en Rajkovic werden een paar uur geleden door de politie opgepakt op het Centraal Station. Ivkovic, een voormalig commandant bij de Kroatische troepen in Bosnië, is nog voortvluchtig, even-als de zesde gevangene, Dragan Gazi, met afstand de beroemdste, of beter beruchtste van het stel. Zijn bevrijding moet het doel van de bende zijn geweest. Ooggetuigen zeggen dat hij werd weggevoerd in een donkere suv, maar er zijn ook verslagen van mensen die zeggen dat hij aan boord is gegaan van een helikopter die even naast het busje aan de grond kwam voor hij in de richting van de kust verdween. Die is maar een kilometer of drie hiervandaan en er zijn allerlei speculaties over hoe hij kan zijn overgezet op een speedboot of een groter schip, buitengaats. Hoe dan ook, Dragan Gazi is op het ogenblik een vrij man. De voormalige leider van de Servische paramilitairen die bekendstonden onder de naam de Wolven, die in de jaren negentig Bosnië en later Kosovo terroriseerden, was nog geen jaar geleden na acht jaar ondergedoken te hebben gezeten gearresteerd. Zijn gevangenneming werd gezien als een triomf voor de rechtsgang. Die triomf heeft vandaag een bittere nasmaak gekregen in deze doorgaans rustige straat in deze doorgaans rustige Nederlandse stad.'

'Een hoogst beschamende aangelegenheid voor het Internationaal Gerechtshof dus, hè, Janice?' onderbrak de nieuwslezer haar.

'Dat mag je wel zeggen, Gavin. Meer dan hoogst beschamend, een ramp eigenlijk, tenzij Gazi weer spoedig wordt opgepakt.'

'En hoe groot is de kans daarop?'

'Dat is in dit stadium moeilijk te zeggen, Gavin. De bende die dit heeft uitgevoerd was in elk geval uitzonderlijk goed toegerust voor zijn taak. Getuigen spreken van een kort maar fel vuurgevecht met de bewakers van het busje. Twee van die bewakers werden zoals we weten, gedood, en een derde, horen we, werd ernstig gewond. Maar aan de kant van de bende schijnen geen gewonden te zijn gevallen, misschien wel omdat de bewakers gehinderd werden door het cs-gas dat in de cabine werd afgeschoten. De aanvallers waren kennelijk zowel goed voorbereid als goed uit-gerust. Het was duidelijk een uiterst precies voorbereide operatie. Dus zullen we er wel van mogen uitgaan dat ze een even precies voorbereid plan hebben om Gazi, nu ze hem eenmaal vrij hebben, uit de greep van de vn te houden. Wat overigens niet makkelijk zal zijn. De overheden van Nederland en van de vn zullen zeker alles in het werk stellen om hem terug te vinden. We kunnen er wel van uitgaan dat…'

Hammond drukte op de uitknop van de afstandsbediening waardoor de televisie levenloos werd en hem achterliet in stilte en met een vervormd spiegelbeeld van zichzelf in het scherm. Een uiterst precies voorbereid plan? Ja, dat mocht je wel zeggen. Hij wist ervan, omdat hij er deel van had uitgemaakt. Hij stak een beschuldigende vinger uit naar zijn spiegelbeeld en mompelde: 'Wat nu, dokter? Welke behandeling stelt u voor?'

Hij ging terug naar Den Haag. Dat kwam als enige heldere gedachte in hem op in een wolk van pijn en verdriet. Hij ging naar het icty en hun alles vertellen. Ingrid had hem een akelig beeld geschetst over wat er allemaal ging gebeuren als hij dat deed, maar wat er met hem ging gebeuren als hij dat niet deed, zou voor zijn gevoel nog wel eens veel akeliger kunnen zijn.

Er was vermoedelijk wel een vroege ochtendvlucht van Lugano naar Amsterdam, maar om nog een nacht te moeten doorbrengen in het Principessa was een vooruitzicht dat zijn geschokte zenuwen niet meer aankonden. Hij vroeg de receptioniste om na te gaan of er een nachttrein was die hij kon nemen. En die was er. Hij betaalde zijn rekening en zette koers naar het station.

Het Centraal Station in Amsterdam, vroeg op een koude, dampige vrijdagmorgen. De onderdoorgang was vol forenzen, studenten en zwaar bepakte reizigers. Hammond kocht bij een kiosk een krant en keek naar de koppen op de voorpagina. 'Gazi ontsnapt', galmde *De Telegraaf.* En wat 'ontsnapt' betekende begreep Hammond wel. Er stond een foto bij van Gazi in legeruniform, uit zijn jaren van terreur in Bosnië, en een portretfoto van het icty waarop hij er ouder uitzag, maar niet minder sluw. Ook was er een foto van de door kogels beschadigde gevangenisbus, zowel als foto's van de twee bewakers die waren omgekomen en een plattegrond van Den Haag, met daaroverheen geprojecteerd een helikopter boven de Noordzeekust.

Hammond liep naar het perron voor de eerstvolgende trein naar Den Haag en ging op een bankje zitten naast een man die een andere krant las, met Gazi's gezicht op de voorpagina, onder de kop 'De Wolf is vrij'. Hammond zuchtte en keek een andere kant op.

Hij had tijdens de voornamelijk slapeloze reis vanuit Lugano ruim-schoots de tijd gehad om na te denken. De afschuw over de situatie waar-in hij zich bevond had geleidelijk aan plaatsgemaakt voor wat deprime-rende maar onweerlegbare logica. Ingrid had gezegd dat alles vertellen aan de autoriteiten haar 'ongelegen' zou komen, maar als iets doen wat haar 'ongelegen' kwam het enige was wat hij kon doen, dan moest dat maar. Het effect van zulke onthullingen op Alice, om over de rest van de familie en vrienden maar te zwijgen, hing af van het vertrouwen dat ze in hem stelden. Misschien was het wel hoog tijd dat hij te weten kwam hoe groot dat eigenlijk was. Door het te doen bracht hij Piravani in gro-te moeilijkheden, maar daar viel niets aan te verhelpen en Hammond ver-moedde dat Marco hem zou hebben aangemoedigd, als hij de kans had gehad. Dan had je nog Vidor, die voorlopig wel op zijn post bij de VN zou willen blijven, al was het maar om verdenking te vermijden. Dat werk-te alleen maar als Hammond zijn mond dichthield natuurlijk. Vidor speelde maar een ondergeschikte rol in het complot om Gazi te bevrij-den, maar zou een bron van waardevolle aanknopingspunten kunnen zijn. En het ten val brengen van Vidor zou Hammond wat voldoening schenken als tegenwicht tegen het publiek maken van zijn eigen stommi-teiten.

Het resultaat van het officiële onderzoek dat daarop zou volgen was de grote onzekere factor, waarover hij zich misschien wel meer zorgen zou moeten maken dan hij nu deed. Zouden de autoriteiten hem gelo-ven? Of zouden ze hem zien als een gewillige en goed beloonde huurling van Gazi? In dat geval was hij nu bezig zijn eigen graf te graven.

De trein rommelde het station binnen en overstemde het geluid van de omroepster op het moment dat de woorden Den Haag Hollands Spoor aan haar mond ontsnapten tijdens de aankondiging van de volgende hal-te. Hammond stond op, liet zijn krant op de bank liggen, en liep door de steeds langzamer rijdende wagons naar voren.

Van Station Hollands Spoor had hij een taxi of een tram naar het IC-TY kunnen nemen. Maar hij besloot te gaan lopen, en in het besef dat hij vlak bij het appartement van Zineta was, paste hij zijn route zodanig aan, dat hij er langs zou komen, zonder eigenlijk te weten waarom.

Er was niets te zien, natuurlijk, behalve haar naam op een kaartje bij de bel. PEROVIC. Alleen dat, in nette met de hand geschreven hoofdlet-ters. Hij ging op de rand van de stoep staan en keek op naar de zolder-ramen. Die waren dicht en er hingen geen gordijnen. Ze weerspiegelden een grijze plak Nederlandse hemel. Om de een of andere reden moest hij denken aan Zineta's rubberplant en hij vroeg zich af of iemand die water gaf.

De media waren in groten getale naar het ICTY uitgerukt. Op het plein voor het gebouw stonden overal busjes met priemende antennesprieten en verknoopte kabelsnoeren over de grond, draafden technici heen en weer en stonden verslaggevers en cameralieden babbelend en lachend van hun kartonnen bekertjes koffie te drinken. Ze leken over het algemeen eerder blij met Gazi's ontsnapping dan geschokt.

Toen hij tussen hen door liep, hoorde Hammond een man in zijn gsm roepen: 'Ze hebben Ivkovic nu toch te pakken. In Rotterdam, zo te horen. Maar nog geen spoor van de grote vis. Die is blijkbaar door de mazen van het net geglipt.'

De gezichten van de beveiligingsmensen stonden een stuk strenger dan Hammond zich kon herinneren. De man aan de balie zei dat de rechtszalen gesloten waren, op een kribbige toon die aangaf dat de verzamelde reporters en diverse sensatiezoekers zijn geduld al eerder op de proef hadden gesteld.

'Ik wil geen rechtszaken bijwonen,' legde Hammond uit. 'Ik...'

'We zijn vandaag gesloten voor het publiek, meneer.'

'U begrijpt het niet. Ik...'

'We verwachten dat vanaf volgende week alles hier weer normaal is.'

'Ik ben hier vanwege Dragan Gazi.'

'Zijn rechtszaak komt deze week te vervallen, zoals u begrijpt.'

'Ik heb informatie over zijn ontsnapping.'

'U kunt de afdeling Communicatie bellen, meneer. Hun nummer is...'

'Ik heb belangrijke informatie!' Hammonds harde stem kreeg de man nu eindelijk stil en dwong hem tot luisteren. 'En uw bazen zullen die graag willen horen, dat verzeker ik u.'

33

UITEINDELIJK GELOOFDEN ZE HEM. MAAR DAT 'UITEINDELIJK' liet lang op zich wachten. Vanaf zijn aankomst bij het ICTY op die vrijdagmorgen aan het einde van februari, tot zijn vrijlating uit voorarrest zonder aanklacht en met een onaangetaste reputatie, hoewel dat in de meer traditionele zin van schuld en onschuld nog viel te bezien, lag een periode van bijna vijf maanden.

In die maanden werd Hammond, als toppunt van ironie, in hetzelfde arrestantenverblijf van de gevangenis van Scheveningen ondergebracht als Gazi. Dat hij aangifte had gedaan bij de VN in plaats van bij de Nederlandse politie was volgens zijn advocaat een verstandig besluit geweest, hoewel hij daar zelf natuurlijk nooit bij had stilgestaan. De advocaat was David Ashton, een oude studievriend, die hem niet zou hebben kunnen vertegenwoordigen in het Nederlandse rechtssysteem. Maar de kosmopolitische Engelssprekende wereld van het ICTY was een heel ander verhaal. De Nederlandse autoriteiten zouden hem theoretisch ook kunnen vervolgen op eigen titel, maar Ashton achtte die kans zeer klein. 'Ik heb begrepen dat ze informeel hebben besloten alle problemen van de jurisdictie te omzeilen door de OTP te laten beslissen of jij in wezen een getuige bent of een verdachte. Dus áls de OTP jouw zaak onontvankelijk verklaart, zit je gebakken, beste kerel.'

De OTP was het Office of the Prosecutor (Openbare Aanklager) voor het Internationaal Gerechtshof. Nadat Hammond een volledige verklaring had afgelegd over zijn betrokkenheid bij de kwestie Gazi, erover was ondervraagd, er weer over was ondervraagd, en er nog eens over was ondervraagd, werd hij overgebracht naar Scheveningen om daar de besluiten af te wachten. Ashton kwam eens in de week over uit Londen om hem bij te praten over de vorderingen – of het ontbreken daarvan.

Ashton hield hem op de hoogte van de belangrijkste ontwikkelingen van het onderzoek. Vidor was nooit teruggekeerd naar zijn post bij het ICTY. Het had er veel van weg dat hij Hammonds reactie op de positie waarin Ingrid hem had gebracht beter had ingeschat dan Ingrid zelf. Waardoor een van Hammonds belangrijkste doelen van het begin af aan teniet was gedaan. Vidor was even effectief verdwenen als Gazi, zonder een spoor achter te laten. Ingrid pendelde heen en weer tussen Buenos Aires en Madrid, ontkende alle beweringen van Hammond hooghartig en stelde een slagorde van advocaten op om haar indien nodig te verdedigen. Het werd al na korte tijd duidelijk dat het bewijs van haar betrokkenheid bij de ontsnapping niet veel meer opleverde dan Hammonds woord tegen het hare. Het geldspoor van Lugano naar Liechtenstein via de Cayman Eilanden verzandde in een doolhof van anonieme bankrekeningen. Dat Hammond de overmaking van Gazi's fondsen had geautoriseerd, was duidelijk. Maar vaststellen waar en bij wie de gelden waren terechtgekomen was, volgens Ashton, hetzelfde als proberen spaghetti uit de knoop te halen. 'En tegen de tijd dat ze ermee klaar zouden zijn, beste jongen, was die steenkoud geweest.'

Rechercheurs werden naar Belgrado gestuurd om Piravani te verhoren zodra die weer bij bewustzijn kwam. Men zei dat zijn herstel gunstig verliep en het duurde niet lang voor Hammond via Ashton een boodschap ontving. 'Zeg de dokter dat het mijn initiatief was om achter Todorovic aan te gaan en om hem toegang te geven tot de rekening met het geld van Gazi. Ik verwijt hem niet wat er daarna allemaal is gebeurd en ik wil alles doen wat ik kan om de VN te helpen bij het vinden van Gazi. En bedank hem voor de goede verzorging die ik hier kreeg, wilt u? Hij heeft me waarschijnlijk het leven gered.' Wat Piravani vergat te melden was dat hij als beloning voor zijn medewerking immuniteit wilde bepleiten van vervolging door de ICEFA – voor het helpen van Gazi bij het plunderen van Servische staatsfondsen. Het nieuws dat hij was teruggegaan naar Italië om daar aan te sterken bevestigde dat hij hiermee succes had gehad. In zijn volgende boodschap voor Hammond – 'wens de dokter alle goeds' – klonk duidelijk een afscheid door.

Piravani's hoop dat Todorovic zich in Den Haag zou moeten verantwoorden voor zijn misdaden werd ten slotte getorpedeerd door de Luxemburgse autoriteiten, die hem en zijn nog levende ondergeschikten liever vervolgden voor de moord op Marcel Delmotte. De magistraat belast met deze zaak reisde twee keer naar Den Haag om Hammond te verhoren en verzekerde hem dat Todorovic niet inschikkelijk zou worden behandeld. 'Hij zal heel wat jaren in de gevangenis doorbrengen, monsieur, dat mag u gerust van me aannemen.'

De bandjes waarvoor Hammond en Piravani zoveel moeite hadden gedaan om ze te bemachtigen konden achteraf gezien alleen worden gebruikt als Gazi weer terug was in gevangenschap. De kans dat zoiets gebeurde leek met de dag kleiner te worden. Het was wel duidelijk dat Ingrid alleen met de beste mensen had gewerkt die er te vinden waren. Haar vader was spoorloos verdwenen. Een tijdlang werd hij geregeld en op diverse plaatsen gezien, maar later bleek steeds dat het om valse meldingen ging, en hoe verder de zaak in de berichtgeving van de media wegzakte, hoe minder meldingen er binnenkwamen, tot ze uiteindelijk helemaal ophielden. Ashton vermoedde dat dit het ICTY niet onwelgevallig was, omdat dat erop wees dat deze hele beschamende aangelegenheid langzamerhand uit de publieke aandacht begon te verdwijnen. De beveiliging van het gevangenentransport werd nog eens extra aangescherpt en er werd wereldwijd een groep van hardnekkige rechercheurs ingesteld om Gazi te vinden. Maar aan hun zoektocht werd weinig of geen publiciteit gegeven. En dat kwam hen vermoedelijk ook wel zo goed uit.

De meeste gevangenen in het arrestantenverblijf in Scheveningen gingen ervan uit dat Gazi naar Zuid-Amerika was gevlucht. Als schuilplaats werd vaak Paraguay genoemd, hoewel daar geen andere reden voor was, dan dat dat land in vervlogen tijden een veilige haven voor nazivluchtelingen was geweest. De andere gevangenen zagen Hammond als een soort onnozele pechvogel die zich in de luren had laten leggen om te helpen Gazi te bevrijden, wat, moest hij toegeven, eigenlijk wel aardig klopte. Tot zijn verbazing werd hij door niemand vijandig behandeld. Dat gaf aan, besefte hij op een gegeven moment, hoe Serviërs, Kroaten en Bosniërs die eerst met elkaar in oorlog waren geweest en in vele gevallen van extreem barbaarse handelingen werden beschuldigd, het klaarspeelden vreedzaam samen te wonen onder één Nederlands dak. Ze zaten allemaal samen in hetzelfde schuitje. En het had geen zin dat aan het schommelen te brengen.

Materieel gezien waren de condities in het arrestantenverblijf zo comfortabel als een redelijk mens zich maar wensen kan: iedereen een eigen cel, met een douche, toilet, schrijftafel, computer, radio en tv; gemeenschappelijke ontspanningsruimtes, bibliotheek, keuken en sportzaal; een telefoonkaart voor 20 euro in de maand en onbeperkte bezoekrechten. De lokale bevolking noemde het 'Het Oranje Hotel' en Hammond kon zich wel slechtere hotels herinneren waar hij in zijn jeugd had gelogeerd. Maar daar had hij wel weer weg gekund, natuurlijk. En er zaten geen tralies voor de ramen.

Ashton dacht dat hij het recht van het ICTY om Hammond vast te houden met succes zou kunnen aanvechten op grond van het feit dat ze zo hun opdracht tot het onderzoeken van oorlogsmisdaden in het voormalige Joegoslavië overschreden. Maar hij was bang dat de Nederlandse autoriteiten Hammond dan meteen zouden arresteren om te voorkomen dat hij het land verliet voordat het ICTY het onderzoek naar zijn zaak had afgesloten. 'Meteen hiernaast staat een echte gevangenis, beste jongen. En daar wil jij echt niet zitten, geloof dat maar.'

Dus bleef Hammond waar hij was, een semivrijwillige gedetineerde die heimelijk dankbaar was voor een plek waar hij zich kon schuilhouden voor de wereld, omringd door mensen die veel meer hadden om zich voor te schamen dan hij. Hij leerde Balkan-lekkernijen klaar te maken, zoals schnitzel Black George, en ook leerde hij een paar woorden Servo-Kroatisch. Hij speelde schaak en gaf lessen Engels aan wie dat wilde. Hij werd voor veel medegevangenen ook het eerste aanspreekpunt op medisch gebied, tot dankbaarheid van de afdelingsarts die daardoor zijn werklast verminderd zag. Hij las alles wat hij onder ogen kreeg, en probeerde zo fit mogelijk te blijven. Hij stelde zich in op het levensritme van de afdeling. Hij paste zich aan. Hij schikte zich. Hij vond zijn draai.

Zijn grootste zorg bleef hoe zijn familie, vrienden en collega's in het algemeen – en Alice in het bijzonder – over hem dachten als de, hoe je het ook bekeek, spectaculaire val van zijn voetstuk tot hen doorgedrongen was. Hij was blij dat geen van zijn beide ouders de dag hoefden mee te maken waarop het St. George Hospital de dokter schorste die door de sensatiepers werd omschreven als dwaas, corrupt of beide. Ook werd voorzichtig door sommige media geopperd, hierin gesteund door uitdagende uitspraken van Alan Kendall, dat hij misschien nog wel veel erger was – een man die zijn chirurgische vaardigheden had geruild voor de moord op zijn vrouw.

Alice kwam hem tijdens zijn detentie drie keer opzoeken. Het eerste van die bezoeken was voor beiden het meest aangrijpend. Zij was bang en in de war. Ze geloofde niet dat hij Gazi had gevraagd om Kate te laten vermoorden, maar ze geloofde het ook niet helemaal niet. Hij vertelde haar wat Zineta had gezegd over hoe de gedachtegang van Gazi moet zijn geweest en hoe ontzettend veel spijt hij ervan had dat hij die klus in Belgrado had aangenomen die Kate haar leven had gekost. Hij legde haar uit hoeveel spijt hij van heel veel dingen had. Maar toen ze wegging had hij geen idee of zij hem ooit nog zou vertrouwen.

Haar tweede en derde bezoek toonden aan, moeizaam en aarzelend, dat ze dat wel deed. Ze had de situatie doorgepraat met haar nieuwe vriend Jake, een jongeman die klonk als een door de hemel gezonden belichaming van gezond verstand. 'Hij vroeg me of ik nou echt dacht dat jij jezelf, toen dat niet hoefde, zou hebben aangegeven, als je inderdaad zoiets afschuwelijks had gedaan. En ik begreep toen wel dat je dat natuurlijk niet had gedaan. En toen wist ik dat ik dat altijd al geweten had. Maar ik was alleen… zo kwaad op je, pap. En ben dat nog. Maar weet je? Dat wordt elke dag een beetje minder.'

Hetzelfde kon helaas niet worden gezegd van haar oom. Bill Dowler had Alice schoorvoetend toegegeven dat Hammond vrijwel zeker de waarheid sprak. Maar dat betekende nog niet dat hij hem onthief van de verantwoordelijkheid voor Kates dood. 'Als hij niet achter die grote zak met duiten in Servië was aangegaan, had je moeder nu nog geleefd.' Daar viel niets tegenin te brengen. Bill had gelijk. Evenals de twee rechercheurs van Scotland Yard die Hammond kwamen verhoren als onderdeel van hun herziening van de bewijslast in deze zaak. 'Deze hele kwestie heeft u niet erg veel goed gedaan, hè, dokter?' Nee. Dat had zij niet.

Maar hij leefde in elk geval nog, in tegenstelling tot Zineta, wier broer Goran hem kwam opzoeken, en hem in tranen beschreef hoezeer zijn op jaren gekomen ouders door verdriet werden gekweld. 'Ze dachten dat Zineta het na al die slechte jaren nu toch had gered. Ze dachten dat ze er zou zijn om hun handen vast te houden als ze stierven. En nu… wachten ze op de dood zonder haar.' De enige troost die Hammond bieden kon was een verontschuldiging. 'Ik vind het zo erg dat ik haar niet heb kunnen redden, Goran – erger dan ik je zeggen kan.' En dat was volkomen waar.

Zineta leefde voort, natuurlijk, in haar zoon. Maar Patrick Bartol was ook Dragan Gazi's zoon, waardoor de ontsnapping van Gazi steeds als een schaduw van onrust boven het huishouden van de Bartols bleef hangen, bekende Mary Bartol toen ze Hammond kwam bezoeken. 'Denk je dat hij op een dag zijn zoon zal komen halen? Patrick heeft de laatste maanden zoveel te verwerken gehad. Hij heeft Zineta zien sterven. En nu weet hij dat zij zijn moeder was, en niet ik. Dat is al erg genoeg. Maar daar komen we uiteindelijk wel uit, denk ik. Maar een vader die een monster is – een monster dat ergens rondzwerft, zich schuilhoudt, wacht, loert, plant – is te veel om te dragen.' Maar dragen moesten ze het, dat wist ze natuurlijk ook wel. 'Ik vroeg me af... of je naar Luxemburg zou kunnen komen als dit allemaal achter de rug is en... of je met Patrick wil praten... over Zineta... en Gazi... en...'

'Ik kom,' zei Hammond tegen haar. 'Ik doe alles wat ik kan.'

'Dank je,' zei ze. En hij realiseerde zich met een schok dat dit het eerste echte bedankje was dat hij in heel lange tijd van iemand kreeg.

Ook was er wel een zekere mate van officiële dank voor zijn openhartigheid, volgens Ashton, die uiteindelijk in zijn voordeel zou moeten werken. Een hoogst belangrijke stap voorwaarts werd gedaan toen zijn verslag over wat er was gebeurd nadat hij en Vidor uit Luxemburg waren vertrokken op onverwachte wijze werd bevestigd. Een man die door de Duitse politie werd verdacht betrokken te zijn bij een internationale criminele organisatie werd dood aangetroffen in zijn appartement in Frankfurt. Bernhard Mittag was gemarteld, vermoedelijk bij het uithoren, en daarna gewurgd. Onder zijn bezittingen werden diverse valse paspoorten aangetroffen, waarvan een met de naam Hans Furgler. Wie Mittag had vermoord en welke informatie men hem had weten af te dwingen voor hij stierf waren zaken waarover de Duitse politie maar weinig licht kon laten schijnen. Maar Hotel Principessa in Lugano had in het archief een fotokopie van Furglers paspoort en het leed geen twijfel dat Mittag dezelfde man was, waardoor bij het ICTY de hoop ontstond dat men onder de bij de politie bekendstaande maatjes van de man misschien andere leden van de bende kon vinden die achter Gazi's ontsnapping hadden gezeten. 'Verwacht er nou niet meteen wat van, beste jongen,' raadde Ashton Hammond. 'Maar dit zou precies kunnen zijn wat nodig is om de OTP aan te tonen dat jij altijd aan de goede kant hebt gestaan.'

Ashton had het in elk geval bij het juiste eind waar het het tempo van de besluitvaardigheid van de OTP betrof. Het voorjaar ging over in de zomer en het enige onweerlegbare bewijs van het verstrijken van de tijd was de verandering van kleur van de bladeren van de bomen langs de Pompstationsweg, de straat die langs de gevangenis liep. Niet dat ook maar iemand van Hammonds medegevangenen eraan twijfelde dat hij op een gegeven moment zou worden vrijgelaten.

'Jij hoort hier niet, Edward,' zei Milorad Ivkovic na een van hun vaste schaakpartijen, die Hammond bij wijze van uitzondering eens gewonnen had. 'Dat zal de aanklager uiteindelijk toch moeten toegeven.' Ivkovic had op de dag van de ontsnapping met Gazi in de pantserauto gezeten en was langer dan ieder ander voortvluchtig geweest, hoewel dat toch maar net vierentwintig uur had geduurd. Hij was beschuldigd van een veelvoud aan moorden, verkrachtingen, deportaties, handelingen van onmenselijke wreedheid en de ongecontroleerde vernietiging en plundering van onroerend goed. Maar daar spraken ze nooit over. Het was een aardige man met de filosofische manier van doen van een gepensioneerde professor. 'En,' vervolgde hij, 'wat ga je straks doen als je de buitenwereld weer in gaat?'

'Dat weet ik niet,' zei Hammond ontwijkend, terwijl hij er wel degelijk heel veel over had nagedacht.

'Nou, je vindt vast wel wat. Je bent in ieder geval niet op de vlucht. Soms denk ik wel eens dat ik Dragan niet zo erg benijd. Hij is vrij. Maar hij kan elk moment worden opgepakt. Elke dag. Ieder uur. En wat is vrijheid waard als je altijd op je hoede moet zijn?'

Wat Ivkovic eigenlijk bedoelde, bedacht Hammond later, was dat hij de gemoedsrust wel prettig vond die voortkwam uit de wetenschap wanneer en hoe hij zich zou moeten verantwoorden voor wat hij had gedaan, terwijl Gazi, waar die zich ook schuilhield, altijd in het gezelschap moest leven van de onzekerheid en de angst. Dat was een geruststellende gedachte, hoewel niet geruststellend genoeg om Hammond te verzoenen met het feit dat Gazi de gerechtigheid was ontlopen. Hoe beperkt zijn vrijheid ook was, het was wel vrijheid. En daar had hij geen recht op.

Hammond kreeg zijn eigen vrijheid uiteindelijk terug als gevolg van een interne uitwisseling van e-mails tussen Ashton en de OTP waaraan verder geen ruchtbaarheid werd gegeven. 'Er is vastgesteld dat dokter Edward Hammond zich volledig heeft uitgesproken over zijn betrekkingen met Dragan Gazi en dat er geen gronden zijn om hem aan te klagen voor enige vorm van samenzwering met Dragan Gazi.' Zijn dagen in Scheveningen waren geteld.

Hij nam van iedereen afscheid en wandelde naar buiten, zijn toekomst tegemoet.

34

DE LAATSTE E-MAIL DIE HAMMOND VOOR ZIJN VERTREK UIT
Scheveningen via zijn computer van de detentieafdeling verzond, was aan
het St. George, waarin hij ontslag nam als consulterend geneesheer. Hij
vermoedde dat na zijn langdurige schorsing zijn ontslag door de zieken-
huishiërarchie dankbaar zou worden aanvaard. Voor hem was dit het af-
breken van de laatste brug die hem verbond met zijn vroegere leven, waarnaar hij niet meer terug kon om de simpele reden dat hij niet meer de
man was die dat leven had geleid.

Hij ging ook niet terug naar Engeland. Nog niet, in elk geval. Het
was midden juli. Alice en Jake zaten in Turkije. Thuis wachtte er
niemand op hem. Hij had de uitnodiging van Miljanovic geaccepteerd
om voor een halfjaar te komen werken in de Vocnjak Kliniek, met
ingang van wanneer hij maar wilde. Het was de enige baan die hem
was aangeboden, maar dat was niet waarom hij had toegehapt. Er
was een hoop werk aan de winkel in Servië – echt, waardevol werk
waarvoor hij ronduit was gekwalificeerd. Het was iets om volledig in
op te gaan. En het zou voor een deel het terugbetalen zijn van een schuld
die hij voor zijn gevoel tegenover vele Serviërs had die er het slachtoffer van waren geworden dat hij Dragan Gazi in 1996 het leven had gered.

Maar hij had Miljanovic wel duidelijk gemaakt dat hij niet meteen kon
beginnen. 'Natuurlijk niet,' had Miljanovic gereageerd. 'Je moet eerst wat

vakantie nemen. Op een strand, of zo.' Maar Hammond ging niet met vakantie. Hij vertrok naar Luxemburg.

Hij bleef daar maar een paar dagen, waarvan één dag bij Mary en Patrick Bartol. Het gezin was verhuisd naar een huurwoning in de stad, terwijl ze intussen een koper probeerden te vinden voor het huis in Forêt Pré. De herinneringen aan het bloedvergieten en de dood lagen nog te vers in het geheugen om daar te kunnen blijven, en de nachtmerries van Patrick werden na hun vertrek dan ook minder. Niettemin was hij, zei hij zelf met een ontwapenend gemak, nog altijd doodsbenauwd dat hij van zijn biologische vader de aandrang had geërfd om 'mensen te doden', zoals hij het met een kinderlijke directheid formuleerde. Het feit dat Hammond een dokter was, betekende dat diens verzekeringen van het tegendeel een grotere indruk maakten dan alles wat de Bartols tot nu toe hadden gezegd. Het leek wel of er een schaduw wegtrok van het gezicht van de jongen.

Ze hadden het die dag ook over Zineta. Hammond merkte dat hij over haar sprak alsof hij haar jaren had gekend. 'Ze was een goed mens, Patrick,' zei hij. 'Wees maar trots op haar.'

Patrick knikte. 'Dat ben ik ook.' En Hammond geloofde hem. Het was een trots die zou meegroeien naarmate hij uitgroeide tot een man. Een moeder die hij nooit had gekend, die haar leven had gegeven om het zijne te redden, was niet iets wat je vergat.

Goran Perovic had tijdens zijn korte bezoek aan Luxemburg voorgesteld dat de familie Bartol Patrick op een dag zouden meenemen naar Servië om zijn grootouders te leren kennen. Emile had daar eerst niet veel in gezien, gaf Mary toe, maar begon nu toch langzaam aan het idee te wennen. 'We hebben een juridisch adviseur in de arm genomen – de autoriteiten stonden daarop als onderdeel van het ontwarren van Delmottes frauduleuze gedrag – en die zegt dat het iets is wat we echt moeten doen. In het najaar, wellicht. Tijdens Patricks herfstvakantie.'

Dus dit was niet voor het laatst dat Hammond Zineta's zoon zou zien. Tussen alle dingen die eindigden en begonnen, waren er ook continuïteiten. En dit was er een die hem voor zijn gevoel wel eens erg dierbaar zou kunnen worden.

Van Luxemburg vloog Hammond naar Londen. Wat in geen enkel opzicht een thuiskomen was. Hij bleef lang genoeg in Wimbledon om een berg post door te kunnen werken en een paar koffers te pakken. Daarna vertrok hij naar Belgrado.

Daar arriveerde hij in de verpletterende hitte van begin augustus. De verandering van seizoen na zijn laatste bezoek maakte van Belgrado een heel andere stad. Miljanovic haalde hem op van het vliegveld en reed hem naar zijn nieuwe onderkomen, een ruime en comfortabel ingerichte maisonnette op korte afstand van de kliniek.

Ook zou hij worden voorzien van een auto, vertelde Miljanovic, en van een werkster die op de loonlijst stond van de kliniek. 'Voor alles wordt gezorgd, Edward. En als dat niet zo is… laat het me dan weten.'

Miljanovic nam hem die avond mee uit eten, in Langouste, een verfijnd en duur restaurant met een terras dat uitkeek over het punt waar de Sava en de Donau samenvloeien. Ze toostten met champagne op hun nieuwe werkrelatie terwijl de zon langzaam onderging boven de torenflats van Nieuw-Belgrado. 'Maak je maar geen zorgen,' grinnikte Miljanovic. 'De kliniek betaalt.'

'Dat is nou precies waarover ik me zorgen maak.'

'Waarom? We zijn blij dat je er bent. Zelfs de directeur begrijpt dat. O ja, dit moest ik je nog geven.' Miljanovic haalde een brief uit zijn binnenzak en reikte die over de tafel aan.

Die was in het cyrillisch Servisch en volslagen onbegrijpelijk voor Hammond, die hulpeloos zijn schouders ophaalde.

'Een bevestiging van het ministerie van Justitie dat ze… er geen bezwaar tegen hebben dat je hier werkt,' legde Miljanovic uit. 'De directeur wilde dat per se op schrift.'

'Nou, het lijkt me wel goed om te hebben, denk ik zo.'

'Ik heb het gevoel dat ze hun onderzoek naar de dood van ICEFA-agent Uzelac niet willen heropenen. De corruptie van rijksambtenaren is een pijnlijk onderwerp.'

'En Gazi? Is hij geen pijnlijk onderwerp?'

'Helemaal geen onderwerp, eigenlijk. De doorsnee Serviër zou al die bloeddorstige generaals met wie jij in Den Haag je tijd hebt doorgebracht het liefst willen vergeten. De rechtszaak tegen Karadzic zal dat, als die begint, weer onmogelijk maken. Maar Gazi? Zijn ontsnapping was groot nieuws, natuurlijk. Maar dat is alweer bijna een halfjaar geleden. Hoe zeggen jullie dat ook weer? Uit het oog, uit het hart?'

'Nou, uit mijn hart is hij niet.'

'Nog niet, misschien. Geef het de tijd. Nu je hier eenmaal bent, heb ik meer dan genoeg voor je te doen.'

'Mooi. Dat is net wat ik nodig heb.'

Miljanovic glimlachte. 'Dan ben je hier precies op de goede plaats.'

Miljanovic hield zich wat de beloofde hoeveelheid werk betrof aan zijn woord. Hammond kwam midden in een groot aantal complexe gevallen terecht en stond er versteld van hoe goed het hem beviel weer met de geneeskunst bezig te kunnen zijn. Dat was toch echt waarvoor hij in de wieg was gelegd. Dit moest hij, wat voor verdere plannen hij ook had, toch altijd blijven doen. In een ziekenhuis, in zijn geruststellende witte jas – geruststellend zowel voor hemzelf als voor zijn patiënten – stond hij voor wat goed was, voor duidelijkheid, voor hoop, en voor standvastigheid. Daar hoorde hij thuis.

Hij was nog maar een paar weken in Belgrado toen Alice en Jake, die per trein vanuit Turkije op weg naar huis waren, hem daar kwamen opzoeken. Ze bleven vier nachten. In het appartement was ruimte genoeg. Hammond bracht een zondag met hen door op Ada Ciganlija, het sigaarvormige eiland in de Sava waar de inwoners van Belgrado gaan zwemmen en zonnebaden. Ze huurden fietsen, verkenden de wat rustigere noordkust, en ontdekten een afgelegen drijvend restaurant, waarbij ze aanlegden voor een lunch die bijna de hele middag zou duren.

Diepgaande en betekenisvolle onderwerpen werden vermeden. Gazi werd niet genoemd. Kate evenmin. De tijd daarvoor, begreep Hammond, kwam later wel, als Jake en hij elkaar wat beter hadden leren kennen. De jongeman had iets opens en aardigs over zich, wat direct voor hem innam, en er zat iets duurzaams in de manier waarop Alice naar hem keek. In de manier waarop ze naar Hammond keek zat nog altijd een zekere mate van behoedzaamheid. Ze hield van hem, omdat hij haar vader was. Uiteindelijk, wist hij, zou dat voldoende zijn voor het herstel van het oude en vanzelfsprekende vertrouwen tussen hen. Maar zover was het nog lang niet. Het was werk in uitvoering.

Een maand verstreek. Hammond wijdde zich volledig aan zijn patiënten in de Vocnjak Kliniek. Hij leerde de staf kennen en de staf hem. Hij kreeg er zijn plek. Zozeer, dat hij zich begon af te vragen of hij zijn contract zou verlengen.

Begin oktober mailde Mary Bartol om te zeggen dat ze definitief naar Belgrado zou komen in de herfstvakantie van Patrick, aan het einde van de maand. Kon Hammond haar alsjeblieft helpen door met Goran Perovic te bespreken hoe ze het beste de ontmoeting met zijn ouders konden arrangeren? Hammond antwoordde, en zei dat hij dat graag zou doen.

Die avond dacht hij, niet voor het eerst, en naar hij vermoedde ook niet voor het laatst, na over de vraag waar Gazi zich schuilhield. Zijn ontsnapping was in zekere zin het makkelijke deel geweest. Hem op vrije voeten houden was een veel grotere kunst. Zuid-Amerika lag het meest voor de hand, aangezien Ingrid zoveel tijd doorbracht in Buenos Aires. Maar elk contact met haar zou extreem gevaarlijk zijn. De oplossing van het geheim, besloot hij uiteindelijk, hing sterk samen met wat Gazi verlangde van het leven na Scheveningen, dat hij voor zichzelf had gekocht. Maar om dat te weten, zou Hammond Gazi veel beter moeten kennen – waaraan hij geen enkele behoefte had. Het vinden van Gazi was de taak van anderen. En dat was een zegen.

Maar niet elke zegen hield stand. Slechts enkele dagen daarna genoot Hammond van de herfstkleuren tijdens een wandeling in Topcider Park, toen zijn mobieltje ging. Hij werd doorgaans weinig gebeld, aangezien hij het nummer na aanschaf van de telefoon aan maar weinig mensen had gegeven, en was bang dat het een noodgeval in de kliniek kon zijn.

Het bleek om een sms'bericht te gaan van een nummer dat hij niet kende. 'Wil je weten waar hij zit?'

Tien minuten later staarde Hammond nog altijd naar die tekst. Hij zat op een bankje onder een plataan, met de telefoon in zijn hand, zonder te kunnen besluiten of hij op deze toezegging voor informatie over de verblijfplaats van Gazi – want hij twijfelde er geen moment aan dat de verzender van de sms op Gazi doelde – moest ingaan, of dat hij de hele kwestie de rug zou toekeren. Maar hij kende zichzelf genoeg om te weten hoe zinloos het was om te gaan zitten doen alsof hij dit bericht nooit had gehad. Het was daar, op het kleine schermpje vlak voor zijn neus. En als hij het uitwiste, bleef het toch in zijn geheugen hangen. Hij bezweek.

'Waar wie is?' sms'te hij terug, Hij vond het beter om te doen alsof hij van niets wist.

Het antwoord kwam vrijwel meteen. Hij voelde zich alsof een onzichtbaar wezen opeens een tentakel om zijn been had geslagen. 'Je weet wel wie.'

Ja. Dat wist hij. En de zender van de sms wist dat hij het wist. 'Oké. Waar?'

'Die informatie krijg je morgen om 18.00 in je huis in Londen.'

'Waarom zeg je het nu niet?'

'Die informatie krijg je morgen om 18.00 in je huis in Londen.'

'Wie ben jij?'

'Die informatie krijg je morgen om 18.00 in je huis in Londen.'

'Hoe weet ik dat dit geen flauwe grap is?'

'Die informatie krijg je morgen om 18.00 in je huis in Londen.'

Hij probeerde zich los te breken. 'Lukt me niet.'

'18.00 Londen.'

'En jij gaat natuurlijk,' zei Miljanovic, en hij knikte naar Hammond die later die middag tegenover hem aan zijn bureau in zijn spreekkamer in de Vocnjak Kliniek zat. 'Dat weet jij. En dat weet ik. En je anonieme beller weet dat ook.'

'Ik ben binnen achtenveertig uur weer terug, Svetozar,' zei Hammond. 'Als een reisje naar Londen alles is om de informatie te krijgen waar het ICTY nu al acht maanden tevergeefs naar zoekt...'

'En jij gelooft echt dat je die informatie krijgt?'

'Dat weet ik niet. Maar ik moet het wel proberen.'

'Nee. Dat moet je niet. Maar je doet het toch, zo te horen.'

'Jij vindt dat ik mijn tijd verspil?'

'Dat is zo erg niet. Ik vrees... iets wat veel erger is.'

'Wat dan?'

'De een of andere val. Waar je met open ogen in loopt.' Miljanovic leunde naar voren en keek Hammond strak aan. 'Vergeet Gazi nou maar, Edward. Laat zijn opsporing over aan de mensen die ervoor worden betaald. Je moet hem uit je hoofd zetten.'

'Dat kan ik niet.'

Miljanovic zuchtte. 'Ik weet het.'

35

ELKE KEER ALS HAMMOND TERUGKWAM, VOELDE HET HUIS IN Wimbledon minder aan als zijn thuis. Hij arriveerde halverwege een grijze en windstille middag die de hele straat in een herfstachtige roerloosheid hulde. Hij bracht het niet op om geduldig te gaan zitten wachten tot het zes uur was, maar een wandeling over de Common en een drankje in de Hand in Hand susten zijn onrustgevoelens niet. Miljanovic' raad om de oproep, want zo mocht het sms'je toch wel worden genoemd, te negeren leek elke minuut aan overtuigingskracht te winnen. Op weg terug van de pub kwam hij een buurvrouw tegen die met haar hond op weg was naar de Common. Ze spraken met de nodige omzichtigheid over Alice en haar nieuwe vriend en de spectaculaire kleuren van de paardenkastanjes waarbij niet aan de redenen van Hammonds langdurige afwezigheid uit de buurt werd gerefereerd, hoewel die onuitgesproken voortdurend aan de randen van het gesprek knaagden.

'O ja, Debbie,' vroeg hij impulsief, toen ze afscheid namen, 'heb jij de laatste tijd toevallig iemand rond het huis zien hangen?'

'Nee,' zei ze. 'Niemand.'

Tegen zessen begon het donkerder te worden. Hammond installeerde zich, om te wachten en te kijken, in de kamer van Alice, op de bovenste verdieping, waar hij een goed uitzicht had over de straat. Hij kon iedereen die naar het huis liep zien. Als iemand hem niet aanstond, hoefde hij niet open te doen. Zo simpel was het. Hij had de situatie onder controle. Hij verkeerde niet in gevaar.

Misschien dat de persoon van de sms eerst weer contact wilde via de telefoon. Hammonds gsm lag op de vensterbank, klaar voor gebruik. Maar de klok van zes kwam en verstreek. En het mobieltje ging niet over. Noch zag hij enige voetganger, met uitzondering van Debbie, die terugkwam van de Common met haar hond. Misschien werd Miljanovic' wens ingewilligd en had iemand hem gewoon een loer gedraaid. Vijf minuten gingen traag voorbij. Toen tien.

En toen ging de telefoon. Niet Hammonds mobieltje, maar de vaste lijn. Het toestel in zijn slaapkamer op de verdieping eronder was het dichtste bij. Hij holde naar beneden.

Toen hij het apparaat bereikte, belde het voor de zevende of achtste keer, vlak voor het antwoordapparaat zou aanslaan. 'Hallo?'

'Goedenavond, dokter.'

Hammond herkende de stem meteen. Hij antwoordde niet direct, omdat hij eerst van zijn verbazing moest bekomen. 'Vidor?'

'Ja. Had je niet geraden dat die berichten van mij kwamen?'

'Waarom zou ik? Jij hebt Gazi helpen ontsnappen.'

'Dat is zo. Maar nu wil ik je helpen om hem weer te pakken.'

'Waarom?'

'Wat kan jou dat schelen? Misschien ben ik niet zo goed behandeld als was beloofd. Misschien vind ik wel dat die vuile schoft niet ongestraft mag blijven. Misschien zijn er wel allerlei andere redenen. Het enige wat je hoeft te weten, is dat ik bereid ben hem aan je uit te leveren.'

'Hebben ze je niet genoeg betaald?' vroeg Hammond, die de bitterheid in zijn stem niet probeerde te verbergen.

'Denk maar wat je wilt. Wil je hem weer achter de tralies hebben, of niet?'

'Natuurlijk wil ik dat.'

'Mooi. Ik moet iemand hebben die het ICTY voor me tipt. En ik weet niemand die daar beter geschikt voor is dan jij. Maar je moet me garanderen dat je ze niet zegt waar de informatie vandaan komt. Ik wil Ingrid niet achter me aan krijgen.'

'En jij vertrouwt erop dat ik je naam erbuiten houd?'

'Jij bent een man van je woord, Edward. Natuurlijk vertrouw ik je.'

Vidor leek vreemd genoeg Hammond te willen overhalen met mooie praatjes. Maar dat was eigenlijk helemaal niet nodig. 'Prima. Dat zal ik doen. Waar is hij?'

'In Zuid-Amerika.'

'Ik krijg toch nog wel wat meer details, mag ik hopen?'

'Zeker. Maar pas als we elkaar zien.'

'Waarom moeten we elkaar zien? Zeg me gewoon waar Gazi zit, en ik doe de rest.'

'Ik doe dit liever onder vier ogen, en heb daar mijn redenen voor. Het is voor jou de enige manier om meer te weten te komen.'

Hammond zuchtte. 'Goed dan. Waar en wanneer?'

'Morgen. In Buenos Aires.'

'Zit je in Buenos Aires?'

'Nee. Maar als jij daar aankomt wel. Ik heb je geboekt op een vlucht die vanavond om kwart over negen van Heathrow vertrekt en daar morgenochtend om halftien arriveert.'

'Waarom zou ik op afroep van jou de halve wereld afreizen, Stevan?'

'Omdat je Gazi uit je leven wilt bannen en je je geweten wilt ontlasten. En daar kan ik voor zorgen. Maar alleen als je doet wat ik zeg. Je haakt nu niet af, Edward. Je was nooit uit Belgrado overgekomen als je niet van plan was geweest dit tot het eind toe door te zetten. Dus zit jij straks in dat vliegtuig. Daar ben ik van overtuigd.'

Hammond had beloofd Miljanovic die avond te bellen, maar toen hij dat deed was dat niet met het nieuws dat zijn vriend hoopte te horen.

'Ga je naar Buenos Aires?'

'Ja, Svetozar. Ik heb mijn antwoord nu bijna binnen. Ik moet deze laatste stap nemen.'

'Hoe weet je dat het de laatste is? Vidor had gezegd dat je het antwoord in Londen zou krijgen. Nu is het Buenos Aires. Waar is het straks – Honolulu?'

'Vidor was betrokken bij het plannen van de ontsnapping van Gazi, dus is er alle reden om aan te nemen dat hij ook weet waarheen. Hij wil me dit per se recht in mijn gezicht zeggen, vermoedelijk om me onder mijn neus te wrijven dat ik het ICTY maar beter niet kan zeggen dat hij mijn informant was. Nou. Dat wil ik best wel voor me houden, als het tot de aanhouding van Gazi leidt.'

'Hij heeft al eerder tegen je gelogen, toch?'

'Ja. Maar nu heeft hij geen reden om me voor te liegen. Dat is alleen maar zonde van zijn tijd, en van de mijne.'

Miljanovic zuchtte hoorbaar. 'Over het algemeen ontdek je pas waarom iemand tegen je liegt, als het kwaad al is geschied, Edward. Meestal pas lang daarna. Dat weet jij ook. Je tocht daarheen is een enorm risico. Maar gaan doe je toch... dus het enige wat ik kan doen, is je veel geluk wensen... in de hoop dat je dat niet nodig hebt.'

Hammond kon niet ontkennen dat wat Miljanovic had gezegd in alle opzichten steek hield. Maar hij kon ook niet ontkennen dat Vidor een geloofwaardige bron van informatie was als het om Gazi's verblijfplaats ging. Hij had zijn rol in het complot wrang en kundig gespeeld, maar was duidelijk geen voorvechter van de zaak voor een Groter Servië. Hij had gedaan wat hij had gedaan voor geld, en als hij, om welke reden dan ook, niet had gekregen wat hem was beloofd, leek het eigenlijk echt iets voor hem om te reageren op de manier zoals hij nu deed.

Daarnaast was het nu eenmaal zo, zoals Miljanovic wel aanvoelde – en Vidor trouwens ook – dat Hammond de kans niet kon laten schieten om Gazi terug te sturen naar waar hij de rest van zijn leven thuishoorde: de gevangenis. Het gloeiende schaamtegevoel over zijn stommiteit dat hij had gevoeld toen hij die dag in Lugano naar het CNN verslag op de televisie keek, was in de afgelopen acht maanden wel gesleten. Maar helemaal verdwenen was het nog niet. Te worden gezien zoals de opsporingsmensen van het ICTY hem hadden gezien, eerder als een onnozele hals dan als een slechterik, was geen grote aanbeveling. En hij zou dat als het aan hem lag toch wel graag anders willen.

Hij sliep in het vliegtuig beter dan hij had verwacht, en werd pas wakker toen de daling naar São Paulo werd ingezet, waar een uur werd gestopt voor de vlucht werd voortgezet naar Buenos Aires. Daar vond hij een bericht van Vidor op zijn telefoon, toen hij die na het passeren van de douane aanzette. 'Twaalf uur graf Evita.' Vidor was een man van weinig woorden.

Hij was van de Europese herfst in het Zuid-Amerikaanse voorjaar beland. De taxi van het vliegveld – waar het vvv-kantoor hem een stadsplattegrond met de locatie van het graf van Eva Perón had geven – zette hem af in de wijk La Recoleta, bij de hoofdingang van het kerkhof. De warme zon had talrijke bezoekers naar de terrassen van de tegenovergelegen cafés getrokken. Hammond had nog bijna een uur voor zijn afspraak, en bracht het grootste deel daarvan door met het drinken van koffie en mineraalwater in een sfeer – zoetgeurende lucht, zacht geroezemoes van pratende mensen om hem heen, bomen in volle groene bladerentooi, zonlicht dat mild over terracotta daken streek – die in andere, minder urgente omstandigheden heel idyllisch zou zijn geweest.

Niettemin zakte hij toch even weg in dagdromerij. Hij was nooit eerder in Buenos Aires geweest en was verrast door de aanblik van de stad die hem erg aan Parijs deed denken. Hij herinnerde zich hoe Kate en hij in het eerste jaar van hun huwelijk twee weken in de lente in Parijs hadden doorgebracht, en in een pensionnetje in Montparnasse hadden gelogeerd dat vlak bij het kerkhof lag. Halverwege die vakantie was hun trouwdag geweest. Het was op een terrasje dat erg veel leek op dit hier, dat Kate hem een cadeautje gaf – een witkatoenen zakdoek met een geborduurd hart, voor hun katoenen trouwdag. Hij had die nog liggen, ergens weggestopt in een la. Hoe ze die tedere liefde uit die dagen in de tien jaar die volgden zo hadden kunnen laten verbleken, was iets wat hij zich tijdens dit door herinneringen overladen intermezzo niet kon voorstellen. 'Het spijt me, Kate,' hoorde hij zichzelf fluisteren. 'Het spijt me heel erg.'

Vidor had niet kunnen weten hoe toepasselijk zijn keuze van ontmoetingsplaats was. Kates geest wandelde met Hammond mee over de lanen die kriskras door de ommuurde stad der doden van La Recoleta liepen, langs pompeuze marmeren mausolea en hoog oprijzende standbeelden van rouwende engelen. Er was zoveel misgegaan in de dertien jaar nadat hij haar verloren had – en met haar een pijnlijk deel van zijn eigen verleden. Het werd tijd – hoog tijd – om daar nu eens iets echt goeds tegenover te zetten.

Het graf van Eva Perón was een relatief bescheiden gedenkteken in vergelijking met veel van de buren, maar het was door de zwerm toeristen die graag naast haar laatste rustplaats gekiekt wilden worden makkelijk te vinden. Vidor maakte geen deel uit van het gedrang, maar Hammond vond het niet erg om geduldig te moeten wachten tot hij opdook.

Vidor bleek echter andere plannen te hebben. Een kleine, corpulente figuur in een gekreukt linnen pak en met een deukhoed met slappe randen verscheen op een griezelige manier uit het niets en stond opeens vlak naast hem. 'Dokter Hammond?' Hij had een rond gezicht, een dubbele kin en donkere, fonkelende ogen. Hij zag eruit als een Argentijn, maar zijn Engels had maar een heel licht accent. Hammond schatte hem op een jaar of zestig en vermoedde dat hij, ondanks een goede opvoeding, een wat ongewoon beroep uitoefende.

'Ja, ik ben Hammond,' antwoordde hij voorzichtig. 'Wie bent u?'

'Enrique Dobson.' Hij nam zijn hoed af en onthulde een kale kruin waarover zonder effect wat vette slierten zwart geverfd haar lagen gedrapeerd. 'Mijn, eh, grootvader was Engels,' zei hij, blijkbaar in de veronderstelling dat zijn achternaam uitleg behoefde. Hij stak zijn vrije hand uit ter begroeting en Hammond kon niet veel anders doen dan die drukken. 'Señor Lazovic heeft me gestuurd.'

'Wie?'

'Hij zei dat hij hier met u had afgesproken.'

'Ik zou hier iemand zien die Vidor heet.'

'Een... Servische heer?'

'Ja.'

'Dan... denk ik dat uw Vidor mijn Lazovic moet zijn.' Dobson glimlachte, stak zijn hoofd naar voren en begon vertrouwelijk te fluisteren. 'Ik heb señor Lazovic nooit ontmoet, dokter, maar gezien de aard van de inlichtingen die ik voor hem moest inwinnen is het goed mogelijk – heel goed mogelijk – dat Lazovic zijn echte naam niet is.'

En Vidor misschien ook wel niet, bedacht Hammond opeens. Maar dat zei hij niet. De uitdrukking in Dobsons gezicht zei op zich al genoeg. 'Wat voor soort werk doet u, señor?'

'Ik was vroeger journalist. Ben dat nog, als iemand me wil betalen voor een artikel. Als niemand dat doet... freelance ik op... andere gebieden.' Zo helder als karnemelk, dacht Hammond. 'Señor Lazovic heeft me gevraagd u hier op te wachten en... de resultaten van mijn onderzoek te laten weten. Waarom gaan we niet even ergens anders heen, waar het wat minder druk is? Er is hier in de buurt nog een ander graf dat ik u moet laten zien, dokter.' Hij gebaarde vaagjes naar het volgende pad, rechts. 'Zullen we?'

Het was een gewelfde zwart marmeren plaat, met daaromheen aan één kant een wenende Griekse vrouw gedrapeerd met een bloemenkrans in haar hand. In een inzet in de plaat zat een foto van een knappe jongen met donker haar en een strakke glimlach op zijn gezicht. De inscriptie luidde:

NIKOLA ALEXSANDR GAZI
21 MAYO 1980 – 25 SEPTIEMBRE 1993
PARA SIEMPRE BELLO, PARA SIEMPRE JOVEN

'Voor eeuwig mooi, voor eeuwig jong,' mompelde Dobson.

'Aandoenlijk, mogen we wel zeggen,' zei Hammond. 'Maar waarom moet ik dit zien?'

'Nikola Gazi stierf door een motorongeluk, dokter. De bijzonderheden kent u waarschijnlijk niet. Hij was duopassagier. De berijder van de motor was een achttienjarige jongen die Carlos Rueda heette. Zijn vader, Ernesto Rueda, was een vroegere vriend van Dragan Gazi. Ze hadden elkaar in 1973 in Chili leren kennen. Er zijn bewijzen dat ze allebei voor de DINA werkten, de geheime politie van Pinochet, die martelcentra exploiteerde en moordaanslagen uitvoerde. Toen de DINA werd opgeheven, verhuisden ze samen in 1977 naar Argentinië en zouden hier hetzelfde soort diensten hebben verricht voor de militaire junta tijdens La Guerra Sucia – de Vuile Oorlog, toen duizenden zogenaamde vijanden van de staat verdwenen en nooit meer zijn teruggezien. Na wat u de Falklandoorlog zou noemen, in 1982, lag het voor de hand dat het leger de democratie moest herstellen, en ging Gazi, met achterlating van zijn gezin, terug naar Joegoslavië en opteerde Rueda voor een rustiger leven als zakenman.

De vijfentwintigste september 1993 was de achttiende verjaardag van Carlos Rueda. De motorfiets was een cadeau van zijn vader. Het feest in het huis van de familie Rueda in San Isidro duurde de hele dag. Carlos wilde natuurlijk zijn nieuwe motor uitproberen. Alles verliep prima. Toen, net toen het donker begon te worden, ging hij een wat langere rit maken op zijn machine en nam Nikola met zich mee. De jongen had hem daar blijkbaar om gesmeekt. Hij had geen helm op. Carlos reed ook te hard, natuurlijk. Er was bij het ongeluk geen ander voertuig betrokken. Carlos vloog gewoon uit de bocht. Nikola knalde met zijn hoofd tegen een muur.' Dobson sloeg zijn handen tegen elkaar. '*Muerto*. Die meteen moet zijn ingetreden.'

'En Carlos?'

'Alleen wat snijwonden en blauwe plekken. Hij had enorm geboft. Zou je tenminste zeggen. Op de begrafenis maakte Isabel Nieto-Gazi, de moeder van Nikola, er geen geheim van dat ze Carlos het veroorzaken van haar zoons dood vergaf. Dragan Gazi was er natuurlijk niet. Die was te druk met het afmaken van moslims in Bosnië. Maar als hij er wel was geweest, zou hij niemand hebben vergeven, dat was wel duidelijk. Een paar weken na de begrafenis verdween Carlos toen hij op weg was naar school. En hij is sindsdien nooit meer teruggezien.'

'Denkt u...'

'Geëxecuteerd in opdracht van Gazi. Dat is wat iedereen denkt. Het lijk moet ergens in het geheim zijn gedumpt. Is vermoedelijk uit een helikopter in de Rio de la Plata gegooid – een oude tactiek uit de Vuile Oorlog, zoals Ernesto Rueda heel goed wist. Het ontbreken van een lichaam om te kunnen begraven was een deel van de straf voor de familie. Gazi had toegeslagen, zoals Rueda moet hebben gevreesd. Wraak was belangrijker dan vriendschap. Rueda's vrouw overleed drie jaar later aan kanker en hij ging terug naar Chili – een gebroken man, naar men zegt.'

'Heel interessant. Maar het is voor mij bepaald geen nieuws dat Dragan Gazi een bloeddorstige smeerlap is.'

'Señor Lazovic had me gezegd dat ik u het verhaal van Rueda vertellen moest. Hij zei dat het u zou helpen... te begrijpen.'

'Wat te begrijpen?'

Dobson haalde zijn schouders op. 'Dat weet ik niet. Maar u moet eerst de rest horen van wat ik u moet vertellen. Misschien snapt u het dan wel.'

36

'GAZI TROUWDE EEN PAAR MAANDEN NA ZIJN AANKOMST IN
Buenos Aires in 1977 met de actrice Isabel Nieto. Een bliksemrelatie
zou je kunnen zeggen. Of Gazi's bod op een beetje schoonheid in zijn
le-ven. Wat van zijn en Rueda's activiteiten voor de junta bepaald
niet kon worden gezegd. Hun ervaring in het opleggen van een schrik-
bewind was van onschatbare waarde. En dat werk hield hen de vijf
jaren die volgden bezig. En wat Gazi's huwelijk betreft, dat liep
stuk. Isabel weigerde Argentinië te verlaten in 1982 en Gazi weigerde te
blijven. Dus gingen ze uit elkaar. Ze zijn nog wel getrouwd, natuurlijk. Isabel is een goed katholiek en een scheiding is dan niet aan de orde.

'Ze woont op een *estancia* op zo'n honderd kilometer van de stad.
Ze runt die als hotel en als ranch. Een verbazend groot aantal mensen
heeft geld over voor een kijkje in het leven van de gaucho. Ze schrap-
te Gazi uit haar achternaam toen hij werd aangeklaagd voor oorlogsmisdaden. Ik denk niet dat ze nog warme gevoelens voor hem koestert.
Misschien dat de geschiedenis met de Rueda's haar wat te veel is geworden.

'Dat schijnt niet het geval te zijn met haar dochter Ingrid, wier eigen
huwelijk, met de zoon van de eigenaar van een warenhuis, stukliep vanwege, naar men zegt, de manier waarop ze haar vader door dik en dun
bijstaat. Ze hield daar een flinke hoeveelheid geld aan over en ze bezit een

appartement in een van de meest luxueuze wijken van de stad. Hier vlak in de buurt, om precies te zijn. Maar daar blijft het niet bij. Het moeilijkste en meest tijdrovende deel van het onderzoek dat ik voor señor Lazovic heb gedaan was om erachter te komen hoeveel onroerend goed ze eigenlijk bezit. Ik heb vastgesteld dat haar advocaten de afgelopen maanden allerlei ingewikkelde financiële constructies hebben toegepast om diverse aankopen voor haar te kunnen doen: een skichalet in Patagonië, een appartement aan zee in Punta del Este, in Urugay, en een wijngaard bij Mendoza. En stuk voor stuk stevig aan de prijs. Ik weet niet waarom ze die kocht, natuurlijk, maar ik denk dat señor Lazevic vermoedt dat ze worden ingericht als plaatsen waar ze in het geheim tijd kan doorbrengen met haar vader. Ik betwijfel of het ICTY van deze bezittingen op de hoogte is. Ik heb heel wat kruiwagens moeten gebruiken om dit te weten te komen.

Chili onder Pinochet; Argentinië onder de generaals; Servië onder Milosevic: Gazi's staat van dienst bij onmenselijke regimes valt moeilijk te evenaren. Van zo'n man kan je toch niet houden, zou je zeggen, zelfs niet als het je vader is. Hij heeft het bloed van duizenden onschuldige Chilenen, Argentijnen, Bosniërs en Kosovaren aan zijn handen. Maar Ingrid wil hem nog altijd tegen zijn gerechte straf beschermen. Wat een vrouw, hè? Had ik maar een dochter die half zo trouw was als zij.'

Ze hadden tijdens het relaas van Dobson het kerkhof van La Recoleta verlaten en wandelden noordwaarts naar het Nationale Museum voor Schone Kunsten. Vidor – of Lazovic – had hem gezegd dat hij Hammond wilde ontmoeten bij de Floralis Genérica, een gigantische stalen sculptuur van een bloem, met blaadjes die overdag opengingen, en 's nachts dicht, die op de Plaza Naciones Unidas stond, aan de andere kant van de weg achter het museum.

'Ik laat u hier achter, dokter,' zei Dobson, die buiten adem stilhield aan de kant van de weg. 'Señor Lazovic had gezegd dat hij u alleen wilde zien.'

Hammond keek om zich heen met half toegeknepen ogen door het felle zonlicht. Bij de reusachtige metalen bloem zag hij niemand staan. 'Weet jij waarom ik hier ben, Enrique?' vroeg hij, zonder zijn metgezel aan te kijken.

'Ik denk van wel. Ik check altijd van alles, als mensen me inhuren. Uit zelfbescherming, begrijpt u wel? Uw naam dook op in verband met de ontsnapping van Gazi. Dan hoef ik alleen maar twee en twee bij elkaar op te tellen.'

'En wat krijg je dan?' Hammond draaide zich naar hem om en keek hem aan.

Dobsons glimlach was gul en geroutineerd. 'Niets, natuurlijk. Ik ben de slechte tijden in de jaren zeventig en tachtig hier doorgekomen zonder te 'verdwijnen' of in opdracht van schoften als Gazi en Rueda te worden vastgebonden op een tafel met de elektrische draden van een generator aan mijn *cojones*. Ik heb dat bereikt door dingen bij elkaar op te tellen... maar de antwoorden voor me te houden.' Hij stak zijn hand uit naar Hammond. 'Ik wens u veel geluk, dokter.'

Hammond keek van de andere kant van de weg toe hoe Dobson wegwandelde, in de richting van het museum. Toen draaide hij zich om en liep over het pad dat langs de grasperken van de plaza naar de Floralis Genérica voerde. Van Vidor was nog steeds geen spoor. Hij wandelde een klein stukje om de sculptuur heen, bleef in de schaduw van een van de omhoogtorenende bloemblaadjes staan en vroeg zich intussen af wat Vidor gehoopt had te bereiken met het sturen van Dobson naar het kerkhof. Hammond hoefde er niet van te worden overtuigd dat Gazi de rest van zijn leven in de gevangenis moest doorbrengen. Het feit dat hij in Buenos Aires was bewees toch al dat hij zijn rol in het bewerkstelligen daarvan wilde meespelen. Het enige wat hij...

Opeens ging zijn telefoon. Hij griste die uit zijn zak. 'Hallo?'

'Goed je te zien, Edward.' Het was Vidor.

'Waar ben je?' Hammond keek om zich heen, min of meer verwachtend dat de man zich schuilhield achter een bosje.

'Draai je naar rechts en kijk naar het zuiden. Zie je op enige afstand dat hoge gebouw met een blauw schip erop?'

Hammond draaide zich naar rechts en keek zoals hem was gezegd. Hij zag het gebouw meteen, versierd met de helderblauwe gelijkenis van een zeilschip. 'Wat is daarmee?' vroeg hij.

'Ik sta op de bovenste verdieping en kijk naar je door een verrekijker. Ik ben blij te zien dat je alleen bent.'

'Is al dit melodrama nou echt nodig, Stevan?'

'Ja, dat is nodig. Een ontmoeting met jou brengt voor mij grote risico's met zich mee.'

'Dus gaan we elkaar wel zien?'

'Natuurlijk. Dit gebouw is het Hotel Goleta. Waar ik een kamer voor je heb geboekt. Kom hierheen en check in. Neem dan de lift naar de parkeergarage. Verdieping -2. Daar wacht ik op je.'

De Goleta was een middelhoog middenklasse hotel dat zo op het oog vooral onderdak bood aan zakenlieden met een toereikend maar geenszins overdadig budget. Een begeleiding naar zijn kamer was geen onderdeel van het servicepakket, waardoor Hammond direct naar de garage kon.

Toen de liftdeuren opengingen naar een schaars verlichte spelonk met betonnen pilaren en geparkeerde auto's, vroeg hij zich af of hij hier dezelfde risico's liep als Vidor, wat die dan ook mochten zijn. Als de bende die achter de ontsnapping van Gazi zat op de een of andere manier lucht had gekregen van Vidors plannen, verkeerden ze misschien allebei wel in groot gevaar. Maar het was een gevaar waarvan hij wist dat hij het onder ogen moest zien. Hij was te ver gekomen en kon nu niet meer terug. Hij moest door. Tot het einde.

Een paar koplampen gloeiden op in een afgelegen hoek van de halflege garage. Daar liep hij heen. Ze waren van een voertuig dat strategisch stond geparkeerd tussen de meren van vaalbleek licht die door de ver van elkaar opgehangen tl-buizen werden veroorzaakt. Het was een grote pickup met hardtop en met rasterwerk voor de koplampen en dikke lagen modder en stof op de banden en de carrosserie. Het enig zichtbare glas op de voorruit, was van de cirkelbogen die door de ruitenwissers waren uitgeslepen, waardoor Vidor met een uitdrukkingsloos gezicht naar buiten zat te staren.

Hij leek magerder dan Hammond zich herinnerde – ongeschoren en met holle ogen, als een man die te lang te veel van zichzelf had gevergd. Hij had geen bril meer op. En op zijn linkerjukbeen zat een vers litteken. Hij gebaarde Hammond met een knik van zijn hoofd om in te stappen en deed pas toen de deuren van het slot.

Hammond klom op de stoel naast hem. Toen hij het portier achter zich dichttrok, zette Vidor de deurvergrendeling weer aan. 'Je moet wel weten,' begon Hammond, 'dat ik…'

'Laat maar,' zei Vidor, hem onderbrekend. 'We hebben geen tijd – en ik niet het geduld – voor jouw opvattingen over mijn bedrog van het ICTY en het helpen bevrijden van Gazi. Niets is zoals jij denkt dat het is.'

'Hoe is het dan wel?'

'Daar kom je wel achter voor je weggaat, dat beloof ik je.'

'Het enige wat ik van je hebben wil, Stevan, is de plek waar Gazi zit. De rest kan me niet schelen. Dat geldt ook voor alles wat je geweten belast – aangenomen dat je er een hebt.'

'Best. Na Dobson te hebben aangehoord zal je niet kunnen ontkennen dat Ingrid van plan is haar vader van diverse aangename schuilplaatsen te voorzien.'

'Nou, en? Zeg me waar hij zit en haar plannen gaan op in rook.'

'Vraag je je niet af waarom ik Dobson had ingehuurd?'

Dat had Hammond zich inderdaad afgevraagd. Een onderzoek naar Gazi's activiteiten in Chili en Argentinië hadden voor zijn gevoel niets met de hele situatie van doen. 'Gazi is een monster, Stevan. Oké? Altijd geweest. En zal het ook altijd blijven. Dat begrijp ik. Jammer dat jij dat niet begreep voor je het geld aannam om hem te helpen de dans te ontspringen.'

'Maar ik begreep het wel. Heel goed, zelfs.'

'Waarom heb je dat dan toch gedaan?'

'Een middel om een doel te bereiken, Edward. Er was geen andere manier.'

'Geen andere manier om snel rijk te worden. Bedoel je dat? Is dat het?'

'Nee.' Vidor draaide zich opzij om hem te kunnen aankijken, zijn gezicht was in schaduw gehuld. 'Dat is het helemaal niet.'

'Waar is hij? Zeg dat nu. Dan kunnen jij en ik elk onze eigen weg gaan.'

'Zoals jij het zegt klinkt het allemaal zo makkelijk. Maar het was bepaald geen eenvoudige klus om hem op te sporen. Die ook diverse mensen het leven heeft gekost.'

'Hoe bedoel je?'

'Die verdienden hun dood. Ik heb geen spijt van wat ik deed.'

De temperatuur in de auto leek opeens tien graden te zijn gezakt. 'Wacht even. Heb jij… Furgler vermoord?'

'Bedoel je Mittag? Ja. Die zou, als ik hem had laten leven, zijn bazen hebben verteld wie er achter Gazi aan zat. Ik had geen alternatief.'

'En er waren… anderen?'

'Inderdaad.'

'Die je allemaal hebt vermoord?'

'Zoveel als nodig was.'

'Ze zeiden dat Furgler – Mittag – was gemarteld voor hij stierf.'

'Hij had informatie die ik moest hebben. En die gaf hij niet makkelijk vrij.'

Tot voor kort had Hammond gedacht dat Vidors motief was dat hij te weinig geld had ontvangen of dat hij op de een of andere manier beduveld was door de bende die verantwoordelijk was voor de ontsnapping van Gazi. Nu begon hij het bange vermoeden te krijgen dat het om iets anders ging – iets heel anders. 'Ga je me nog zeggen waar Gazi zit?'

'Ja. Maar er zijn nog een paar andere dingen die ik je eerst ga vertellen. Ik ben namelijk al een hele tijd naar hem op zoek, moet je weten. Negen jaar in totaal.'

'Wát?'

'Pas toen Gazi onderdook in 2000, en het hele regime van Milosevic was ineengestort, wilde men me de waarheid vertellen over hoe mijn broer Marinko stierf; en waarom, later, de rest van mijn familie werd afgeslacht. Toen hoorde ik dat Gazi daarvoor verantwoordelijk was. Hij gaf de orders. Eerst werd Marinko geëxecuteerd. Toen werden mijn zus, mijn andere broers en mijn ouders om het leven gebracht. Ze waren samengekomen om de zeventigste verjaardag van mijn vader te vieren. Gazi's mannen braken het appartement binnen en schoten hen allemaal dood. Ik was daar niet bij, natuurlijk. Dat was ik nooit. Ik was degene die weg had weten te komen en ook weg wilde blijven. Maar na dit, kon dat niet. Ik kon mijn land vergeten, maar niet mijn familie.'

'Als je Gazi zo haat, hoe kon je dan...'

'Het wordt je zo allemaal duidelijk. Luister nu maar gewoon. Ik besloot hem op te sporen en af te maken. Maar niemand wist waar hij was – of niemand deed zijn mond open. Daarom ben ik voor de VN gaan werken. Omdat ik dacht dat zij me de informatie zouden kunnen geven die ik moest hebben om hem te kunnen opsporen. Maar het was ten slotte de politie in Montenegro die hem arresteerde, zodat ik nooit de kans heb gehad hem te pakken te krijgen voor hij veilig en wel werd opgesloten in Scheveningen. Nou, daar ben je geweest. Je weet hoe het daar is. De naam Oranje Hotel is goed geschoten. Het is meer een hotel dan een gevangenis. Dat vast in niets lijkt op Goli Otok, het werkkamp waar mijn vader een paar jaar zat als straf voor het feit dat hij voor de klas Tito's onfeilbaarheid in twijfel trok. Hij was een leraar die dacht dat vrijuit spreken bij het lesgeven hoorde. Wat een domkop was hij toch. Een domkop van wie ik hield, natuurlijk. Een domkop die op zijn zeventigste door Gazi werd vermoord.

'Het ICTY werkt volgens het principe dat het aan massamoordenaars ontnemen van hun vrijheid voor de rest van hun leven een eerlijke en geschikte bestraffing is. Eerst Scheveningen, dan de een of andere softe Scandinavische gevangenis waar ze hun memoires kunnen schrijven en op een heel wat aangenamer manier oud kunnen worden dan menig eenzame vrouw in Kosovo of Bosnië die ze terloops weduwe hebben gemaakt. Dat is niet genoeg, bij lange na niet. Daarom accepteerde ik het geld dat me werd geboden om te helpen bij Gazi's ontsnapping. Niet om het geld, maar om de kans die zijn hernieuwde vrijheid me geven zou om de klus te klaren die ik negen jaar geleden begonnen was: hem te vangen, klem te zetten en hem te laten betalen met wat ík een geschikte straf voor zijn misdaden vind. De bende die hem hielp ontsnappen deed meer dan hem alleen bevrijden, moet je weten. Ze regelden ook de schuilplaatsen waar hij kon onderduiken. Dat betekende dat er een spoor was dat ik kon volgen, dat bij Mittag begon, en dat me uiteindelijk zou voeren naar waar hij zat. Ik vond hem vier dagen geleden in Panama.' Vidor stopte om nog even van dat moment te kunnen genieten.

'En zit hij nu daar?' vroeg Hammond voorzichtig.

'Nee. Nu niet. Ik... heb hem naar een andere plek gebracht.'

'Je bedoelt dat je hem hebt vermoord?'

'Dat zei ik niet.'

'Het is, of je dat nu hebt gedaan of niet, wel duidelijk dat je niet wilt dat hij weer in handen van het icty komt. Waarom zit ik hier dan eigenlijk?' Het was een vraag die moest worden gesteld. Wat was Vidor van plan en waar paste Hammond in dat plan? Hij was naar Buenos Aires gelokt met een reden. En hij moest weten welke.

'Dit gaat niet alleen om Gazi, Edward. Het gaat ook om jou en mij.'

'Hoe bedoel je?'

'Waarom denk je dat hij mijn broer liet vermoorden en de rest van de familie heeft uitgeschakeld?'

'Ik heb geen idee.'

'Marinko vocht met de Wolven in Bosnië, weet je. Hij was een aanhanger van het Grotere Servië. Hij was getrouw aan Gazi. Toen, op een dag tijdens het bestand na Dayton, hing hij zich op. Dat werd tenminste tegen mijn ouders gezegd. Maar mijn zus Tanja pikte dat niet. Die was altijd al een terriër. Ze zei mijn broers dat ze zijn dood heel verdacht vond. Ze begonnen vragen te stellen. En bleven dat doen. Totdat Gazi vond dat het vragen voorbij moest zijn. Er is iets wat je moet weten over Marinko, om het te kunnen begrijpen. Het was een heel pure jongen. Hij rookte niet. Hij dronk amper. Hij gebruikte geen drugs en ging niet naar de hoeren. Gazi wist dat. En hij wist uit zijn medische gegevens natuurlijk wat zijn bloedgroep was. Maar hij bleef er toch op aandringen dat hij zou worden getest op hepatitis en hiv. Hij wilde zeker zijn.'

'Zeker van wat?'

'Mijn ouders kregen pas drie dagen nadat Marinko zich zou hebben verhangen te horen dat hij dood was. De smoes was dat ze hem niet zo gauw hadden kunnen identificeren. Maar Tanja hoorde van de staf van het ziekenhuis waar hij naartoe was gebracht dat zijn commandant bij de Wolven had gezegd dat nergens stond vermeld of hij familie had. Dat was groot gelul. Toen hij in dienst ging, had hij alle gegevens over zijn familie ingeleverd. En niemand leek te weten wie hem gevonden had. Hij woonde alleen in Nieuw-Belgrado. Als hij van plan was geweest om zelfmoord te plegen, had hij dat op een snelle en efficiënte manier gedaan, met een kogel. Zoals soldaten doen. Hangen? Vergeet het maar. Maar bij ophanging verlies je geen bloed, natuurlijk, en raken je inwendige organen niet beschadigd, zolang het slachtoffer nog maar niet hersendood is als hij wordt losgesneden. En dat was Marinko blijkbaar niet. Begint het je nu te dagen?'

Ongeschonden inwendige organen; onderzoek naar besmettelijke ziektes; geen familie die geraadpleegd moest worden: Hammond begon inderdaad een beeld voor ogen te krijgen. Een heel afschuwelijk beeld, om precies te zijn.

'Ik veranderde mijn naam in Vidor zodat niemand een verband zou zien met Marinko en zou kunnen raden waarmee ik bezig was. Mijn vader sprak altijd over King Vidor als voorbeeld van hoe je iets kon bereiken als je uit Oost-Europa kwam: het kon je zomaar gebeuren dat je voor je beroep Audrey Hepburn mocht regisseren, en dat je een huis in de heuvels van Hollywood had. De naam waarmee ik geboren werd, was Zaric: Stevan Zaric. Mijn broer was Marinko Zaric. Zegt je dat iets?'

'Ik geloof van niet,' zei Hammond schor.

'Nee? Nou, misschien heeft Miljanovic je nooit de naam van de donor gegeven. Of ben je die weer vergeten, omdat die niet belangrijk was. Misschien probeer je in deze gevallen de donor altijd te vergeten. Maar het feit is, dókter Hammond, dat het de lever van mijn broer Marinko is die jij dertien jaar geleden in Gazi hebt gestopt.'

Hammond hoorde de klik van de revolver toen de haan gespannen werd, een seconde voor hij het vage licht over de stompe neus van de loop zag flitsen. Die nu recht op hem was gericht.

'De truck uit,' zei Vidor kalm.

37

'HIER WIST IK BESLIST NIETS VAN,' ZEI HAMMOND. HIJ STOND
bevend in het gedimde licht van de garage, en zocht naar woorden om
Vidor over te halen hem niet te doden. 'Dat moet je van me aannemen,
Stevan. Ik zou de moord op een orgaandonor nooit hebben geaccepteerd.
Dat druist tegen elke medische ethiek in waarmee ik ooit te maken heb
gehad.'

Vidor liep langzaam om de neus van de truck heen en hield het wapen op Hammond gericht. Hij stopte toen ze recht tegenover elkaar stonden. Zijn gezicht was in schaduw gehuld, net als toen hij in de wagen zat.
Waardoor niet te zien was of en hoe hij reageerde of dacht. 'Hoe ethisch
is het om een massamoordenaar die terminaal ziek is een paar decennia
extra tijd te geven om met moorden te kunnen doorgaan?' vroeg hij, alsof hij echt benieuwd was wat het antwoord hierop kon zijn.

'Ik wist toen niet dat hij een massamoordenaar was.'

'Nee? Dacht je misschien dat hij genomineerd was voor de Nobelprijs?
Hou toch op, Edward. Kom er eerlijk voor uit. Je wilde helemaal niet we-
ten wat Gazi had uitgevreten in Bosnië – of waar de donor vandaan kwam.
Je wilde alleen het geld.'

'Het honorarium was aanlokkelijk, natuurlijk. Dat ontken ik ook niet.
Maar...'

'Hoeveel heeft Gazi je betaald?'

'Is dat van belang?'

'Ik zou dat graag van je horen.'

Hammond realiseerde zich dat hij dat waarschijnlijk al wist. Een leugen in dit stadium zou fataal kunnen zijn. 'Tweehonderdvijftigduizend pond.'

'En Miljanovic? Hoeveel kreeg die?'

'Dat weet ik niet. Dat was tussen hem en Gazi.'

'Maar minder dan jij?'

'Ja. Minder dan ik.'

'Dus maakt dat jou de eerst verantwoordelijke persoon voor de operatie.'

'Dat neem ik aan, ja.'

'Maar je weet desondanks niet waar Gazi's nieuwe lever vandaan kwam?'

'Ik had geen reden om daarnaar te vragen. Een chirurg probeert altijd het contact met de familie van de donor te vermijden om elke schijn van dwang van zijn kant tegen te gaan.'

'Maar de familie van Marinko wist niet dat hij een donor was.'

'Ergens moet er in dit hele proces vuil spel zijn gespeeld. Dat is duidelijk. Misschien bij het eerste ziekenhuis waar je broer terechtkwam. Dat toen tegen de Vocnjak Kliniek heeft gezegd dat ze een hersendode patiënt hadden die geschikt kon zijn voor een levertransplantatie.'

'Wat betekent dat jij geen schuld hebt?'

'Aan de dood van je broer? Nee, daar kan ik niets aan doen. En dat weet jij volgens mij ook wel.'

'En hoe zit het dan met het redden van Gazi's leven?'

'Ik ben een dokter, Stevan. Ik bedien de zieken.'

'En vooral de goed betalende.'

'Als ik toen net zoveel over Gazi had geweten als ik nu weet, zou ik geweigerd hebben hem te behandelen. Maar dan had iemand anders mijn plaats ingenomen. Het had geen verschil gemaakt. Je begrijpt toch wel…'

Uit de richting van de afrit klonk opeens het gieren van rubber over beton. De lichtstralen van koplampen gleden over de parkeervakken toen er een auto de garage binnenreed. 'Achter de truck,' snauwde Vidor. 'Vlug.'

Hammond draaide zich om en liep onvast naar de achterkant van de truck. Tussen de auto en de muur was ongeveer twee meter ruimte. Toen hij erheen liep, voelde hij een harde por van de revolver in zijn rug.

'Probeer niet om de aandacht te trekken, Edward,' raspte Vidor in zijn oor. 'Dat zou een grote fout zijn.'

Een grote donkere sedan stopte aan de andere kant van de garage. De motor viel stil. Een man stapte uit en sloeg het portier dicht. Terwijl het geluid van de klap nog nagalmde, klapte er een tweede portier. Er stapte ook een vrouw uit. Er klonk een bliep van de afstandsbediening. Toen liepen de man en de vrouw druk pratend in het Spaans naar de lift. Ze keken niet eens de kant op van Hammond en Vidor.

De lift arriveerde. De deuren gingen open en dicht. Het geluid van de stemmen stierf weg. Ze waren weer alleen.

'Achterklep openmaken,' zei Vidor kalm.

Hammond wilde vragen waarom, maar durfde dat niet. Hij vond de hendel, draaide eraan, en trok de klep op. Die ging op eigen kracht omhoog tot hij op gelijke hoogte kwam met het dak, en stopte toen.

'De onderste helft ook. Er zitten aan beide kanten grendels.'

Vidor zette een stap achteruit om Hammond bewegingsruimte te geven. Die schoof de grendels opzij en sloeg de klep neer. De achterkant van de truck was nu helemaal open. De wagen zat vol dozen en iets wat op stapels stof leek.

'Aan de rechterkant van het dak zit een steun met een lamp. Zet die aan.'

Hammond zag het uitsteeksel met de lamp. Hij friemelde eromheen tot hij het knopje vond en drukte daarop. De truck was opeens fel verlicht. De stapels stof bleken in feite kleden met kleurige patronen te zijn, in diverse vormen en maten, die op een stelling van ongeveer een meter hoog lagen, terwijl de ruimte eronder volgepropt zat met kartonnen dozen en houten kratten.

'Voor de douane ben ik een tapijtenverkoper. Er zijn heel wat grenzen tussen hier en Panama.'

'Ben je helemaal uit Panama hiernaartoe komen rijden?' vroeg Hammond, en hij keek om naar Vidor, die zorgvuldig buiten het schijnsel van de lamp was gaan staan.

'Dat was gezien mijn vracht de enige manier om hier te komen. Hoewel geen van de politiemensen die ik sprak veel belangstelling had voor mijn lading nadat ik ze een stapeltje Amerikaanse dollars in hun zweterige handen had gedrukt. Maar jíj bent vast wel benieuwd, Edward. Heel erg benieuwd. Op vloerhoogte zit een schuifblad. Trek dat er maar eens uit.'

Hammond keek en zag dat de kratten en de dozen op een blad stonden dat iets boven de vloer van de truck zat. Hij vond een hendel en daaronder een pal die hij omzette. Daarna schoof hij het blad op zijn rollers naar buiten.

De grootste van de kratten was bijna twee meter lang: een stevige rechthoekige houten kist, waarvan de deksel was vastgemaakt met drie brede leren riemen.

'Openmaken,' zei Vidor.

'Wat zit erin?'

'Dat weet je als je hem openmaakt.'

Toen Hammond de riemen losgespte, bekroop hem een vreemd, wee gevoel van angst. In het hout was een rij ver uit elkaar liggende gaten geboord, die zo klein waren dat hij ze pas zag toen hij zich tot onder de stelling moest uitstrekken om de laatste riem los te kunnen maken. Daarna kwam hij overeind en wendde zich naar Vidor. 'Wat betekent dit allemaal?' vroeg hij.

Vidor hield de revolver verder naar voren. 'Openmaken!'

'Ja, ja.' Hammond stak zijn opengeslagen handen op om te laten zien dat hij luisterde. 'Goed dan.' Hij draaide zich weer om, boog zich over de kist en tilde de deksel op. Toen hij dat deed, lachte Vidor.

In de kist lag een man, gekleed in een t-shirt, lange onderbroek en sokken. Ook had hij een soort groteske luier om, waaruit een stank van uitwerpselen en verschaalde urine opsteeg. Hij had een prop in zijn mond en zijn handen waren op zijn rug gebonden. Zijn enkels zaten aan elkaar vast met hetzelfde stuk touw, dat zo strakgetrokken was dat hij zijn benen niet kon strekken. Hij had donkerbruin springerig haar, een baard en een wasbleek glad gezicht, dat vreemd afstak tegen zijn gerimpelde nek en pezige ledematen. Er was even een moment van onbegrip, voor Hammond zich realiseerde naar wie hij keek. Toen, in de bange, maar toch uitdagende blik van Dragan Gazi's ijskoude blauwe ogen, herkende hij hem – en werd hij herkend.

'Een paar dure cosmetische ingreepjes, een zeer onmilitaire baard en een fles haarverf maakten hem er niet knapper op, vind je wel?' zei Vidor.

Hammond legde de deksel tegen de zijkant van de kist en stapte achteruit. Gazi's ogen volgden elke beweging die hij maakte. 'Wat ben je in godsnaam aan het doen, Stevan?' vroeg hij, en hij keek Vidor aan.

'Dat wil Gazi vast ook wel weten, denk ik zo. Elke keer als ik de kist dichtdoe, vraagt hij zich af of ik die ooit weer openmaak. En elke keer als ik dat doe, vraagt hij zich af of ik hem ga vermoorden.'

'En ga je dat?'

'Uiteindelijk wel. Als de tijd rijp is. Maar er moeten eerst een paar dingen worden gedaan. Hier.' Vidor haalde iets uit zijn spijkerjasje en gooide dat naar Hammond toe: een kleine, digitale camera. 'Neem een foto van hem, alsjeblieft. Maak een paar foto's. Zodat iedereen kan zien dat hij wordt vastgehouden.'

'Moet dat echt?'

'Ja. Ik heb er in Panama wat genomen, voor we vertrokken. Maar we moeten er nog een paar hebben, met hem in zijn kist. Daar. Ga je gang.'

Hammond deed geen moeite om de foto's vanuit verschillende hoeken te nemen of van diverse afstanden. Hij nam er zes in totaal en min of meer identiek, met de datum en tijd geregistreerd in een hoek van het beeld. Toen zei Vidor dat hij kon stoppen.

'Dat is genoeg. Stop de camera nu in je zak.'

'Ik wil die foto's niet, Stevan. Die zijn van jou.'

'Maar ik kan ze aan niemand laten zien, en jij wel. Ik hoop dan ook heel erg dat je dat doet. Aan één persoon in het bijzonder. Wil je dat voor me doen? Als gunst?'

'Wie?'

'Ingrid. Die moet absoluut zeker weten dat ik haar vader te pakken heb. Ik wil dat je haar vertelt wat ik heb gedaan. De foto's zullen bewijzen dat het waar is. Zodat ze het wel geloven moet.' Vidor liet de revolver zakken. 'Ik ga je niet vermoorden, Edward. Wat ik misschien wel had gedaan als je niet op mijn verzoek was ingegaan en in Belgrado was gebleven. Dan was ik misschien achter je aan gekomen. Maar het is nu eenmaal zo, dat alleen jij dit voor me kan doen. En ik denk dat ik het recht heb om het van je te vragen. Vind je dat zelf eigenlijk ook niet een beetje?'

Een beetje vond Hammond dat ook. Maar dat wilde nog niet zeggen dat hij niet walgde van wat Vidor Gazi had aangedaan – veel meer dan als hij gewoon een kogel door het hoofd van deze verachtelijke man had gejaagd. 'Je moet wel beseffen wat je doet, Stevan. Door Gazi te martelen, verlaag je je tot zijn niveau. Waarom laat je me niet de politie bellen, dan kan die...'

'Ik ben hier de politie, Edward. Ik ben de wet hier voor de rest van Gazi's leven, hoe lang of kort dat ook mag zijn. En ik martel hem niet. Ik straf hem, en ook zijn dochter. Ik heb een boodschap voor Ingrid, en die luidt als volgt: Ze zal nooit te weten komen wat er met haar vader is gebeurd – wanneer hij sterft, hoe hij sterft, waar hij sterft. Ze zal nooit over zijn lichaam kunnen beschikken om dat te begraven in een of ander praal-graf op het kerkhof van La Recoleta. Ik ga met hem doen wat hij met Car-los Rueda deed. Ik ga hem laten "verdwijnen".'

'Het moet toch…'

'Ook anders kunnen? Nee. Dit is wat Gazi verdient. Geen gevangenis-cel. Geen graf. Geen gedenkteken. Alleen… uitroeien. Ga naar de auto-riteiten, als je wilt, en vertel ze alles wat je weet. Dat kan me niet schelen. Ik ben nu voor altijd op de vlucht. Het maakt ook niet veel uit hoeveel mensen er achter me aan komen. Maar praat eerst met Ingrid. Maak het haar duidelijk. Er komt geen blijde ouwedag voor Gazi. Ze is hem kwijt. Voor altijd.'

Het werd stil. Hammond had het niet in zich om nog langer te pro-beren een beroep te doen op Vidors betere ik. Hij twijfelde er niet aan dat Gazi erg te lijden zou krijgen voor hij stierf. Dat druiste volkomen in tegen zijn teerhartige West-Europese liberale principes. Maar deze principes hadden totaal niets gedaan voor al die duizenden slachtoffers die Gazi drie decennia lang op twee continenten had gemaakt. Misschien was het inderdaad tijd voor hem geworden om te oogsten wat hij had gezaaid.

'Ingrid woont op Avenida Cornualles twee-zes-een,' zei Vidor zacht. 'Dat is niet ver hiervandaan. Zoek haar maar op zodra je kunt.'

Hammond had nog steeds geen woord gezegd. Maar zijn zwijgen zei al genoeg. En hield in dat hij Ingrid zou opzoeken om Vidors boodschap over te brengen. Het hield in dat hij dat niet kon weigeren.

Een paar minuten later zag hij de truck de oprit oprijden die naar de ho-ger gelegen verdieping van de garage leidde, en hoorde hij hem nog wat extra gas geven tegen de volgende oprit op, waarachter de straat lag. Vi-dor was weg. En Gazi ook. Ze hadden niet opgehouden te bestaan. Maar Hammond wist toch zeker dat hij geen van beiden ooit nog terug zou zien.

Avenida Cornualles 261 was een statig appartementencomplex in laat ne-gentiende-eeuwse stijl op niet meer dan tien minuten lopen van het kerk-hof van La Recoleta, waar Nikola Gazi begraven lag, maar waar zijn va-der nooit terecht zou komen. De fraai geüniformeerde dienstdoende portier in de met marmer en goudkleuren opgesmukte foyer liet Hammond weten dat 'la señora Hurtado-Gazi' wel in de stad was, maar op het moment niet thuis. Hammond wilde geen boodschap achterlaten.

Hij liep een klein stukje de straat door naar een van de drie bankjes die rond een klein grasveldje stonden in de schaduw van een gomboom. Daar zat hij haast een uur lang naar het komen en gaan in het appartementencomplex te kijken, terwijl vogels waarvan hij de pluimage en het gezang niet kende hupten en fladderden in de bomen en de lage heg erachter.

Hij wist dat hij moest melden wat er in de garage van Hotel Goleta was gebeurd. Hij kon de dingen waarvoor Vidor nu gekozen had niet vergoelijken. Maar veroordelen kon hij ze ook niet. Gazi's genadeloosheid werd nu eindelijk met gelijke munt betaald.

Wat Ingrid betrof was het moeilijk te voorspellen hoe ze zou reageren op het nieuws dat Hammond voor haar had. Contact met haar opnemen bracht de nodige risico's met zich mee. Maar dat weerhield hem er vreemd genoeg niet van. Het ging er niet om dat hij haar ervoor betaald wilde zetten dat ze hem gechanteerd had en bedrogen. Het was gewoon omdat zijn besluit dertien jaar geleden om Gazi te behandelen hem had achtergelaten met een schuld waarvan hij wist dat hij die nooit meer zou kunnen inlossen. Maar wat hij wel kon, was die verkleinen, stukje bij beetje, door uit te voeren wat hem te doen stond. De doden konden niet meer tot leven worden gewekt. De levenden konden niet allemaal krijgen wat hen toekwam. De wereld was, wist hij nu beter dan ooit tevoren, niet perfect. Maar er waren geen andere werelden om uit te kiezen. Dit was de enige.

Hij zag Ingrid in een taxi voorbijkomen, zonder dat ze hem zag, en hij wist haar te bereiken voor ze het appartementencomplex binnenliep. De portier haastte zich net naar buiten om haar te helpen met de armvol draagtassen met designerlabel, toen hij op haar toeliep. Ze was in het wit gekleed, in plaats van het haar kenmerkende zwart. Misschien wás wit wel haar kenmerk voor Buenos Aires, dacht hij. De overmaat aan sieraden was echter onveranderd, en het gardeniaparfum natuurlijk ook. Als er iets was aan haar wat hij nooit zou vergeten, was dat het wel.

'Ingrid,' zei hij.

Ze draaide zich om, fronste geërgerd, haar ogen verscholen achter een donkere bril, haar scharlakenrode lippen op elkaar geperst. Toen realiseerde ze zich wie hij was. En de ergernis veranderde, eerst in verbijstering, en daarna in woede. 'Wat moet ú hier?' snauwde ze.

'Ik moet met je praten. Over je vader.'

'U kunt onmogelijk iets te zeggen hebben wat ik horen wil.'

Hammond knikte. 'Dat klopt. Dit is niet iets wat je horen wilt. Maar je zult dat vrees ik toch wel moeten.'

KANTTEKENING VAN DE AUTEUR

Ik ben Professor Roger Williams veel dank verschuldigd voor alle waardevolle informatie die hij me gaf over de werkzaamheden van een leverchirurg en de prettige gesprekken die wij hierover hebben gehad.

Ook dank ik de schrijvers van de volgende boeken die me hielpen de kenmerken en de gevolgen van de conflicten in de Balkan in de jaren 1990 te begrijpen: *They Would Never Hurt a Fly*, door Slavenka Drakulic; *Madness Visible* door Janine di Giovanni; *With Their Backs to the World*, door Åsne Seierstad; *Like Eating a Stone*, door Wojciech Tochman en *The Ministry of Pain*, door Dubravka Ugresic.